LES AVENTURIERS DE LA MER **7**

Le seigneur des Trois Règnes

Du même auteur
aux Éditions J'ai lu

L'assassin royal :
1 – L'apprenti assassin, *J'ai lu* 5632
2 – L'assassin du roi, *J'ai lu* 6036
3 – La nef du crépuscule, *J'ai lu* 6117
4 – Le poison de la vengeance, *J'ai lu* 6268
5 – La voie magique, *J'ai lu* 6363
6 – La reine solitaire, *J'ai lu* 6489
7 – Le prophète blanc, *J'ai lu* 7361
8 – La secte maudite, *J'ai lu* 7513
9 – Les secrets de Castelcerf, *J'ai lu* 7629
10 – Serments et deuils, *J'ai lu* 7875
11 – Le dragon des glaces, *J'ai lu 8173*
12 – L'homme noir, *J'ai lu 8397*
13 – Adieux et retrouvailles, *J'ai lu* 8472

Les aventuriers de la mer :
1 – Le vaisseau magique, *J'ai lu* 6736
2 – Le navire aux esclaves, *J'ai lu* 6863
3 – La conquête de la liberté, *J'ai lu* 6975
4 – Brumes et tempêtes, *J'ai lu* 7749
5 – Prisons d'eau et de bois, *J'ai lu* 8090
6 – L'éveil des eaux dormantes, *J'ai lu* 8334
7 – Le Seigneur des Trois Règnes, *J'ai lu* 8573
8 – Ombres et flammes, *J'ai lu* 8646
9 – Les marches du trône, *J'ai lu* 8842

Le soldat chamane :
1 – La déchirure, *J'ai lu* 8617
2 – Le cavalier rêveur, *J'ai lu* 8645
3 – Le fils rejeté, *J'ai lu* 8814

Sous le nom de Megan Lindholm
Ki et Vandien :
1 – Le vol des harpies, *J'ai lu* 8203
2 – Les Ventchanteuses, *J'ai lu* 8445
3 – La porte du Limbreth, *J'ai lu 8647*
4 – Les roues du destin, *J'ai lu* 8799

ROBIN HOBB

LES AVENTURIERS DE LA MER 7

Le seigneur des Trois Règnes

Traduit de l'américain
par Véronique David-Marescot

Titre original :

SHIP OF DESTINY
(The Liveship Traders - Livre III)
(Première partie)

Pour la traduction française :
© 2006, Éditions Pygmalion, département de Flammarion

*Celui-là, c'est pour Jane Johnson et Anne Groell,
qui ont eu la bienveillance d'insister
pour que je ne me trompe pas.*

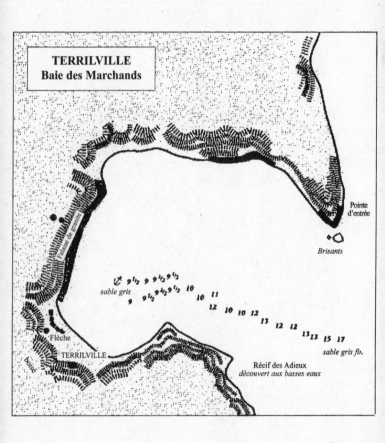

TERRILVILLE
Baie des Marchands

Falaise de granite

Pointe
d'entrée

Brisants

sable gris

9½ 9 9½ 9½
9 9½ 9½ 9½ 10
10 11
12 10 10 12
13 12 12
13 13 15 17

sable gris fin.

Flèche

TERRILVILLE

boisé

Récif des Adieux
découvert aux basses eaux

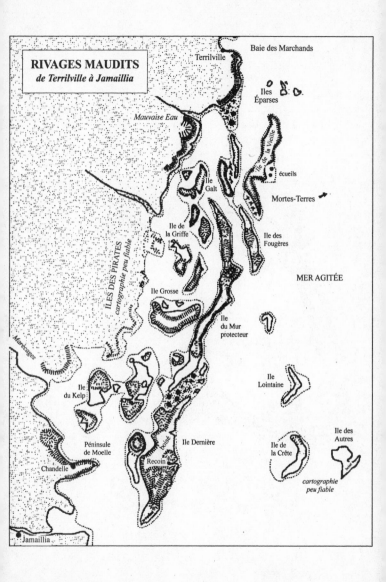

FIN D'ÉTÉ

PROLOGUE

CELLE-QUI-SE-SOUVIENT

Que ressentait-on à être parfait ?

Le jour de son éclosion, elle avait été capturée avant même d'avoir pu se tortiller sur le sable et connaître la fraîche et saline étreinte de la mer. Celle-Qui-Se-Souvient était condamnée à se rappeler cette journée avec netteté, dans le moindre détail. En cela consistait toute sa fonction, sa seule raison d'être. Elle était vaisseau de souvenirs. Depuis sa formation dans l'œuf, s'emboîtaient en elle avec sa propre vie les vies de ceux qui l'avaient précédée. De l'œuf au serpent, du cocon au dragon jusqu'à l'œuf, l'entière mémoire de sa race était sienne. Tous les serpents n'étaient pas ainsi gratifiés ni accablés de ce fardeau. Ils étaient relativement rares, ceux qui portaient, gravé en eux, le passé de l'espèce, mais il suffisait seulement de quelques-uns.

Au début, elle avait été parfaite. Son petit corps lisse, souple et écailleux, était sans défaut. Elle avait brisé la coque coriace avec la dent d'éclosion pointant sur son museau. C'était la retardataire de la couvée : les autres s'étaient déjà libérés de leurs coquilles et du sable sec amoncelé. Elle n'avait plus qu'à suivre leurs traces sinueuses. La mer lui avait fait signe avec insistance. Le clapotis des vagues l'envoûtait. Elle avait entamé son voyage, en ondulant sur le sable sec sous un soleil implacable. Elle avait senti l'air humide et piquant de l'océan. La lumière qui dansait, éblouissante, à fleur d'eau l'avait attirée.

Elle n'avait jamais achevé son voyage.

Les Abominations l'avaient découverte. Elles l'avaient encerclée, interposant leurs corps lourds entre elle et la mer attirante. Cueillie sur le sable où elle se tortillait, elle avait été emprisonnée dans une piscine alimentée par les marées, à l'intérieur d'une grotte, au creux des falaises. Là, les Abominations l'avaient détenue, l'avaient nourrie de charogne, sans la laisser jamais nager librement. Elle n'avait pas migré avec les autres vers le sud, vers les eaux chaudes où abondait la nourriture. Elle n'avait jamais acquis la taille et la force dont une vie de liberté l'aurait pourvue. Elle avait grandi, cependant, jusqu'à se trouver à l'étroit dans la mare, simple flaque qui suffisait à peine à humecter sa peau et ses ouïes. Ses poumons étaient comprimés à l'intérieur de ses anneaux perpétuellement repliés. L'eau qui l'entourait était souillée de ses toxines et excréments. Les Abominations l'avaient gardée prisonnière.

Combien de temps avait-elle été confinée là ? Impossible à évaluer, mais certainement durant plusieurs vies de sa race. Régulièrement, elle sentait l'appel de la migration. Une énergie fébrile s'emparait d'elle, accompagnée du désir irrésistible de partir à la recherche de ses semblables. Les glandes de son poitrail, gorgées de venin, se mettaient à gonfler, devenaient douloureuses. Durant ces périodes, elle ne trouvait nul répit car les souvenirs la saturaient, exigeaient de s'échapper. Au supplice, elle s'agitait dans sa petite piscine et jurait de se venger éternellement des Abominations qui la retenaient. À ces moments-là, sa haine était proche de la sauvagerie. Lorsque ses glandes dégorgeaient et empoisonnaient l'eau des sels de ses souvenirs ancestraux, jusqu'à ce qu'elle soit asphyxiée par le passé, alors les Abominations venaient. Elles venaient à sa piscine tirer l'eau dont elles s'enivraient. Ivres, elles prophétisaient, extravaguaient à la pleine lune. Elles lui volaient les souvenirs de sa race qu'elles utilisaient pour en déduire l'avenir.

Alors, le deux-pattes, Hiémain Vestrit, l'avait délivrée. Il était arrivé sur l'île des Abominations, pour ramasser à leur place les trésors échoués sur le rivage. En échange, il attendait d'elles qu'elles lui prédisent son avenir. En y repensant, elle sentait sa crinière se hérisser. Les Abominations ne prophétisaient que grâce au vol de ses vies passées ! Elles ne possédaient nullement le don de double vue. Autrement, elles auraient su que le deux-pattes causerait leur perte. Elles auraient arrêté Hiémain Vestrit. Au lieu de quoi, il l'avait découverte et libérée.

Bien que leur peau eût été en contact, bien que leurs souvenirs se fussent mêlés à travers ses toxines, elle ne comprenait pas ce qui avait poussé le deux-pattes à la délivrer. C'était un être à la vie si brève que la plupart de ses souvenirs à lui n'avaient guère laissé de trace en elle. Elle avait ressenti son inquiétude et sa souffrance. Elle avait compris qu'il risquait son existence éphémère pour la libérer. Le courage déployé par cette vie aussi fugace qu'un frisson l'avait émue. Elle avait massacré les Abominations qui allaient les recapturer tous les deux. Puis elle avait aidé le deux-pattes, qui sans elle serait mort dans le sein de la mer, à rejoindre son vaisseau.

Celle-Qui-Se-Souvient ouvrit toutes grandes ses ouïes. Elle goûta dans les vagues une saveur mystérieuse. Elle avait rendu le deux-pattes à son navire mais ce navire l'attirait autant qu'il l'effrayait. La coque gris argent parfumait l'eau devant elle. Elle le suivait, s'abreuvant aux sels piquants d'insaisissables souvenirs.

Ce navire avait l'odeur d'un membre de sa race. Voilà douze marées qu'elle l'escortait, sans en être plus avancée. Elle savait très bien ce qu'était un navire ; les Anciens en possédaient aussi, quoiqu'ils aient été différents de celui-là. Ses souvenirs de dragon lui disaient que ceux de son espèce avaient souvent survolé des vaisseaux analogues qu'ils s'amusaient à secouer rudement d'un battement de leurs ailes immenses. Les navires en général n'avaient rien de mystérieux, mais celui-ci était une énigme. Comment pouvait-il dégager un effluve de serpent ? Qui plus est, d'un serpent pas ordinaire. Il avait l'odeur de Celle-Qui-Se-Souvient.

Une nouvelle fois, elle fut rappelée à son devoir : c'était un instinct plus fort que le besoin de se nourrir ou de s'accoupler. Il était temps, grand temps. Elle aurait dû se trouver parmi ses semblables, à cette heure, afin de les guider sur le chemin de la migration que ses souvenirs connaissaient si bien.

Elle aurait dû être en train d'alimenter leur mémoire défaillante de ses puissantes toxines, qui auraient piqué et réveillé de dormantes réminiscences. Dans son sang, l'instinct biologique clamait ses exigences. Le temps du changement était venu. Elle maudit une fois de plus son corps d'or vert, difforme, qui se vautrait, se débattait si gauchement dans l'eau. Elle n'avait nul besoin de rassembler ses forces : il lui était facile de nager dans le sillage du navire et de profiter de son courant pour se déplacer.

Elle transigea avec elle-même : tant que la route du navire argenté correspondrait à la sienne, elle le suivrait. Elle utiliserait sa vitesse pour avancer tout en prenant force et endurance. Elle méditerait sur son mystère et, si possible, le résoudrait. Mais elle ne laisserait pas cette énigme la détourner de son but. Quand ils approcheraient du rivage, elle abandonnerait le navire et partirait en quête des siens. Elle trouverait des nœuds de serpents, les guiderait pour remonter le grand fleuve jusqu'aux lieux de nidification. À cette heure, l'année prochaine, de jeunes dragons s'exerceraient à voler, portés par les vents d'été.

Telle était la promesse qu'elle s'était faite au cours de ces douze premières marées. Au milieu du treizième flux, un bruit à la fois inconnu et familier à en être déchirant fit vibrer sa peau. C'était la trompette d'un serpent. Aussitôt, elle se détacha du sillage et plongea, loin des vagues de surface qui la distrayaient. Celle-Qui-Se-Souvient donna de la voix en réplique puis se figea dans une immobilité absolue, et attendit. Aucune réponse.

La déception l'accabla. S'était-elle trompée ? Durant sa captivité, elle avait connu des périodes où elle avait appelé, crié d'angoisse, trompeté jusqu'à faire résonner les parois de la grotte. À cet amer souvenir, elle battit brièvement des paupières. Elle n'allait pas se torturer. Elle rouvrit les yeux sur sa solitude. Puis elle se tourna résolument pour rejoindre le navire qui représentait l'unique et pâle semblant de camaraderie qu'elle eût jamais connue.

Sa brève pause n'avait fait qu'aiguiser la conscience qu'elle avait de sa lassitude et de sa gaucherie. Elle dut bander toute sa volonté pour continuer son chemin. Un instant après, la fatigue disparut quand elle aperçut un serpent blanc filer près d'elle comme un éclair. Il ne parut pas la remarquer dans sa poursuite obstinée du navire. La singulière odeur du vaisseau avait dû le tromper. Son cœur se mit à battre follement. « Me voilà ! cria-t-elle. Je suis Celle-Qui-Se-Souvient. Me voilà enfin ! »

Le serpent blanc au corps épais continua de nager en de coulantes ondulations. Il ne tourna même pas la tête. Stupéfiée, elle le fixa du regard, puis se hâta de le suivre, oubliant momentanément sa fatigue. Elle se traînait péniblement, haletant sous l'effort.

Elle le retrouva qui glissait sous le navire dans l'eau sombre, marmonnant, vagissant des sons incompréhensibles à la coque. Sa crinière de piquants venimeux était dressée à demi ; un faible courant d'amères toxines teintait l'eau autour de lui. L'horreur envahit lentement Celle-Qui-Se-Souvient tandis qu'elle observait ses mouvements dénués de sens. Tous ses instincts les plus profonds la prévenaient contre lui. Un comportement aussi étrange laissait croire à la maladie ou à la folie.

Mais il était le premier de sa race qu'elle eût rencontré depuis son éclosion. La voix du sang était plus forte que la répulsion, aussi s'approcha-t-elle de lui. « Je te salue, risqua-t-elle craintivement. Cherches-tu Celle-Qui-Se-Souvient ? C'est moi. »

Pour toute réponse, il fit claquer ses mâchoires et tourner ses grands yeux rouges avec agressivité. « C'est à moi ! trompeta-t-il d'une voix rauque. À moi. Ma nourriture. » Il pressa sa crinière hérissée contre la coque, en lâchant ses toxines. « Donne-moi à manger, ordonna-t-il au navire. Donne. »

Elle battit précipitamment en retraite. Le serpent blanc continua à quêter du mufle le long de la coque. Celle-Qui-Se-Souvient surprit une vague odeur d'appréhension venant du vaisseau. Bizarre. La situation avait l'étrangeté d'un rêve et, comme un rêve, la tracassait par ses possibles significations et interprétations. Le navire réagissait-il vraiment aux toxines et aux appels du serpent blanc ? Non, c'était absurde. L'odeur mystérieuse du vaisseau les trompait tous les deux.

Celle-Qui-Se-Souvient secoua sa crinière et la sentit se raidir, gonflée d'un venin virulent. Le mouvement lui donna un sentiment de puissance. Elle se compara au serpent blanc. Il était plus grand, plus musclé, en pleine santé, expérimenté. Mais peu importait. Elle pouvait le tuer. En dépit de son corps à elle, rabougri et maladroit, elle pouvait le paralyser et l'envoyer par le fond. Bientôt, quoique intoxiquée par ses propres sécrétions, elle sut qu'elle était encore plus forte que cela : elle pouvait lui ouvrir les yeux et lui laisser la vie.

« Serpent blanc ! trompeta-t-elle. Écoute-moi ! J'ai des souvenirs à partager avec toi, des souvenirs du

passé de notre espèce, des souvenirs qui aiguise-
ront ta mémoire. Prépare-toi à les recevoir. »

Il ne lui prêta aucune attention. Il ne se prépara
pas, mais elle ne s'en soucia pas. C'était son destin
à elle. Elle était née pour cela. Il serait le premier
bénéficiaire de son don, qu'il le veuille ou non. Gauchement, empêtrée par son corps mal conformé,
elle s'élança vers lui. Il fit volte-face pour riposter
à ce qu'il prenait pour une attaque, la crinière
dressée, mais elle ne s'inquiéta pas de ses toxines
insignifiantes. D'une poussée sans grâce, elle
l'enveloppa en secouant sa collerette, relâchant le
plus puissant des venins qui le soumettrait provi-
soirement et permettrait à l'esprit caché derrière
sa vie de s'ouvrir à nouveau. Il se débattit avec frénésie puis, tout à coup, se raidit comme du bois
dans son étreinte. Les yeux de rubis qui tournoyaient
s'immobilisèrent, exorbités. Il tenta sans succès
d'avaler un peu d'air.

C'était tout ce qu'elle pouvait faire pour le retenir. Elle s'enroula de toute sa longueur autour de
lui et le fit glisser dans l'eau. Le navire commença
à s'éloigner, mais elle le laissa s'en aller, presque
sans regret. Ce serpent était plus important pour
elle que tous les mystères que recelait le vaisseau.
Elle le maintenait en tordant le cou pour le regarder en face. Elle vit ses yeux se révulser puis se
figer à nouveau. Tandis que le passé de la race tout
entière le rattrapait, elle traversa avec lui mille
vies. Elle le laissa un temps s'imprégner de cette
histoire. Puis elle l'en soulagea, relâchant des toxines moins virulentes qui apaisèrent les couches
profondes de son esprit et permirent à sa vie présente de revenir au premier plan.

« Souviens-toi. » Elle souffla avec douceur les mots qui le rendaient solidaire de tous ses ancêtres. « Souviens-toi et sois ! » Il était tranquille dans ses anneaux. Un frémissement parcourut son corps, la vie reprenait possession de lui. Ses yeux chavirèrent puis se concentrèrent sur elle. Il recula la tête. Elle attendit ses remerciements déférents.

Le regard qu'elle croisa était accusateur.

« Pourquoi ? demanda-t-il brusquement. Pourquoi maintenant ? Alors qu'il est trop tard pour nous tous ? Je serais mort ignorant de tout ce que j'aurais pu être. Pourquoi ne m'avoir pas laissé à mon état d'animal ? »

Elle fut si stupéfaite qu'elle le relâcha. Il se dégagea avec dédain de son étreinte et fila comme une flèche. Elle ne savait pas s'il fuyait ou s'il l'abandonnait. L'un et l'autre lui étaient également intolérables. L'éveil des souvenirs aurait dû le remplir de joie, lui donner un but, et non le plonger dans le désespoir et la colère.

« Attends ! » s'écria-t-elle, mais le gouffre obscur l'avait englouti. Elle barbota maladroitement pour le suivre tout en sachant qu'elle ne pourrait le gagner de vitesse. « Il n'est pas trop tard ! Il faut essayer à tout prix ! »

Elle trompeta les mots inutiles dans le Plein désert.

Il l'avait abandonnée. Seule, à nouveau. Elle n'acceptait pas. Elle se lança à sa poursuite en se débattant lourdement dans l'eau, la gueule grande ouverte pour capter l'odeur évanescente qu'il avait laissée dans son sillage. Faible, plus faible encore. Disparue. Elle fut submergée par la déception, presque étourdie, comme sous l'effet de son propre venin. Elle goûta l'eau encore une fois. Il ne restait pas même d'arrière-goût de serpent, à présent.

Elle décrivit des cercles de plus en plus larges, en recherchant désespérément un effluve, une traînée. Quand elle finit par en percevoir une, son cœur bondit. Résolue, elle cingla de la queue pour le rejoindre. « Attends ! trompeta-t-elle. Je t'en prie. Toi et moi, nous sommes le seul espoir de notre race. Tu dois m'écouter ! »

La saveur devint soudain plus forte. *Le seul espoir de notre race.* La pensée paraissait flotter vers elle par bouffées comme si les paroles avaient été soufflées dans l'air plutôt que trompetées dans les abysses. Elle n'avait pas besoin d'autre encouragement.

« Je viens vers toi ! » Et elle continua sur sa lancée avec obstination. Mais quand elle atteignit la source de l'odeur, elle ne vit qu'une coque d'argent qui fendait les vagues au-dessus d'elle.

1

LE DÉSERT DES PLUIES

Malta plongea sa pagaie de fortune dans l'eau miroitante et donna une forte poussée. La petite embarcation se mit timidement en mouvement. D'un geste vif, elle fit passer la planche de cèdre sur l'autre bord, en grimaçant à la vue des perles d'eau qui s'égouttaient dans le bateau. C'était inévitable. Elle n'avait que cette planche en guise d'aviron et ramer d'un seul bord n'aboutirait qu'à les faire tourner en rond. Elle s'interdit de penser que les gouttes d'acide pouvaient ronger en ce moment même les bordés sous leurs pieds. Quelques gouttes ne risquaient tout de même pas de causer de gros dégâts. Elle espérait que le métal poudré de blanc qui plaquait la coque empêcherait que les eaux du fleuve ne la dévorent, mais là non plus, il n'y avait aucune certitude. Elle chassa cette idée. Ils n'avaient pas un long chemin à faire.

Elle était toute courbatue. Elle avait ramé la nuit durant pour tenter de rejoindre Trois-Noues. Ses muscles harassés tremblaient à chaque effort. *Ce n'est plus très loin*, se répéta-t-elle. Leur progression avait été lente, un vrai supplice. Elle avait une migraine atroce mais le pire, c'était ce picotement à son front, autour de sa blessure qui cicatrisait. Quand elle n'avait pas de main libre pour se gratter, c'était alors que cela la démangeait le plus.

Elle manœuvrait le canot entre les troncs immenses et les racines, longues et grêles comme des pattes d'araignée, qui bordaient le fleuve. Là, sous le dais de la forêt des Pluies, le ciel nocturne avec ses étoiles ne se laissait que rarement entrevoir ; cependant, par intermittence, un scintillement lui faisait signe à travers les frondaisons. Les lumières de la cité dans les arbres, Trois-Noues, la guidaient vers la chaleur, la sécurité et, surtout, vers le repos. Les ombres étaient encore épaisses autour d'elle mais le chant des oiseaux dans le faîte des arbres lui disait qu'à l'est l'aube éclairait le ciel. Le jour ne percerait que plus tard le dais feuillu, et encore ne serait-ce qu'en puits de clarté dans un semblant de soleil glauque. Là où le fleuve se frayait un chemin entre les arbres touffus, la lumière argenterait les eaux laiteuses du large chenal.

Le nez du canot accrocha soudain une racine submergée. Encore. Malta se mordit la langue pour retenir une exclamation d'exaspération. Avancer dans ces bas-fonds boisés revenait à se faufiler à travers un labyrinthe inondé. De temps à autre, des débris flottants ou des racines invisibles l'avaient détournée de sa route. Les lumières qui pâlissaient au loin paraissaient à peine plus proches qu'au moment du départ. Malta se déporta sur le côté et se pencha par-dessus bord pour tâter de sa pagaie l'obstacle en cause. Avec un grognement, elle poussa et libéra le bateau. Elle replongea la planche et le canot contourna la racine sournoise.

« Pourquoi ne pagayez-vous pas là-bas, où les arbres sont plus clairsemés ? » demanda le Gouverneur. Le souverain déchu de Jamaillia était assis à l'avant, genoux sous le menton, tandis que sa Compagne Keki était blottie craintivement à l'arrière. Malta ne tourna pas la tête. Elle répondit d'un ton froid : « Quand vous serez disposé à prendre une planche et à m'aider à pagayer ou à manœuvrer, vous pourrez avoir votre mot à dire. Jusque-là, fermez-la. » Elle en avait par-dessus la tête des poses autoritaires de ce gamin-gouverneur, totalement incapable du moindre effort physique.

« Le premier imbécile venu verrait qu'il y a moins d'obstacles là-bas. On irait beaucoup plus vite.

— Ah, beaucoup plus vite, répéta Malta, sarcastique. Surtout si le courant nous entraîne au milieu du fleuve. »

Le Gouverneur reprit son souffle, l'air excédé. « Puisque nous sommes en amont, il me semble à moi que le courant va dans notre sens. On pourrait en profiter pour qu'il nous porte où nous voulons, et on arriverait beaucoup plus tôt.

— On pourrait aussi perdre complètement le contrôle du bateau et voir la ville nous passer sous le nez.

— C'est encore loin ? geignit pitoyablement Keki.

— Vous pouvez le constater aussi bien que moi », rétorqua Malta. Une goutte d'eau tomba sur son genou alors qu'elle changeait la pagaie de bord : elle sentit un picotement, puis une démangeaison et une brûlure. Elle prit le soin de tamponner sa peau avec l'ourlet déchiqueté et crasseux de sa robe, qui laissa des traînées sur son genou. Depuis son long périple dans les couloirs et les salles de la cité des Anciens, la veille, il s'était passé tant de choses, il semblait que des centaines de nuits se fussent écoulées. Quand elle cherchait à se rappeler les événements, tout se bousculait dans sa tête. Elle s'était aventurée dans les galeries pour affronter le dragon, le forcer à laisser Reyn en paix. Mais il y avait eu le tremblement de terre, et puis elle avait découvert l'animal… Là, les fils de ses souvenirs s'emmêlaient inextricablement. Le dragon dans son cocon avait ouvert l'esprit de Malta à toute la mémoire engrangée dans cette salle. Elle avait été submergée par les vies de ses occupants, noyée dans leurs souvenirs. À partir de là jusqu'au moment où elle avait guidé le Gouverneur et sa Compagne hors du labyrinthe enseveli, tout était brumeux, comme dans un songe. Elle venait seulement de comprendre que les Marchands du désert des Pluies avaient caché Cosgo et Keki pour les protéger.

Vraiment ? Elle jeta un bref coup d'œil à Keki recroquevillée, toute tremblante, à l'arrière. Avaient-ils été des hôtes qu'on protégeait ou des otages ? Peut-être un peu des deux. Elle s'aperçut qu'elle était entièrement du côté des Marchands. Elle n'avait qu'une hâte : remettre le Gouverneur et sa Compagne entre leurs mains. Ils représentaient une précieuse monnaie d'échange entre les nobles jamailliens, les Nouveaux Marchands et les Chalcédiens. Quand elle avait fait la connaissance du Gouverneur, au cours du bal, elle avait été brièvement éblouie par son pouvoir illusoire. À présent, elle savait que sa mise élégante et ses manières aristocratiques n'étaient qu'un vernis qui masquait un gamin incapable et vénal. Plus tôt elle serait débarrassée de lui, mieux cela vaudrait.

Elle reporta son regard sur les lumières devant elle. En sortant de la cité ensevelie, ils s'étaient retrouvés bien loin de l'entrée qu'avait empruntée Malta pour pénétrer dans les ruines souterraines. Une grande étendue de fondrières et de bas-fonds marécageux les séparait de la ville. Elle avait attendu la tombée du jour pour partir, en se guidant sur les lumières, dans le vieux canot qu'ils avaient récupéré. Maintenant, l'aube pointait, et elle pagayait toujours en direction des lanternes de Trois-Noues qui leur faisaient signe. Elle espérait ardemment que ses mésaventures touchaient à leur fin.

Trois-Noues se nichait parmi les arbres aux troncs gigantesques. Les petites pièces pendaient et se balançaient aux branches supérieures tandis que les salles plus imposantes s'étendaient d'un tronc à l'autre. De grands escaliers montaient en colimaçon et leurs paliers servaient aux marchands, ménestrels et mendiants. La terre, sous la ville, était doublement détestable, à cause de ses marécages et de l'instabilité de cette région sujette aux tremblements de terre. Les rares endroits secs formaient des îlots au pied des arbres.

Diriger la petite embarcation entre les troncs géants, c'était manœuvrer entre les formidables colonnes d'un temple consacré à un dieu oublié. Le canot heurta de nouveau quelque chose et se coinça. L'eau clapotait contre l'obstacle, qui ne semblait pas être une racine. « Sur quoi sommes-nous échoués ? » interrogea Malta en regardant devant elle.

Keki ne se retourna même pas mais resta voûtée sur ses genoux repliés. Elle paraissait craindre de poser les pieds sur les bordés du fond. Malta soupira. Elle commençait à se demander si la Compagne avait toute sa tête. Soit les événements de la veille lui avaient fait tourner la raison ; soit, se disait Malta avec ironie, elle avait toujours été sotte et il avait suffi d'un sort adverse pour que se manifeste sa bêtise. Malta déposa sa planche et traversa à croupetons le bateau qui se mit à tanguer. Le Gouverneur et Keki poussèrent des cris affolés. Elle ne leur prêta pas attention. De près, elle s'aperçut que le canot avait poussé du nez dans un enchevêtrement dense de rameaux, branchages et débris divers mais, dans l'obscurité, il était malaisé d'en évaluer l'étendue. Elle supposa que ces débris, entraînés par le courant, s'étaient amassés pour former cette tourbière flottante, trop épaisse pour y engager le bateau. « Il va falloir contourner », annonça-t-elle. Elle se mordit la lèvre. Cela signifiait qu'il fallait se risquer plus avant dans le courant du fleuve. Eh bien, comme l'avait dit le Gouverneur, ce courant les entraînerait vers Trois-Noues. Il se pouvait même que sa tâche ingrate en soit facilitée. Elle écarta ses craintes. Maladroitement, elle détourna le canot de l'amas de débris et le dirigea vers le chenal principal.

« C'est intolérable ! s'exclama soudain le Gouverneur. Je suis sale, dévoré par les insectes, j'ai faim, j'ai soif. Tout cela est la faute de ces misérables colons des Pluies. Ils ont prétendu m'avoir conduit ici pour me protéger. Mais depuis que je suis en leur pouvoir, j'ai été maltraité. Ils ont offensé ma dignité, compromis ma santé, mis ma vie même en péril. Ils ont sans aucun doute l'intention de me briser mais je ne céderai pas à leurs mauvais traitements. Ils vont sentir tout le poids de mon courroux, ces Marchands du désert des Pluies qui, je m'en rends compte maintenant, se sont installés ici sans qu'on ait reconnu officiellement leur statut ! Ils n'ont légalement aucun droit de s'approprier les trésors qu'ils ont déterrés et vendus. Ils ne valent pas mieux que les pirates qui infestent la Passe Intérieure et devraient être traités en conséquence. »

Malta trouva assez de souffle pour grommeler d'un ton moqueur : « Vous n'êtes guère en position d'aboyer sur qui que ce soit. En réalité, vous dépendez bien davantage de leur bienveillance qu'eux de la vôtre. Il leur serait ô combien facile de vous vendre au plus offrant, sans se soucier qu'on vous assassine, qu'on vous garde comme otage ou qu'on vous remette sur le trône ! Quant à leurs droits sur ces terres, ils leur viennent directement du Gouverneur Esclepius, votre aïeul. La charte originale des Marchands de Terrilville précise seulement le nombre de leffères qu'un colon est autorisé à s'approprier, et non l'emplacement. Les Marchands des Pluies ont délimité ce territoire, les Marchands de Terrilville se sont installés dans la baie. Leurs droits sont anciens, honorables et bien répertoriés, conformes aux lois de Jamaillia. Au contraire de ces Nouveaux Marchands que vous nous avez imposés. »

Un silence stupéfié accueillit ces paroles. Puis le Gouverneur laissa échapper un rire forcé et aigu. « Comme c'est drôle de vous entendre les défendre ! Quelle petite rustaude, quelle arriérée vous faites. Mais regardez-vous, en haillons, crasseuse, défigurée pour toujours par ces renégats ! Et vous les défendez quand même. Pourquoi ? Ah, laissez-moi deviner. C'est parce que vous savez qu'aucun homme normal ne voudra de vous à présent. Votre seul espoir est de vous marier avec quelqu'un d'aussi difforme que vous, dans une famille où vous pourrez vous cacher sous un voile afin que personne ne voie votre laideur affreuse. Pitoyable ! Sans les agissements de ces rebelles, j'aurais pu vous choisir comme Compagne. Davad Restart avait plaidé en votre faveur, et j'ai trouvé que votre maladresse à la danse et à la conversation sentait sa province de charmante façon. Mais maintenant ? Pouah ! » Le canot se balança légèrement quand il secoua la main d'un geste méprisant. « Rien de plus monstrueux qu'une belle femme défigurée. Les plus grandes familles de Jamaillia ne vous voudraient même pas comme servante esclave. Pareille offense à l'harmonie est impensable dans un foyer aristocratique. »

Malta s'interdit de tourner la tête pour le regarder mais elle imaginait sa moue de mépris. Elle aurait dû être furieuse. Il n'était au fond qu'un gosse suffisant et ignorant. Mais elle ne s'était pas vue depuis la nuit où elle avait failli mourir dans l'accident de voiture. Durant sa convalescence à Trois-Noues, on lui avait défendu les miroirs. Sa mère et Reyn lui-même avaient paru considérer sa blessure comme bénigne. Mais évidemment, lui disait une petite voix perfide, c'était forcé : sa mère, parce que c'était sa mère, et Reyn parce qu'il se sentait responsable de l'accident. Sa cicatrice était-elle si affreuse ? À la tâter, elle paraissait longue et irrégulière. Faisait-elle des plis ? Lui tirait-elle le visage ? Elle étreignit la planche à pleines mains et la plongea dans l'eau. Elle ne la lâcherait pas, elle ne se palperait pas la figure, elle ne lui donnerait pas cette satisfaction. Elle serra les dents d'un air menaçant et continua à pagayer.

Après une dizaine de brasses, la petite embarcation gagna de la vitesse, fit une embardée de côté puis se mit à tourner alors que Malta essayait désespérément de la ramener vers les bas-fonds. Elle déposa sa pagaie de fortune et saisit la planche de secours au fond du canot. « Il va falloir que vous barriez pendant que je pagaie, dit-elle au Gouverneur, le souffle court. Sinon, on va être entraînés au milieu du fleuve. »

Il regarda la planche qu'elle lui lança. « Barrer ? » fit-il en prenant de mauvaise grâce le bout de bois.

Malta se força à garder son calme. « Enfoncez cette planche dans l'eau derrière nous. Tenez-la par un bout et servez-vous-en comme d'un frein pour faire tourner le bateau vers les bas-fonds pendant que je pagaie dans la même direction. »

Le Gouverneur tenait la planche dans ses mains fines comme s'il n'avait jamais vu un morceau de bois. Malta saisit sa pagaie, la remit à l'eau, étonnée par la force subite du courant. Elle se cramponnait gauchement à l'extrémité en essayant de résister au flux qui les éloignait du rivage. La lumière matinale les effleura alors qu'ils émergeaient de sous la voûte des arbres. Tout à coup, les rayons du soleil illuminèrent l'eau qui devint aveuglante, après l'obscurité. Elle entendit derrière elle une exclamation irritée et un bruit d'éclaboussement. Elle tourna vivement la tête : le Gouverneur avait les mains vides.

« L'eau me l'a arrachée des mains ! geignit-il.

— Espèce d'imbécile ! s'écria Malta. Comment va-t-on barrer maintenant ? »

La figure du Gouverneur devint noire de fureur. « Comment osez-vous me parler ainsi ? C'est vous l'imbécile, de croire que ça nous aurait servi à quelque chose ! Même pas la forme d'un aviron. D'ailleurs, même si ça avait marché, on n'en a pas besoin. Servez-vous de vos yeux, ma pauvre fille. On n'a rien à craindre. Voilà la ville ! Le fleuve va nous y conduire directement.

— Ou nous en éloigner ! » cracha Malta. Elle se détourna, écœurée, pour concentrer ses forces et ses pensées sur sa lutte d'une seule main avec le fleuve. Elle leva brièvement les yeux vers le spectacle impressionnant qu'offrait Trois-Noues. Vue de dessous, la cité flottait dans les arbres immenses comme un château à tourelles multiples. Au niveau de l'eau, un quai s'étendait, attaché à un alignement d'arbres. Le *Kendri* y était amarré, mais la proue de la vivenef ne leur faisait pas face. Malta ne pouvait seulement pas apercevoir la vivante figure de proue. Elle pagaya avec frénésie.

« Quand nous approcherons, haleta-t-elle entre deux coups, appelez au secours. Le navire peut nous entendre, ou des gens sur le quai. Même si on est entraînés plus loin, ils nous enverront du secours.

— Je ne vois personne sur le quai, déclara le Gouverneur d'un ton railleur. En fait, je ne vois personne nulle part. Bande de fainéants, qui traînent au lit.

« — Personne ? » souffla Malta. La force lui manquait pour cet ultime effort. La planche qu'elle maniait sautait, rebondissait sur l'eau. Ils étaient peu à peu entraînés plus loin sur le fleuve. Elle leva les yeux vers la ville. Toute proche, plus proche que tout à l'heure. Et le Gouverneur avait raison. Hormis la fumée qui s'échappait de quelques cheminées, Trois-Noues paraissait déserte. Elle sentit sourdre en elle une sinistre impression, un profond malaise. Où étaient-ils tous passés ? Qu'en était-il de l'animation habituelle sur les passerelles et dans les escaliers ?

« Kendri ! » appela-t-elle. Mais son cri haletant était faible, et les eaux impétueuses du fleuve l'emportèrent au loin.

La Compagne Keki parut subitement comprendre ce qui se passait. « Au secours ! Au secours ! » glapit-elle d'une petite voix aiguë, enfantine. Elle se leva imprudemment dans le canot en agitant les mains. « Au secours ! À l'aide ! » Le Gouverneur jura tandis que le bateau tanguait follement. Malta se précipita sur elle et la tira au fond, manquant lâcher sa pagaie. Un coup d'œil circulaire lui fit comprendre que la planche était désormais pratiquement inutile. La petite embarcation était entraînée pour de bon par le courant et s'éloignait rapidement de Trois-Noues.

« Kendri ! Au secours ! Au secours ! Là, sur le fleuve ! Envoie-nous du secours ! Kendri ! Kendri ! » Ses cris se perdaient, affaiblis par le sentiment d'impuissance qui la terrassait.

La vivenef ne manifesta d'aucune façon qu'elle entendait. Un instant après, Malta se retournait pour la regarder. Apparemment absorbée dans une profonde rêverie, la figure de proue faisait face à la cité. Malta aperçut sur une passerelle une silhouette isolée qui se hâtait et ne tourna pas la tête. « Au secours ! Au secours ! » Elle continua à crier et à agiter sa planche jusqu'à ce qu'elle perde bientôt la cité de vue. Les arbres qui surplombaient le fleuve la masquèrent bientôt à ses yeux. Le courant les chassait en avant. Elle s'assit, silencieuse, vaincue.

Malta examina ce qui l'entourait. Ici, le fleuve du désert des Pluies était large et profond, la rive opposée presque noyée dans une brume perpétuelle. Le ciel était bleu, frangé des deux côtés par l'écrasante forêt. On ne voyait rien d'autre, ni vaisseau ni trace de vie humaine le long des berges. Alors que le courant les emportait inexorablement loin des rives marécageuses, les espoirs de secours diminuaient. En admettant même qu'elle parvienne à diriger leur petite embarcation vers le bord, ils seraient irrémédiablement perdus : les rives du fleuve des Pluies n'étaient que bourbiers et tourbières. Rejoindre Trois-Noues par voie de terre était impossible. Ses doigts gourds laissèrent tomber la planche au fond du canot. « Je crois que nous allons mourir », dit-elle tranquillement.

*
* *

Keffria avait atrocement mal à la main. Elle serra les dents et se força à reprendre les brancards de la brouette que les terrassiers venaient de charger. Quand elle la souleva et commença à la pousser lentement le long du couloir, la douleur décupla.

Elle s'en réjouit. Cette douleur, elle la méritait. Ses arêtes tranchantes la distrayaient presque de la brûlure qui lui rongeait le cœur. Elle les avait perdus, ses deux plus jeunes enfants, disparus en une nuit. Elle était absolument seule au monde.

Elle s'était raccrochée au doute aussi longtemps que possible. Malta et Selden n'étaient pas à Trois-Noues. Personne ne les avait vus depuis la veille. Un camarade de Selden en larmes avait avoué entre deux sanglots qu'il avait montré au garçon un accès à l'ancienne cité, une entrée que les grandes personnes croyaient bien verrouillée. Jani Khuprus n'avait pas mâché ses mots. Blême, les lèvres pincées, elle avait appris à Keffria que ce passage avait été abandonné parce que Reyn lui-même le jugeait dangereux. Si Selden s'était introduit dans les corridors ensevelis, s'il y avait entraîné Malta, alors ils avaient pénétré dans la section la plus exposée aux éboulements. Il y avait eu au moins deux fortes secousses depuis l'aube. Keffria avait perdu le compte des tremblements plus faibles qu'elle avait sentis. Quand elle avait supplié qu'on envoyât les terrassiers dans cette direction, on avait découvert que le passage tout entier s'était effondré à quelques pas à peine de l'entrée. Il ne lui restait plus qu'à prier Sâ que ses enfants soient parvenus avant le séisme à une partie plus résistante de la cité, qu'ils soient blottis ensemble quelque part en escomptant du secours.

Reyn Khuprus n'était pas revenu. Avant midi, il avait quitté les terrassiers, refusant d'attendre que les couloirs fussent dégagés et étayés. Il avait précédé les équipes de travail, s'était faufilé dans une galerie à demi éboulée et avait disparu. Tout à l'heure, les ouvriers avaient atteint l'extrémité de la ligne qu'il avait tracée pour marquer son chemin. Ils avaient découvert des signes à la craie, y compris la note qu'il avait inscrite sur la porte de la chambre du Gouverneur. *Inutile*, était-il écrit. Une vase épaisse filtrait de dessous la porte bloquée. Il était plus que probable que la pièce en était remplie. Un peu plus loin, le couloir s'était entièrement effondré. Si Reyn était passé par là, il avait été écrasé ou il était prisonnier sous les éboulis.

Keffria sursauta : on lui avait effleuré le bras. Elle se retourna pour faire face à une Jani Khuprus hagarde. « Vous avez trouvé quelque chose ? demanda-t-elle machinalement.

— Non. » Jani prononça le mot terrible avec douceur. L'angoisse qu'elle éprouvait quant au sort de son fils était fixée dans ses yeux. « Le couloir se remplit de vase à mesure qu'on essaie de le dégager. Nous avons décidé de l'abandonner. Les Anciens ne construisaient pas comme nous, avec des maisons séparées les unes des autres, leur cité ressemble plutôt à une gigantesque ruche. C'est un labyrinthe de passages qui s'entrecroisent. Nous allons tâcher d'atteindre cette partie-là par un autre chemin. Les équipes ont déjà été déplacées. »

Keffria regarda sa brouette chargée puis le couloir qu'on venait de fouiller. Le travail avait cessé. Les ouvriers remontaient à la surface. Un flux de gens sales, fourbus, se sépara autour d'elle. Les visages gris de terre, découragés, ils traînaient les pieds. Les lanternes et les torches dégouttaient et fumaient. Derrière eux, le passage était plongé dans le noir. Tout ce travail pour rien, alors ? Elle

inspira. « Où allons-nous creuser maintenant ? »
demanda-t-elle à mi-voix.

Jani lui adressa un regard hanté. « Il a été décidé
qu'on se repose un peu. Un repas chaud et quelques heures de sommeil nous feront du bien à
tous. »

Keffria la dévisagea, incrédule. « Manger ? Dormir ? Comment est-ce possible alors que nos
enfants ont disparu ? »

D'un air détaché, la femme du désert des Pluies
prit la place de Keffria entre les brancards de la
brouette. Elle la souleva et se mit à la pousser. Sa
compagne la suivit à contrecœur. Jani ne répondit
pas directement à la question. « Nous avons lâché
des oiseaux vers les colonies voisines. Les fourrageurs et les moissonneurs vont nous envoyer du
renfort. Ils sont en chemin mais il leur faudra un
certain temps pour arriver ici. Ces bras vigoureux
vont nous soutenir le moral. (Elle ajouta par-
dessus son épaule :) Nous avons des nouvelles des
autres équipes. Elles ont eu plus de chance. Qua-
torze personnes ont été sauvées dans une partie
qu'on appelle les Tapisseries, et trois autres dans
les couloirs des Joyaux de Flamme. Leur travail a
progressé plus vite. On pourra peut-être accéder à
cette partie-ci à partir de l'un ou de l'autre de ces
endroits. Bendir est en train de se renseigner
auprès de ceux qui connaissent le mieux les lieux.

— Je croyais que Reyn connaissait la cité mieux
que personne, dit Keffria avec cruauté.

— En effet, il la connaissait. Il la connaît. C'est
pourquoi je me raccroche à l'espoir qu'il soit
encore vivant. » La Marchande des Pluies jeta un
bref coup d'œil à son homologue de Terrilville.

« C'est pourquoi je crois que si quelqu'un peut trouver Malta et Selden, c'est Reyn. S'il les a trouvés, il ne tentera pas de revenir par le même chemin mais il se dirigera vers les parties les plus solides de la cité. J'espère à chaque minute que quelqu'un arrive en courant nous annoncer qu'ils sont sortis par eux-mêmes. »

Elles étaient parvenues à une grande salle qui ressemblait à un amphithéâtre. Les ouvriers y avaient amassé les gravats. Jani inclina la brouette et déversa le chargement de terre et de pierres sur le tas au milieu de la salle jadis superbe. La brouette rejoignit une rangée d'autres. Des pelles boueuses et des pioches étaient entassées dans un coin. Keffria sentit alors une odeur de soupe, de café et de pain chaud. La faim qu'elle avait niée se réveilla brutalement. La subite protestation de son corps lui rappela qu'elle n'avait rien mangé de toute la nuit. « Est-ce l'aube ? demanda-t-elle. Quelle heure est-il ?

— Le jour s'est levé depuis longtemps, je crois. Le temps file très vite quand on voudrait qu'il passe lentement. »

À l'autre extrémité de la salle, on avait installé des tréteaux et des bancs. Les vieillards et les très jeunes enfants avaient travaillé ici à remplir les soupières, à entretenir de petits braseros sous des chaudrons bouillonnants, à dresser le couvert et à débarrasser. Les murmures découragés se perdaient dans l'immense salle. Une fillette d'une huitaine d'années s'avança précipitamment avec une bassine d'eau fumante, une serviette jetée sur le bras. « Vous voulez vous laver ? proposa-t-elle.

— Merci. » Jani montra la bassine à Keffria. Elle se nettoya les mains et les bras et s'aspergea la figure. Elle se rendit compte à la chaleur de l'eau à quel point elle avait froid. Le bandage de ses doigts cassés était trempé et souillé. « Il va falloir le changer », fit remarquer Jani tandis que sa compagne s'essuyait. La Marchande des Pluies se lava à son tour et remercia une nouvelle fois l'enfant avant de conduire Keffria vers les tables où les guérisseurs exerçaient leur art. Certains se contentaient d'appliquer du baume sur les ampoules ou massaient les dos endoloris mais d'autres traitaient les blessures et les fractures. Le déblaiement du couloir était un travail dangereux. Jani installa Keffria à une table pour attendre son tour. Un guérisseur était en train de refaire son pansement quand Jani revint avec du pain frais, du café et de la soupe pour elles deux. L'homme de l'art acheva promptement le bandage, informa avec brusquerie la Marchande qu'elle était exclue de l'équipe de travail et passa au patient suivant.

« Il faut manger un peu », insista Jani.

Keffria prit la chope de café. La chaleur entre ses paumes était étrangement réconfortante. Elle but une longue gorgée. En reposant la tasse, elle parcourut l'amphithéâtre des yeux. « Tout est si bien organisé, fit-elle, interdite. Comme si vous vous attendiez à l'événement, que vous aviez prévu…

— En effet, dit Jani à mi-voix. Cet effondrement n'a d'exceptionnel que son ampleur. Une bonne secousse ne provoque d'ordinaire que quelques affaissements. Parfois, un couloir s'affaisse sans raison apparente. Mes deux oncles sont morts dans un éboulement. Presque toutes les familles qui exploitent la cité perdent un membre ou deux là-dessous à chaque génération. C'est une des raisons pour lesquelles mon mari Sterbe a tellement insisté auprès du Conseil des Marchands afin qu'on l'aide à développer d'autres sources de profit. On a prétendu qu'il ne considérait que son propre intérêt. En tant que cadet, il n'a guère droit à la fortune de famille. Moi, je crois vraiment que ce n'est pas l'intérêt mais au contraire l'altruisme qui le pousse à travailler aussi dur pour développer les avant-postes des fourrageurs et des moissonneurs. Il affirme que le désert des Pluies pourrait pourvoir à tous nos besoins si nous voulions bien ouvrir nos yeux à la richesse de sa forêt. (Elle plissa les lèvres et secoua la tête.) Pourtant, cela n'arrange rien quand il dit : "Je vous avais prévenus", lors d'événements de ce genre. La plupart d'entre nous refusons d'abandonner la cité enterrée pour l'abondance de la forêt. Les fouilles, l'exploration, nous ne connaissons que cela. Nous faisons face au danger que représente un séisme de ce genre, tout comme vos familles qui font commerce en naviguant savent qu'elles finiront un jour ou l'autre par y perdre un de leurs membres.

— C'est inévitable », concéda Keffria. Elle prit une cuiller et se mit à manger. Après quelques bouchées, elle s'arrêta. En face d'elle, Jani posa sa chope de café. « Qu'y a-t-il ? » demanda-t-elle à mi-voix.

Keffria se tenait parfaitement immobile. « Si mes enfants sont morts, qui suis-je ? » Un calme glacé l'envahit. « Mon mari et mon fils aîné ont disparu, pris par les pirates, peut-être déjà morts. Ma sœur unique est partie à leur recherche. Ma mère est restée à Terrilville alors que j'ai fui ; j'ignore ce qu'elle est devenue. Je ne suis venue ici que pour sauver mes enfants. Maintenant, ils ont disparu aussi, et sont peut-être déjà morts. Si je suis la seule survivante… » Elle s'interrompit, incapable d'envisager cette éventualité, dont la monstruosité l'accablait.

Jani lui adressa un étrange sourire. « Keffria Vestrit. Mais hier encore, vous étiez volontaire pour laisser vos enfants à mes bons soins, retourner à Terrilville et espionner les Nouveaux Marchands pour notre compte. Il me semble qu'alors vous saviez parfaitement qui vous étiez, en dehors de votre rôle de mère et de fille. »

Keffria appuya les coudes sur la table et posa la tête dans ses mains. « Aujourd'hui, j'ai l'impression que j'en suis punie. Si Sâ a jugé que je faisais trop peu de cas de mes enfants, se peut-il qu'il me les ait enlevés ?

— Peut-être. Si Sâ n'avait qu'un aspect masculin. Mais rappelez-vous l'ancien, le véritable culte de Sâ. Homme et femme, oiseau, bête et plante, terre, feu, air et eau, tous sont honorés en Sâ et Sâ se manifeste dans chacun d'eux. Si le divin est aussi féminin, et le féminin divin, alors elle comprend que la femme est plus qu'une mère, plus qu'une fille, plus qu'une épouse. Ce sont les facettes d'une vie pleine, une seule facette ne définit pas le joyau. »

Cet antique enseignement, autrefois si réconfortant, à présent sonnait creux à ses oreilles. Mais les pensées de Keffria ne s'y attardèrent pas. Un grand brouhaha à l'entrée de la salle leur fit tourner la tête. « Ne bougez pas et reposez-vous, conseilla Jani. Je vais voir de quoi il s'agit. »

Mais Keffria ne lui obéit pas. Comment pouvait-elle rester assise en se demandant si l'agitation était causée par des nouvelles de Reyn, de Malta ou de Selden ? Elle s'écarta de la table et suivit la Marchande des Pluies.

Des terrassiers, las et dépenaillés, étaient groupés autour de quatre jeunes gens qui venaient de jeter leurs seaux d'eau par terre. « Un dragon ! Un immense dragon argenté, je vous dis ! Il a volé juste au-dessus de nous. » Le plus grand s'exprimait comme s'il défiait les autres de le croire. Certains ouvriers paraissaient perplexes, d'autres indignés par cette fable insensée.

« Il ne ment pas ! C'est vrai ! Il était réel, si brillant que je pouvais à peine le regarder ! Mais il était bleu, d'un bleu étincelant, corrigea un plus jeune.

— Bleu argent ! renchérit un troisième. Et plus grand qu'un navire ! » La seule fille du groupe gardait le silence mais ses prunelles brillaient d'émotion.

Keffria lança un regard à Jani, s'attendant à lire l'irritation dans ses yeux. Comment ces jeunes gens avaient-ils le front de débiter de telles sornettes à un moment où des vies étaient en jeu ? Mais la Marchande des Pluies avait pâli. Et les fines squames autour de ses paupières et de ses lèvres ressortaient sur son visage. « Un dragon ? balbutia-t-elle. Vous avez vu un dragon ? »

Devinant une oreille bienveillante, le plus grand des garçons fendit la foule pour s'avancer vers Jani. « C'était un dragon, pareil à ceux qu'il y a sur les fresques. Je n'invente pas, Marchande Khuprus. Quelque chose m'a fait lever la tête, et il était là. Je n'en croyais pas mes yeux. Il volait comme un faucon ! Non, non, comme une étoile filante ! Il était tellement beau !

— Un dragon ? répéta Jani, l'air hébété.

— Mère ! » Bendir était si sale que Keffria eut peine à le reconnaître quand il fendit la foule. Il jeta un coup d'œil au garçon qui se tenait près de Jani puis il dévisagea sa mère frappée de saisissement. « Alors, tu as entendu. Une femme qui s'occupait des bébés a envoyé un garçon nous raconter ce qu'elle avait vu. Un dragon bleu.

— Serait-ce possible ? demanda Jani d'une voix entrecoupée. Se pourrait-il que Reyn ait eu raison ? Qu'est-ce que cela signifie ?

— Deux choses, répondit Bendir laconiquement. J'ai expédié des éclaireurs par voie de terre, à l'endroit où, selon moi, la créature est sortie de la cité. D'après la description qu'on en a, elle est trop grande pour avoir emprunté les galeries. Elle a dû s'échapper par la salle du Coq Couronné. On a une idée approximative de l'endroit où elle se situe. Il y a peut-être une trace de Reyn là-bas. Il se peut en tout cas qu'on trouve un autre moyen de pénétrer dans la cité pour y chercher d'éventuels rescapés. » Des murmures s'élevèrent à ces mots. Certains exprimaient l'incrédulité, d'autres l'étonnement. Il haussa la voix pour être entendu de tous. « Et deuxièmement, nous devons nous rappeler que cette bête est peut-être notre ennemie. » Le garçon à côté de lui commença à protester mais Bendir le prévint : « Si beau qu'il soit, le dragon peut vouloir nous nuire. Nous ne savons pratiquement rien de la vraie nature des dragons. Ne faites rien pour l'exciter mais ne tenez pas pour acquis qu'il est la créature bienveillante représentée sur les fresques et les mosaïques. N'attirez pas son attention. »

Le tumulte s'éleva dans la salle. Keffria secoua désespérément la manche de Jani. Elle demanda à travers le vacarme : « Si vous trouvez Reyn là-bas… vous croyez que Malta peut être avec lui ? »

Jani croisa son regard avec franchise. « C'est ce qu'il redoutait. Que Malta soit allée dans la salle du Coq Couronné, auprès du dragon qui y dormait. »

*
*   *

« Je n'ai jamais rien vu d'aussi beau. Vous croyez qu'il va revenir ? » Le garçon chuchotait, autant de faiblesse que d'émerveillement.

Reyn se retourna. Selden était accroupi sur un îlot de gravats amassés sur la boue. Il avait les yeux levés vers la lumière au-dessus de leurs têtes, trans-figuré par le spectacle auquel il venait d'assister. Le dragon enfin délivré avait disparu, il était déjà hors de vue, mais le garçon continuait à regarder.

« Je ne crois pas qu'il faille compter sur lui pour nous sauver. C'est à nous de nous débrouiller », déclara Reyn avec pragmatisme.

Selden secoua la tête. « Oh, ce n'est pas ce que je voulais dire. Il n'a sûrement pas fait très atten-tion à nous. Je sais qu'il va falloir qu'on se sorte de là tout seuls. Mais j'aimerais le revoir, juste une fois. Une telle merveille. Une telle joie. » Il leva les yeux à nouveau vers le plafond crevé. Malgré la crasse et la boue qui striaient son visage et empe-saient ses vêtements, il était radieux.

Le soleil se déversait dans la salle en ruine, apportant une faible lumière mais guère de chaleur. Reyn avait oublié comment on se sentait quand on était sec. Quant à avoir chaud… La faim et la soif le torturaient. Il devait se forcer pour bouger. Mais il souriait. Selden avait raison : une merveille. Une joie.

Le dôme de la salle du Coq Couronné était craquelé comme la pointe d'un œuf à la coque. Debout sur des débris, il levait les yeux vers les racines pendantes et la petite fenêtre de ciel. Le dragon s'était échappé par là mais Reyn doutait qu'ils puissent tous deux faire de même. La salle se remplissait rapidement de vase, le marécage s'infiltrait peu à peu, reprenant possession de la cité qui l'avait si longtemps défié. Le flot de boue et d'eau glacées allait les engloutir bien avant qu'ils ne trouvent un moyen d'atteindre l'issue au-dessus d'eux.

Pourtant, si sombre que parût la situation, il continuait de s'émerveiller en songeant au dragon qui avait émergé de ses siècles d'attente. Les fresques et les mosaïques qu'il avait vues toute sa vie ne l'avaient pas préparé à la réalité du dragon. Le mot « bleu » avait acquis une nouvelle signification, quand il revoyait la brillance de ses écailles. Il n'oublierait jamais comment ses ailes flasques avaient pris force et couleur. La puanteur reptilienne de sa métamorphose flottait encore, lourde, dans l'air humide. Il n'apercevait aucun vestige du fût de bois-sorcier qui l'avait enrobé. Il semblait que le dragon l'eût absorbé en entier durant le processus de sa transformation.

Mais, à présent, il avait disparu. Et le problème de leur survie demeurait entier. Le tremblement de terre de la nuit précédente avait ouvert une brèche dans les murs et les plafonds de la cité enterrée. Les marais s'épanchaient dans cette salle. La seule issue, une fenêtre de ciel bleu très haut au-dessus de leurs têtes, les narguait cruellement.

La boue qui bouillonnait avec des bruits mouillés autour du fragment de plafond sur lequel se tenait Reyn finit par triompher en engloutissant les arêtes de cristal et en glissant vers ses pieds nus.

« Reyn », dit Selden d'une voix enrouée par la soif. Le petit frère de Malta était perché sur un îlot de débris qui s'enfonçait lentement. Dans les efforts frénétiques qu'il avait déployés pour s'échapper, le dragon avait fait dégringoler dans la salle des moellons, de la terre et même un arbre, qui flottaient encore sur le flux montant de vase. Le gamin fronça les sourcils, l'esprit pratique qui lui était naturel s'imposait de nouveau à lui. « Peut-être que si on soulevait cet arbre, qu'on le plaquait contre le mur, on pourrait y grimper et…

— Je ne suis pas assez fort, dit Reyn, entamant l'optimisme du garçon. Et à supposer que j'aie la force de le redresser, la vase est trop molle. Mais on pourrait peut-être l'ébrancher et construire une sorte de radeau. Si on étale suffisamment notre poids, on pourra se maintenir dessus. »

Selden jeta un regard plein d'espoir vers le trou d'où filtrait la lumière. « Vous croyez que la boue et l'eau, en remplissant la salle, vont nous faire monter jusque là-haut ?

— Peut-être », dit Reyn, en mentant avec conviction. Il présumait que le flot de vase se tarirait bien avant de remplir toute la salle. Ils allaient proba-blement périr engloutis. Ou bien ils finiraient par mourir d'inanition. La plaque du dôme sous ses pieds s'enfonçait rapidement. Il était temps de l'abandonner. Il sauta sur un monticule de terre et de mousse qui plongea aussitôt sous son poids. La vase était plus molle encore qu'il ne pensait. Il s'élança vers le tronc d'arbre, s'agrippa à une branche et se hissa pour y grimper. La bourbe, qui avait la consistance d'une bouillie, montait au moins à hauteur de poitrine, à présent. S'il y sombrait, il mourrait dans son étreinte glacée. Il s'était rapproché de Selden. Il tendit une main vers le garçon qui bondit de son îlot, manqua son saut et se débattit dans la vase pour l'atteindre. Reyn le tira sur le tronc. Le gamin se blottit contre lui en grelottant. La boue plaquait ses vêtements sur son corps, lui striait les joues et les cheveux.

« Si seulement j'avais mes outils et mon équipement ! Engloutis depuis longtemps, maintenant. On va tâcher de casser ces branches et les empiler pour faire une natte épaisse.

— Je suis tellement fatigué. » C'était une constatation, non une plainte. Il jeta un coup d'œil à Reyn puis le dévisagea plus attentivement. « Vous n'êtes pas si moche que ça, même de près. Je me suis toujours demandé à quoi vous ressembliez sous votre voile. Dans les galeries, avec la chandelle, je n'ai pas vu votre figure. Et, cette nuit, quand vos yeux flamboyaient, tout bleus, j'ai d'abord eu très peur. Mais, au bout d'un moment, c'était… euh, c'était bien de les voir et de savoir que vous étiez toujours là. »

Reyn se mit à rire de bon cœur. « Mes yeux flamboient ? D'habitude, chez les gens du désert des

Pluies, ça n'arrive que beaucoup plus tard. Nous l'acceptons comme le signe de la pleine maturité.

— Oh, mais à la lumière du jour, vous avez l'air presque normal. Vous n'avez pas tellement de ces trucs qui tremblotent. Seulement quelques écailles autour des yeux et de la bouche. » Selden le dévisageait avec franchise.

Reyn lui adressa un grand sourire. « Non, je n'ai pas encore de ces trucs qui tremblotent. Mais ça aussi, ça peut venir quand je serai plus vieux.

— Malta avait peur que vous soyez tout couvert de verrues. Elle avait des amies qui la taquinaient là-dessus, et elle se fâchait. Mais… » Selden parut soudain se rendre compte qu'il manquait de tact. « D'abord, c'est-à-dire quand vous avez commencé à lui faire la cour, ça l'a vraiment tracassée. Mais après, elle n'en a plus beaucoup parlé », ajouta-t-il pour le rassurer. Il lui jeta un coup d'œil puis avança sur le tronc. Il attrapa une branche, la tira.

« Ça va être dur à casser.

— Je suppose qu'elle avait autre chose en tête », marmonna Reyn. Les paroles du gamin l'avaient navré. Son apparence était-elle donc si importante pour Malta ? L'aurait-il conquise par ses actions seulement pour la voir se détourner de lui quand elle aurait découvert son visage ? Une pensée amère lui vint à l'esprit. Peut-être était-elle déjà morte, et il ne saurait jamais. Peut-être allait-il mourir, et elle ne verrait jamais son visage.

« Reyn ? » La voix de Selden était hésitante. « Il faudrait s'y mettre, non ? »

Celui-ci s'aperçut alors subitement qu'il était resté longtemps ainsi, accroupi et en silence. Il était temps de chasser ces vaines idées et tâcher de survivre. Il saisit une branche hérissée d'aiguilles et en rompit un rameau. « N'essaie pas de casser une branche entière d'un coup. Retire d'abord les rameaux. On va les entasser là. Il faut les tresser, comme si on faisait un toit de chaume... »

Une nouvelle secousse l'interrompit. Il se cramponna désespérément au tronc d'arbre tandis qu'une pluie de terre dégringolait du plafond béant. Selden poussa un cri aigu et leva les bras pour se protéger. Reyn s'avança à quatre pattes sur le tronc pour le rejoindre et l'abriter de son corps. La porte de la salle gémit et s'affaissa brusquement sur ses gonds. Un flot de boue et d'eau s'engouffra dans la pièce.

2

MARCHANDS ET TRAÎTRES

Ce fut un bruit de pas légers qui l'alerta. Accroupie dans le potager, Ronica se figea. Le bruit provenait de l'allée carrossable. Elle prit son panier de navets et fila se réfugier sous la tonnelle de vigne. Les muscles de son dos se nouèrent, protestant contre le mouvement brusque, mais elle n'y prêta pas attention. Elle tenait plus à la vie qu'à son dos. Elle déposa doucement le panier à ses pieds. En retenant son souffle, elle scruta à travers les grandes feuilles de vigne. De son abri, elle aperçut un jeune homme qui se dirigeait vers la porte d'entrée. Une mante à capuchon le dissimulait et ses manières furtives trahissaient ses intentions.

Il gravit les marches jonchées de feuilles. À l'entrée, il hésita, faisant crisser ses bottes sur les éclats de verre tandis qu'il regardait la maison obscure. Il entrebâilla la grande porte qui grinça, et se coula à l'intérieur.

Ronica respira profondément et réfléchit. Ce n'était probablement qu'un maraudeur, venu pour voir s'il trouvait encore quelque chose à piller. Il n'allait pas tarder à constater que ce n'était pas le cas. Tout ce que les Chalcédiens n'avaient pas emporté, les voisins s'étaient chargés de le rafler. Qu'il rôde donc dans la maison dévastée, il s'en irait bientôt. Il ne restait rien qui vaille qu'elle risque sa vie. Si elle le surprenait, il pouvait l'attaquer. Elle voulut se persuader qu'elle n'avait rien à y gagner. Pourtant, elle se surprit à serrer le gourdin qui ne la quittait plus désormais, alors qu'elle s'avançait tout doucement vers la porte.

À pas de loup, elle gravit les marches jonchées de débris et d'éclats de verre. Elle passa une tête par le battant mais l'intrus était hors de vue. Sans bruit, elle se glissa dans le vestibule. Elle s'immobilisa, l'oreille aux aguets. Elle entendit une porte s'ouvrir quelque part au fond de la maison. Le gredin paraissait savoir où il allait. Alors, c'était donc quelqu'un qu'elle connaissait ? Si oui, quelles étaient ses intentions ? Il était peu probable qu'elles soient honnêtes. Elle ne se fiait plus aux vieux amis ni aux alliés. Elle ne voyait pas qui pouvait compter la trouver chez elle.

Elle avait fui Terrilville des semaines auparavant, le lendemain du bal d'Été. La veille, la tension provoquée par la présence des mercenaires chalcédiens dans le port avait été portée à son comble. Des rumeurs avaient circulé au sujet d'une descente des Chalcédiens alors que les Premiers Marchands étaient occupés à leur fête. C'était un complot tramé par les Nouveaux Marchands, qui avaient imaginé de prendre le Gouverneur en otage et d'envahir Terrilville ; ainsi du moins le disait la rumeur. Ce fut suffisant pour allumer l'incendie et l'émeute. Les Premiers et les Nouveaux Marchands s'étaient affrontés puis s'étaient retournés contre les mercenaires. Les navires avaient été attaqués et brûlés, le quai des Taxes, symbole de l'autorité du Gouverneur, avait de nouveau flambé. Mais cette fois-ci l'incendie s'était propagé dans toute la ville en ébullition. Des Nouveaux Marchands, furieux, avaient mis le feu aux boutiques luxueuses de la rue du désert des Pluies. On s'était vengé d'eux en réduisant leurs entrepôts en cendres, puis une main inconnue avait enflammé la salle du Conseil.

Pendant ce temps, le combat faisait rage dans le port. Les galères chalcédiennes, maquillées en vaisseaux de patrouille jamailliens, constituaient une branche de la tenaille. Les navires chalcédiens qui avaient amené le Gouverneur formaient l'autre. Pris entre les deux, les vivenefs, les navires marchands et les bateaux de pêche des immigrants de Trois-Navires. Enfin, le ralliement des petites embarcations des gens de Trois-Navires avait changé le cours de la bataille. Dans l'obscurité, les barques de pêche avaient pu se faufiler jusqu'aux vaisseaux chalcédiens. Des pots d'huile bouillante et de goudron s'étaient fracassés contre les coques ou avaient été lancés sur les ponts. Brusquement, les Chalcédiens furent à leur tour trop occupés à éteindre le feu pour retenir les navires. Comme des taons harcelant des taureaux, les petits canots avaient continué d'attaquer les bâtiments qui bloquaient l'entrée du port. Les combattants chalcédiens sur les quais et à Terrilville furent horrifiés de voir leurs propres vaisseaux chassés du port. Les envahisseurs isolés se retrouvèrent inopinément à se battre pour défendre leur vie. Le combat s'était poursuivi en mer avec les navires de Terrilville pourchassant les Chalcédiens au large.

Au matin, après que les clameurs des émeutes se furent éteintes, la fumée portée par la brise estivale flottait en volutes dans les rues. Les Marchands reprirent bientôt le contrôle de leur port. Profitant de l'accalmie, Ronica avait pressé sa fille et ses petits-enfants de fuir pour se réfugier au désert des Pluies. Keffria, Selden et Malta, grièvement blessée, avaient réussi à s'échapper sur une vivenef. Ronica elle-même était restée sur place. Elle avait plusieurs affaires personnelles à régler avant de se trouver un asile. Elle avait serré les papiers de famille dans la cachette qu'Ephron Vestrit avait ménagée autrefois. Puis, en compagnie de Rache, elle avait rassemblé vêtements et provisions de bouche, et s'était mise en route pour gagner la ferme des Atres. Cette propriété des Vestrit, éloignée de Terrilville, était assez modeste pour leur offrir la sécurité.

Ce même jour, Ronica avait fait un bref détour afin de retourner à l'endroit où la voiture de Davad Restart était tombée dans une embuscade. Abandonnant la route, elle avait descendu péniblement le talus boisé jusqu'au corps de Davad. Elle l'avait recouvert d'un drap, car elle n'avait pas la force d'emporter sa dépouille pour l'enterrer. Il s'était brouillé avec les membres éloignés de sa famille et il n'était pas question de demander à Rache de l'aider. Elle n'avait que cet ultime hommage, tout pitoyable qu'il soit, à offrir à un homme qui avait été à la fois un ami fidèle durant presque toute sa vie et un dangereux poids mort au cours de ces dernières années. Elle chercha en elle quelques mots à prononcer sur son corps mais se contenta finalement de secouer la tête. « Vous n'étiez pas un traître, Davad. Je le sais. Vous étiez cupide, et votre cupidité faussait votre jugement, mais je ne croirai jamais que vous ayez délibérément trahi Terrilville. » Puis elle avait gravi péniblement le talus jusqu'à la route pour rejoindre Rache. La servante ne dit mot sur l'homme qui avait fait d'elle une esclave. Si elle éprouvait quelque satisfaction de sa mort, elle n'en fit pas état. Ronica lui en sut gré.

Les galères et les navires chalcédiens ne revinrent pas immédiatement au port de Terrilville. Ronica avait espéré que la paix s'installerait. Au contraire, une lutte bien plus terrible s'engagea entre les Premiers et les Nouveaux Marchands, voisin contre voisin, et ceux qui n'étaient d'aucun bord s'en prenaient à tous ceux que la guerre civile avait affaiblis. Des incendies se déclaraient partout. Au cours de leur fuite, Ronica et Rache passèrent devant des maisons en flammes et des chariots renversés. Les réfugiés encombraient les routes. Premiers et Nouveaux Marchands, domestiques et esclaves fugitifs, négociants et mendiants, pêcheurs de Trois-Navires, tous fuyaient l'étrange guerre qui avait si soudainement éclaté parmi eux. Ceux-là mêmes qui quittaient la ville continuaient à s'affronter. Des groupes s'abreuvaient mutuellement de sarcasmes et d'injures. La méfiance avait fait voler en éclats l'allègre diversité de la cité ensoleillée près du port aux eaux bleues. Durant leur première nuit sur la route, Rache et Ronica avaient été dévalisées, on leur avait dérobé leur sac de provisions pendant qu'elles dormaient. Elles poursuivirent leur chemin, en croyant être assez résistantes pour atteindre la ferme, le ventre creux. Des gens racontaient que les Chalcédiens étaient de retour et que Terrilville tout entière était en flammes. Le deuxième jour, en début de soirée, plusieurs jeunes gens encapuchonnés les abordèrent en exigeant qu'elles leur remettent leurs objets de valeur. Quand Ronica répondit qu'elles n'avaient rien, les bandits la molestèrent, fouillèrent son baluchon de vêtements avant de lancer avec mépris ses effets dans la poussière. Des réfugiés passèrent près d'elles en détournant les yeux. Personne n'intervint. Les brigands menacèrent Rache mais l'esclave resta stoïque. Ils finirent par s'en aller en quête de proies plus avantageuses, un homme accompagné de deux domestiques poussant une charrette à bras lourdement chargée. Les deux serviteurs s'étaient enfuis devant les bandits, laissant l'homme supplier et crier pendant que les voleurs pillaient son chargement. Rache avait tiré frénétiquement Ronica par le bras et l'avait entraînée. « On ne peut rien faire. On doit sauver notre vie. »

Elle avait tort. Le jour suivant en apporta la preuve. Elles découvrirent les cadavres de la marchande de thé et de sa fille. Les fuyards contournaient les corps et s'éloignaient en toute hâte. Ronica en fut incapable. Elle s'arrêta pour scruter le visage convulsé de la femme. Elle ignorait son nom mais se rappelait son étal de thé, au Grand Marché. Sa fille avait toujours servi Ronica avec le sourire. D'humble condition, elles étaient venues s'installer dans l'opulente cité et avaient participé à la diversité de Terrilville. Aujourd'hui, elles étaient mortes. Ce n'étaient pas les Chalcédiens qui avaient tué ces femmes ; c'étaient les habitants de Terrilville eux-mêmes.

C'est à ce moment-là que Ronica fit demi-tour et rebroussa chemin. Elle ne put expliquer sa décision à Rache, elle l'encouragea même à continuer seule vers les Atres. Aujourd'hui encore, elle était incapable d'invoquer une raison logique à son revirement. Peut-être était-ce parce qu'elle avait déjà vécu le pire. Elle retrouva sa maison dévalisée et saccagée. Elle ne fut pas autrement bouleversée en découvrant l'inscription « Traîtres » sur le mur du cabinet de travail. Terrilville telle qu'elle l'avait connue avait disparu à jamais. Si tout devait périr, peut-être valait-il mieux en finir aussi.

Pourtant, elle n'était pas femme à capituler aussi aisément. Dans les jours qui suivirent, Rache et elle s'installèrent dans la cabane du jardinier. Chose curieuse, elles menaient une vie normale, dans une sorte de détachement. On continuait à se battre en ville. Depuis l'étage de la maison de maî-tre, Ronica entrevoyait le port et la cité. Par deux fois les Chalcédiens tentèrent de s'en emparer. Par deux fois ils furent repoussés. Les vents nocturnes apportaient souvent le fracas des combats et l'odeur de fumée. Mais rien de tout cela ne sem-blait plus la toucher.

La minuscule cabane était facile à chauffer et à entretenir, son humble aspect la rendait moins tentante aux yeux des rôdeurs et des pillards. Les derniers produits du potager, le verger abandonné et les poulets qui restaient suffisaient à leurs modestes besoins. Elles écumaient la plage en quête de bois flotté qui brûlait dans leur petit âtre en donnant des flammes vertes et bleues. Ronica ne savait pas ce qu'elle ferait quand l'hiver vien-drait. Elle périrait, probablement. Mais pas de bonne grâce, ni de plein gré. Non, elle lutterait jusqu'au bout.

C'était cette même obstination qui la conduisait à présent, sur la pointe des pieds, dans le couloir à la poursuite de l'intrus. Elle empoigna son gourdin à pleines mains. Elle n'avait pas une idée bien précise de ce qu'elle ferait si elle se retrouvait face à lui. Elle voulait simplement savoir ce que cherchait ce rôdeur solitaire qui se déplaçait si furtivement dans la maison désertée.

La demeure avait déjà pris l'odeur poussiéreuse de l'abandon. Les objets les plus précieux de la famille Vestrit avaient été vendus au début de l'été pour financer l'expédition de sauvetage de la vivenef piratée. Les trésors qui restaient possédaient une valeur plus sentimentale que vénale : les babioles et curiosités, souvenirs des voyages d'Ephron, un vase ancien qui lui venait de sa mère, une tenture qu'elle avait choisie avec son mari quand ils étaient jeunes mariés... Ronica renonça à son inventaire. Tout avait disparu, maintenant, tout avait été cassé ou dérobé par des gens qui n'avaient aucune idée de ce que ces objets représentaient. Qu'il en soit ainsi ! Elle conservait le passé dans son cœur, elle n'avait pas besoin de choses matérielles qui l'y rattachent.

Elle passa sur la pointe des pieds devant des portes arrachées de leurs gonds. En se hâtant après l'intrus au capuchon, elle accorda à peine un regard à la cour, jonchée de pots renversés et de plantes roussies. Où allait-il ? Elle entrevit un bout de sa cape alors qu'il pénétrait dans une pièce.

La chambre de Malta ? La chambre de sa petite-fille ?

Ronica s'approcha à pas de loup. Il marmonnait tout seul. Elle risqua un rapide coup d'œil puis entra hardiment dans la pièce en s'écriant : « Cervin Trell, que faites-vous ici ? »

Avec un cri sauvage, le jeune homme bondit sur ses pieds. Il s'était agenouillé près du lit de Malta. Une rose rouge reposait sur l'oreiller. Blême, la main crispée sur sa poitrine, il dévisagea Ronica. Il remuait les lèvres sans qu'aucun son n'en sorte. Ses yeux allèrent jusqu'au gourdin qu'elle tenait et s'élargirent encore.

« Oh, asseyez-vous ! » s'exclama Ronica, exaspérée. Elle lança le gourdin au pied du lit et s'assit elle-même. « Que faites-vous ici ? » répéta-t-elle d'un ton las. Elle était certaine de connaître la réponse.

« Vous êtes vivante », dit doucement Cervin. Il porta les mains à son visage, se frotta les yeux. Ronica devina qu'il cherchait à cacher ses larmes. « Pourquoi n'avez-vous pas… Malta est-elle vivante aussi ? On a raconté que… »

Cervin se laissa tomber sur le lit, près de la rose. Il posa délicatement la main sur l'oreiller. « J'ai appris que vous aviez quitté le bal avec Davad Restart. Tout le monde est au courant que sa voiture a été attaquée. Ils n'en voulaient qu'à Restart et au Gouverneur. C'est ce qu'on raconte, ils vous auraient laissés tranquilles si vous n'aviez pas été avec Restart. Je sais qu'il est mort. Certains prétendent savoir ce qu'est devenu le Gouverneur mais ils n'en disent pas plus. Chaque fois que j'ai posé des questions au sujet de Malta et de vous… » Sa voix se brisa soudain et il rougit, mais il se força à poursuivre. « On rapporte que vous êtes des traîtres, que vous étiez de mèche avec Restart. Que vous aviez imaginé de livrer le Gouverneur aux

Nouveaux Marchands, qui voulaient l'assassiner. On aurait rejeté la responsabilité de sa mort sur les Marchands de Terrilville et Jamaillia aurait dépêché des mercenaires chalcédiens pour s'emparer de notre ville et la livrer aux Nouveaux Marchands. »

Il hésita puis s'arma de courage et continua : « Certains disent que vous avez eu ce que vous méritiez. On colporte des bruits terribles et je… je vous croyais tous morts. Grag Tenira a pris votre défense, il a affirmé que c'étaient des balivernes. Mais depuis qu'il est parti sur l'*Ophélie* pour participer au blocus, à l'embouchure du fleuve des Pluies, personne n'a élevé la voix en votre faveur. J'ai bien tenté, une fois, mais… je suis jeune. Personne ne m'écoute. Mon père se fâche si je parle de Malta. Quand Délo a pleuré son amie, il l'a enfermée dans sa chambre et a menacé de lui donner le fouet si elle prononçait encore son nom. Et il n'a jamais fouetté Délo.

— De quoi a-t-il peur ? demanda Ronica brutalement. Que les gens vous cataloguent comme traîtres parce que vous vous souciez du sort de vos amis ? »

Cervin acquiesça d'un brusque hochement de tête. « Père a été mécontent qu'Ephron prenne Brashen sous son aile après que notre famille l'a déshérité. Puis vous l'avez nommé capitaine du *Parangon* et vous l'avez envoyé en mer comme si vous étiez convaincue qu'il était capable de sauver la *Vivacia*. Père a cru que vous vouliez nous en remontrer, nous prouver que vous pouviez remettre dans le droit chemin le fils qu'il avait chassé.

— C'est parfaitement absurde ! s'exclama Ronica, indignée. Je n'ai rien fait de tel. Brashen s'est remis tout seul dans le droit chemin et votre père devrait être fier de lui au lieu d'en vouloir aux Vestrit. Mais j'imagine qu'il est satisfait de nous voir stigmatisés comme traîtres ? »

Cervin piqua du nez, honteux. Puis il releva la tête et les yeux sombres qu'il posa sur elle ressemblaient fort à ceux de son frère aîné. « Vous avez raison, malheureusement. Mais je vous en prie, ne me faites pas languir plus longtemps. Dites-moi. Il n'est rien arrivé à Malta ? Se cache-t-elle ici avec vous ? »

Ronica réfléchit un long moment. Pouvait-elle se fier à lui ? Elle ne désirait nullement tourmenter ce garçon mais elle ne mettrait pas sa famille en péril par égard pour ses sentiments. « La dernière fois que j'ai vu Malta, elle était blessée mais vivante. Et ce n'est pas grâce aux hommes qui nous ont attaqués et qui l'ont laissée pour morte. Elle se cache avec sa mère et son frère en lieu sûr. Je ne vous en dirai pas davantage. »

Elle n'avoua pas qu'elle n'en savait guère plus elle-même. Ils étaient partis avec Reyn, l'amoureux du désert des Pluies de Malta. Si tout s'était passé comme prévu, ils avaient bien rejoint le *Kendri*, ils étaient sortis du port et avaient remonté le fleuve des Pluies. Si tout s'était bien passé, ils étaient à présent en sécurité à Trois-Noues. L'ennui, c'était que, au train où allaient les choses, ces derniers temps… Et ils n'avaient aucun moyen de faire parvenir des nouvelles à Ronica. Il ne lui restait qu'à s'en remettre à Sâ et à sa miséricorde.

Le soulagement se lut sur la physionomie de Cervin Trell. Il tendit la main vers la rose sur l'oreiller de Malta. « Merci, murmura-t-il avec ferveur. (Mais il gâcha tout en ajoutant :) Maintenant, j'ai au moins un espoir à quoi me raccrocher. »

Ronica réprima une grimace. À l'évidence, Délo n'était pas la seule à avoir hérité des dispositions mélodramatiques de la famille Trell. Elle changea résolument de sujet. « Dites-moi ce qui se passe en ce moment à Terrilville. »

Il parut surpris par la question inattendue. « Eh bien… c'est que… je ne sais pas grand-chose. Père nous garde à proximité de la maison. Il croit que tout cela va se calmer, d'une façon ou d'une autre, et que Terrilville va reprendre sa vie d'avant. Il sera furieux s'il découvre que je me suis éclipsé. Mais il le fallait, vous comprenez. » Il porta la main à son cœur.

« Bien sûr, bien sûr. Qu'avez-vous vu en venant ici ? Pourquoi votre père vous garde-t-il à proximité de la maison ? »

Le jeune homme fronça les sourcils et baissa les yeux sur ses mains soignées. « Eh bien, à cette heure, nous tenons toujours le port. Mais ça peut changer à tout moment. Les gens de Trois-Navires nous ont aidés mais comme tous les bateaux sont dans la bataille, on ne pêche plus et le marché n'est plus approvisionné. Alors la nourriture commence à renchérir, à cause aussi de la destruction de nombreux entrepôts.

« Il y a eu du pillage en ville. Des gens ont été rossés et volés pour avoir essayé de faire du commerce. Certains disent que les coupables sont des bandes de Nouveaux Marchands, d'autres que ce sont des esclaves marrons qui raflent tout ce qu'ils peuvent. Le Marché est désert. Ceux qui osent ouvrir leurs boutiques risquent gros. Sérille a fait saisir par la Garde ce qui restait du quai des Taxes. Elle voulait qu'on y garde les oiseaux messagers pour Jamaillia. Mais la plupart ont péri brûlés ou asphyxiés. Les hommes qu'elle a postés là-bas ont bien intercepté récemment un oiseau mais elle n'a pas voulu communiquer les nouvelles qu'il avait apportées. Certains quartiers sont tenus par les Nouveaux Marchands, d'autres par les Premiers. Les gens de Trois-Navires et autres groupes sont pris entre les deux. La nuit, il y a des bagarres.

« Mon père est furieux qu'il n'y ait aucune négociation. Selon lui, les vrais Marchands savent que tout ou presque peut se résoudre par un marché équitable. D'après lui, c'est la preuve que les Nouveaux Marchands sont responsables de tout mais eux, bien sûr, ils rejettent la faute sur nous. Ils disent qu'on a enlevé le Gouverneur. Mon père croit que vous étiez prête à participer à son enlèvement afin qu'il soit assassiné et qu'on nous en tienne pour responsables. Maintenant, les Premiers Marchands se querellent entre eux. Certains veulent qu'on reconnaisse l'autorité de Sérille comme porte-parole du Gouverneur. D'autres disent qu'il est temps pour Terrilville de secouer le joug de Jamaillia une fois pour toutes. Les Nouveaux Marchands prétendent que nous sommes toujours gouvernés par Jamaillia mais refusent de reconnaître les documents de Sérille. Ils ont rossé le messager qu'elle leur a dépêché avec le drapeau de trêve et le lui ont renvoyé, les mains liées derrière le dos, avec un parchemin attaché au cou. Dans ce message, ils l'accusent de trahison, d'avoir trempé dans le complot pour renverser le Gouverneur. Ils déclarent que notre attaque contre lui et contre les bateaux de patrouille a provoqué les violences dans le port, et le retournement de nos alliés chalcédiens. » Il s'humecta les lèvres et ajouta : « Ils menacent d'être sans pitié, quand le moment sera venu et que la force sera de leur côté. »

Cervin marqua une pause pour reprendre haleine. D'un air grave qui le fit paraître plus âgé, il poursuivit : « C'est la pagaille, et ça ne s'arrange pas. Certains de mes amis veulent prendre les armes et chasser les Nouveaux Marchands. Roed Caern déclare qu'on devrait tuer ceux qui refusent de partir, et leur reprendre tout ce qu'ils nous ont volé. Beaucoup de fils de Marchands sont d'accord avec lui. Selon eux, Terrilville ne redeviendra elle-même que quand ils seront partis. Certains sont d'avis qu'on les rassemble et qu'on les somme de choisir entre le départ ou la mort. Le bruit court que Caern et ses amis sortent beaucoup la nuit. » Il secoua la tête d'un air malheureux. « C'est pourquoi mon père cherche à me garder à la maison. Il ne veut pas que je sois mêlé à tout ça. » Il croisa soudain le regard de Ronica. « Je ne suis pas un lâche. Mais je ne veux pas y être mêlé.

— Quant à cela, votre père et vous êtes avisés. On ne résoudra rien de cette façon. Cela ne servirait qu'à justifier leur violence. » Elle soupira et demanda : « Quand aura lieu le prochain Conseil des Marchands ? »

Cervin haussa les épaules. « Ils ne se sont pas réunis depuis le début des événements. Du moins, pas officiellement. Tous les propriétaires des vivenefs sont partis à la poursuite des Chalcédiens. Certains Marchands ont fui la ville, d'autres se sont barricadés chez eux. Les chefs du Conseil se sont réunis à plusieurs reprises avec Sérille mais elle les a convaincus de retarder la convocation de l'assemblée. Elle désire se réconcilier avec les Nouveaux Marchands et user de son autorité, en qualité de représentante du Gouverneur, pour restaurer la paix. Elle veut aussi traiter avec les Chalcédiens. »

Ronica garda un instant le silence. Elle serrait les lèvres. Cette Sérille paraissait s'attribuer un peu trop de pouvoir. Quelles étaient ces nouvelles qu'elle avait tues ? Plus tôt le Conseil se réunirait et élaborerait un plan d'action pour rétablir l'ordre, plus tôt la ville entamerait sa guérison, c'était certain. Pourquoi s'y opposerait-elle ?

« Cervin, dites-moi, si j'allais voir Sérille, vous croyez qu'elle accepterait de me parler ? Ou bien me tuerait-on comme traître ? »

Le jeune homme la regarda avec consternation. « Je ne sais pas, reconnut-il. J'ignore de quoi mes anciens amis sont capables aujourd'hui. On a retrouvé le Marchand Dave pendu. Sa femme et ses enfants ont disparu. D'aucuns avancent qu'il s'est suicidé quand il s'est aperçu que son sort avait tourné. D'autres prétendent que ce sont ses beaux-frères qui l'ont assassiné, parce qu'ils avaient honte. Mais on n'en parle pas beaucoup. »

Ronica observa un instant le silence. Elle pouvait se blottir ici, dans les ruines de sa maison, sachant que, si elle était assassinée, on n'en parlerait pas beaucoup non plus. Ou bien elle pouvait se trouver une autre cachette. Mais l'hiver approchait, et elle avait déjà décidé qu'elle ne mourrait pas de bonne grâce. Peut-être ne restait-il que l'affrontement. Du moins aurait-elle la satisfaction de dire ce qu'elle avait sur le cœur avant qu'on la tue. « Pouvez-vous transmettre un message à Sérille de ma part ? Où loge-t-elle ?

— Elle s'est approprié la maison de Davad Restart. Mais, je vous en prie, je n'ose pas transmettre un message. Si mon père le découvrait…

— Bien sûr. » Elle l'interrompit sèchement. Elle pourrait lui faire honte. Elle n'avait qu'à laisser entendre que Malta le prendrait pour un lâche. Mais elle n'utiliserait pas ce gamin pour tâter le terrain. À quoi bon sacrifier Cervin pour assurer sa propre sécurité ? Elle irait elle-même. Voilà trop longtemps qu'elle restait chez elle à trembler.

Elle se leva. « Rentrez chez vous, Cervin. Et restez-y. Écoutez votre père. »

Le jeune homme se leva à son tour, lentement. Il promena son regard sur elle puis détourna les yeux, gêné. « Est-ce que… est-ce que ça va pour vous, ici, toute seule ? Avez-vous suffisamment de quoi vous nourrir ?

— Je vais très bien. Merci. » Elle se sentit curieusement touchée par sa sollicitude. Elle baissa les yeux sur ses mains terreuses aux ongles sales. Elle refréna l'envie de les cacher derrière son dos.

Il prit une inspiration. « Pourrez-vous dire à Malta que je suis venu, que je m'inquiétais à son sujet ?

— Oui. Quand je la verrai. Mais il se peut que ce ne soit pas avant longtemps. Maintenant, rentrez chez vous. Obéissez à votre père, désormais. Je suis persuadée qu'il a assez de soucis sans que vous preniez davantage de risques. »

À ces mots, il se redressa légèrement. Un sourire effleura ses lèvres. « Je sais. Mais il fallait que je vienne, vous comprenez. Tant que j'aurais ignoré ce qu'elle était devenue, je n'aurais pas été en paix. » Il marqua une pause. « Je peux aussi en parler à Délo ? »

L'amie de Malta était une des pires commères de Terrilville. Ronica conclut que Cervin n'en savait pas suffisamment pour constituer une menace. « Vous pouvez. Mais conjurez-la de garder tout cela pour elle. Demandez-lui de ne pas parler du tout de Malta. C'est le plus grand service qu'elle puisse rendre à son amie. Moins on s'interrogera sur elle, plus elle sera en sécurité. »

Cervin prit une mine sombre et dramatique. « Bien sûr. Je comprends. » Il hocha la tête. « Eh bien, adieu, Ronica Vestrit.

— Adieu, Cervin Trell. »

Il y avait seulement un mois, il aurait été impensable qu'il se trouvât dans cette chambre. La guerre civile avait tout bouleversé. Elle le regarda s'en aller et il lui sembla qu'il emportait avec lui les derniers vestiges de cette vie d'autrefois. Toutes les règles qui avaient régi son existence étaient renversées. Durant un instant, elle se sentit aussi désolée et pillée que la pièce dans laquelle elle se tenait. Puis une singulière sensation de liberté l'envahit. Qu'avait-elle à perdre ? Ephron était mort. Depuis la disparition de son mari, son univers familier s'était écroulé. Maintenant, elle restait seule. Elle pouvait faire son chemin, désormais. Sans Ephron, sans les enfants, sa vie passée n'avait plus guère d'importance.

Puisque le présent était pénible, autant qu'il soit intéressant.

Après que les pas du jeune homme se furent éloignés dans le couloir dallé, Ronica quitta la chambre de Malta et parcourut lentement la maison. Elle avait évité d'y pénétrer depuis qu'à son retour elle l'avait découverte dévastée. Maintenant, elle se força à entrer dans toutes les pièces et à regarder les dépouilles de son univers. Les meubles les plus lourds, quelques rideaux et tentures subsistaient. Presque tout ce qui avait une valeur ou une utilité quelconque avait été emporté. Avec Rache, elle avait récupéré quelques ustensiles de cuisine et de la literie mais tous les objets qui agrémentent la vie quotidienne avaient disparu. Les assiettes qu'elles posaient sur la table de bois brut étaient désassorties et elle n'avait pas de drap sous ses couvertures de laine grossière. Cependant, la vie continuait.

En mettant la main sur le loquet de la porte de la cuisine, elle remarqua par terre, dans un coin, un pot cacheté à la cire. Elle se baissa pour le ramasser. Il fuyait un peu. Elle lécha son doigt poisseux. Confiture de cerises. Elle sourit tristement puis le fourra au creux de son bras. Elle emporterait ce dernier relief de douceur.

*
* *

« Dame Compagne ? »

Sérille leva les yeux de la carte qu'elle étudiait. À la porte du cabinet de travail, le petit serviteur baissait la tête avec déférence. « Oui ?

« — Il y a une visiteuse.

— Je suis occupée. Qu'elle revienne une autre fois. »

Elle se sentit légèrement irritée contre lui. Il aurait dû savoir qu'elle ne voulait plus recevoir personne aujourd'hui. Il était tard, elle avait passé tout l'après-midi dans une pièce étouffante à tâcher de faire entendre raison à une foule de Marchands. Ils ergotaient sur les choses les plus évidentes. Quelques-uns persistaient à exiger un vote du Conseil avant de reconnaître son autorité. Le Marchand Larfa avait suggéré avec une certaine grossièreté que Terrilville devait régler ses propres affaires sans recevoir de conseils de Jamaillia. C'était exaspérant. Elle leur avait montré la procuration qu'elle avait extorquée au Gouverneur. Elle l'avait rédigée elle-même, elle savait le document incontestable. Pourquoi refusaient-ils d'admettre qu'elle détenait l'autorité du Gouverneur et que Terrilville y était sujette ?

Elle consulta une fois de plus la charte de Terrilville. Jusqu'ici, les Marchands avaient été en mesure de garder leur port ouvert, mais c'était aux dépens du commerce. La ville ne pourrait se maintenir longtemps dans cette situation. Les Chalcédiens le savaient fort bien. Ils n'avaient pas besoin de se précipiter pour s'emparer sur-le-champ de Terrilville. Le commerce était la vie de cette ville et les Chalcédiens l'étranglaient, lentement mais sûrement.

Les Marchands entêtés étaient ceux-là mêmes qui refusaient de se rendre à l'évidence. Terrilville était une colonie établie sur une côte hostile, incapable depuis toujours de vivre en autarcie. Comment pouvait-elle résister à l'attaque d'une contrée belliqueuse telle que Chalcède ? Sérille avait posé la question aux chefs du Conseil. Ils avaient répondu qu'ils l'avaient déjà fait et qu'ils le referaient. Mais à l'époque, ils étaient soutenus par la puissance de Jamaillia. Et ils n'avaient pas alors affaire aux Nouveaux Marchands qui auraient pu se réjouir d'une invasion chalcédienne. Ils étaient nombreux à entretenir des liens étroits avec Chalcède, qui constituait le principal marché pour les esclaves qu'ils faisaient transiter par Terrilville.

Elle réfléchit à nouveau sur le message apporté par l'oiseau que Roed Caern avait intercepté et qu'il lui avait transmis. Jamaillia promettait d'expédier bientôt une flotte pour venger l'assassinat du Gouverneur par les Premiers Marchands rebelles et corrompus. Cette seule idée glaçait Sérille. Le message était arrivé trop vite. Un oiseau ne pouvait voler aussi rapidement. Cela signifiait, selon elle, que la conspiration s'était étendue jusqu'aux nobles de la ville même de Jamaillia. On avait lâché un oiseau vers Jamaillia en espérant que le Gouverneur serait assassiné et que tout accuserait les Premiers Marchands. La promptitude de la réponse prouvait qu'on avait attendu le message.

Quelle ampleur avait prise la conjuration ? C'était là toute la question. En admettant qu'elle puisse remonter à la source, elle ne savait pas si elle était en mesure de la déjouer. Si seulement Roed Caern et ses hommes ne s'étaient pas tant précipités, la nuit de l'enlèvement du Gouverneur ! Si Davad Restart et les Vestrit avaient survécu, on aurait pu leur arracher la vérité. Ils auraient révélé les noms des nobles jamailliens impliqués dans le complot. Mais Restart était mort et les Vestrit avaient disparu. Elle n'avait plus de réponse à attendre de ce côté-là.

Elle repoussa la charte qu'elle remplaça par une belle carte de Terrilville. L'ouvrage d'une facture raffinée faisait partie des merveilles qu'elle avait découvertes dans la bibliothèque de Restart. En sus des octrois originaux consentis aux Premiers Marchands, dont chacun était tracé d'une encre à la couleur de la famille, Davad avait écrit les titres principaux des Nouveaux Marchands. Elle les examina, supputant que les documents pourraient lui fournir des indices quant à l'identité des alliés de Restart. Elle fronça les sourcils, prit sa plume, la trempa dans l'encre et inscrivit une note. L'emplacement du mont Vinette lui plaisait. Cela ferait un agréable lieu de villégiature l'été, une fois que tous ces conflits seraient réglés. L'endroit avait été la propriété d'un Nouveau Marchand ; il était probable que les Premiers seraient enchantés de la lui céder. Ou bien, en sa qualité de représentante du Gouverneur, elle pouvait tout simplement se l'approprier.

Elle s'appuya au dossier de l'immense fauteuil et regretta brièvement que Davad Restart ait été de taille si élevée. Rien, dans cette pièce, n'était à son échelle à elle. Parfois, elle avait l'impression d'être une enfant jouant à la grande personne. Il arrivait aussi qu'elle ait la même impression en société. Sa seule présence ici était une imposture. Son « autorité déléguée par le Gouverneur » était inscrite dans un document qu'elle avait forcé Cosgo à signer quand il était malade. Son pouvoir, ses prétentions à un rôle d'envergure étaient fondés là-dessus. Et la valeur de ce document était à son tour fondée sur la notion que le Gouverneur de Jamaillia était le souverain légitime de Terrilville. Elle avait été saisie en découvrant qu'il était beaucoup question de la souveraineté de Terrilville parmi les Marchands. Ce qui rendait le prétendu statut de Sérille encore plus douteux. Peut-être aurait-elle été plus avisée de se ranger du côté des Nouveaux Marchands. Mais non, car certains d'entre eux, au moins, comprenaient que les nobles jamailliens tentaient de se débarrasser de la domination du Gouverneur. Si son pouvoir était contestable dans sa propre capitale, combien fragile était-il dans la plus lointaine province du Gouvernorat ?

Il était trop tard pour reculer. Elle avait fait son choix, endossé son rôle. À présent, il fallait le jouer bien, c'était son dernier espoir. Si elle y réussissait, cette ville serait sa patrie jusqu'à la fin de ses jours. C'était son rêve depuis que, jeune femme, elle avait entendu dire qu'à Terrilville, une femme pouvait prétendre aux mêmes droits qu'un homme.

Elle s'adossa un instant aux coussins en promenant son regard à travers la pièce. Un grand feu pétillait dans l'âtre du cabinet de travail. Sa lumière conjuguée à celle des multiples bougies réchauffait de reflets le bois ciré du bureau. Elle aimait cette pièce. Oh, certes, les rideaux étaient hideux, les livres sur les étagères qui tapissaient le mur étaient écornés et mal classés mais on pouvait y remédier. Le décor rustique l'avait dérangée, au début, contrariée même, mais à présent qu'elle était propriétaire de la demeure, elle avait l'impression de faire vraiment partie de Terrilville. La plupart des maisons de Marchands qu'elle avait vues ressemblaient à celle-ci. Elle saurait s'adapter. Elle remua les orteils à l'intérieur de ses douillettes pantoufles en laine d'agneau. Elles avaient appartenu à Keki et elles étaient un peu justes. Elle se demanda machinalement si la Compagne avait froid aux pieds à l'heure qu'il était ; à n'en pas douter, les Marchands du désert des Pluies devaient prendre grand soin de leurs augustes otages. Elle ne réprima pas un sourire de satisfaction. Même en portion congrue, la revanche était douce. Le Gouverneur n'avait probablement pas encore compris qu'elle avait organisé son enlèvement.

« Dame Compagne ? »

C'était encore le petit serviteur. « J'ai dit que j'étais occupée », répéta-t-elle sur un ton menaçant. Les serviteurs de Terrilville n'avaient aucune notion du respect dû au maître. Elle avait étudié cette ville toute sa vie mais rien, dans son histoire officielle, ne l'avait préparée à cette réalité égalitaire. Elle serra les dents quand le garçon lui répondit.

« Je lui ai dit que vous étiez occupée, déclara-t-il avec prudence. Mais elle a insisté pour vous voir tout de suite. Elle prétend que vous n'avez aucun droit sur la maison de Davad Restart. Et qu'elle vous donne une chance de vous expliquer avant de porter plainte devant le Conseil des Marchands au nom des héritiers légaux de Davad. »

Sérille lança sa plume sur le bureau. Qu'on lui parle sur ce ton, c'était inadmissible, et un domestique, de surcroît ! « Davad Restart était un traître. Ses actes lui ont valu d'être déchu de ses droits à la propriété. Ce qui inclut aussi ses héritiers. » Elle se rendit subitement compte qu'elle se justifiait devant un serviteur. Elle s'emporta. « Dis-lui de s'en aller, je n'ai pas le temps de la voir, ni aujourd'hui ni les autres jours.

— Dites-le-moi vous-même et nous aurons plus de temps pour en discuter. »

Interdite, Sérille dévisagea la vieille femme qui s'encadrait sur le seuil. Sa mise était simple, ses vêtements usés mais propres. Elle ne portait pas de bijoux mais ses cheveux luisants étaient arrangés avec soin. Sa contenance plus que sa tenue attestait son statut de Marchande. Le visage ne lui était pas inconnu mais, étant donné les liens de parenté qui unissaient tous les Premiers Marchands, ce n'était guère surprenant. La moitié d'entre eux étaient cousins au second degré. Sérille lui lança un regard furibond. « Allez-vous-en », dit-elle brutalement. Elle reprit sa plume, affectant le calme.

« Non, je ne m'en irai pas tant que je n'aurai pas obtenu satisfaction. » Une colère froide perçait dans la voix de la Marchande. « Davad Restart n'était pas un traître. En le flétrissant comme tel, vous avez ainsi été en mesure de vous approprier ses biens. Peut-être vous souciez-vous peu de voler un mort qui, au surplus, vous a prodigué son hospitalité. Mais vos accusations mensongères ont causé mon malheur. La famille Vestrit a été attaquée, a failli se faire assassiner, j'ai été chassée de chez moi, dépouillée de mes biens, et tout cela à cause de vos calomnies. Je ne le souffrirai pas plus longtemps. Si vous me forcez à porter l'affaire devant le Conseil, vous découvrirez que le pouvoir et la fortune n'influencent pas la justice ici, au contraire de Jamaillia. Les Marchands n'étaient guère plus que des mendiants quand ils se sont installés ici. Notre société est fondée sur l'idée qu'un homme est lié par sa parole, sans considération de fortune. Notre survie a dépendu de notre disposition à se fier à la parole d'autrui. Le faux témoignage est un délit plus grave ici que vous ne l'imaginez. »

Ce devait être Ronica Vestrit ! Elle ne ressemblait guère à la dame élégante du bal. Elle n'avait conservé que sa dignité. Sérille se rappela que c'était elle qui commandait ici. Elle se le répéta jusqu'à ce qu'elle en soit convaincue. Elle ne pouvait risquer de voir quiconque contester sa supériorité. Plus tôt cette vieille femme serait neutralisée, mieux cela vaudrait pour tout le monde. Sa mémoire la ramena brusquement à l'époque de sa vie à la cour du Gouverneur. Comment traitait-il ce genre de plaintes ? Elle déclara, le visage impassible : « Vous me faites perdre mon temps, avec votre litanie de prétendus griefs. Vos menaces et vos sous-entendus ne m'impressionnent pas. » Elle se radossa à son fauteuil, affectant une sereine assurance. « Ignorez-vous que vous êtes accusée de trahison ? Faire irruption ici avec vos récriminations insensées est non seulement téméraire mais grotesque. Estimez-vous heureuse que je ne vous fasse pas mettre aux fers sur-le-champ. » Sérille chercha à croiser le regard du petit serviteur. Il aurait dû comprendre à demi-mot et courir chercher de l'aide. Mais il observait les deux femmes avec une curiosité avide.

Bien loin d'être intimidée, Ronica s'enflamma de colère. « Il se peut que votre ton soit efficace à Jamaillia, où les tyrans sont vénérés. Mais ici, nous sommes à Terrilville. Ici, ma voix est aussi forte que la vôtre. Et nous n'enchaînons pas les gens sans leur donner une chance de s'exprimer. J'exige de m'adresser au Conseil des Marchands de Terrilville. Je veux laver l'honneur de Davad ou qu'on me présente les preuves qui le condamnent. J'exige une sépulture décente pour sa dépouille, dans un cas comme dans l'autre. » La vieille dame s'avança, en serrant ses mains osseuses le long de son corps. Ses yeux erraient dans la pièce et son indignation croissait à mesure qu'elle y remarquait les signes de la présence de Sérille. Ses paroles se firent plus saccadées. « J'exige que la propriété de Davad soit rendue à ses héritiers. Je veux défendre mon honneur, et j'exige des excuses de la part de ceux qui ont mis ma famille en danger. En outre, j'en attends réparation. » Elle s'approcha encore. « Si vous me forcez à aller devant le Conseil, on m'entendra. Vous n'êtes pas à Jamaillia, Compagne. Les plaintes d'un Marchand, même impopulaire, ne sont pas rejetées. »

Le petit écervelé avait filé. Sérille mourait d'envie d'aller à la porte et d'appeler à l'aide. Mais elle redoutait même de se lever de crainte de provoquer une attaque. Ses mains la trahissaient déjà et tremblaient. Toute situation de conflit lui faisait perdre son assurance, désormais. Depuis… Non, elle n'allait pas penser à cela maintenant, elle ne se laisserait pas affaiblir. Y penser sans cesse, c'était reconnaître qu'elle en avait été changée, irrémédiablement. Personne n'avait ce pouvoir-là sur elle, personne ! Elle serait forte.

« Répondez ! » ordonna brusquement la femme. Sérille sursauta violemment et de ses mains agitées elle dispersa les papiers sur le bureau. La vieille dame se pencha sur la table, les yeux flamboyant de colère. « Comment osez-vous rester assise là et affecter de ne pas m'entendre ? Je suis Ronica Vestrit, des Marchands de Terrilville. Pour qui vous prenez-vous, à vous taire et à me dévisager de la sorte ? »

Par un ironique retour des choses, c'était la seule question susceptible de délivrer Sérille de la panique qui la paralysait. Cette question, elle se la posait souvent ces derniers temps. Elle répétait la réponse devant son miroir, éprouvant le besoin incessant de se justifier à ses propres yeux. Elle se leva. Sa voix chevrotait légèrement. « Je suis Sérille, la Compagne consacrée du Gouverneur Cosgo. En outre, je suis sa représentante ici à Terrilville. J'ai les documents qui l'attestent, documents que le Gouverneur a élaborés précisément pour traiter cette situation. Tant qu'il se tient caché pour sa propre sécurité, ma parole a force de loi comme la sienne, mes décisions et dispositions sont aussi impératives. J'ai moi-même enquêté sur l'affaire de la trahison de Davad Restart, et j'ai conclu à sa culpabilité. Selon le droit jamaillien, tous ses biens sont confisqués par le trône. En qualité de représentante du trône, j'ai décidé de m'en réserver l'usage. »

La vieille dame parut momentanément démontée. Sérille reprit du poil de la bête devant ce signe de faiblesse. Elle saisit sa plume. Penchée sur le bureau, elle feignit de parcourir ses notes puis leva les yeux sur sa visiteuse.

« Attendu que jusqu'ici je n'ai pas trouvé la preuve absolue de votre trahison, je n'ai pas fait de déclaration officielle vous concernant. Je vous suggère de ne pas me pousser à approfondir votre implication dans cette affaire. Votre sollicitude à l'endroit d'un traître mort ne plaide guère en votre faveur. Vous seriez bien avisée de disposer, à présent. » Sérille la congédia en s'absorbant à nouveau dans ses papiers. Elle espérait que cette femme se contenterait de s'en aller. Alors, elle pourrait requérir des hommes armés et les lancer à sa poursuite. Elle appuya ses orteils sur le sol pour empêcher ses genoux de trembler.

Le silence se prolongea. Sérille s'interdit de lever la tête. Elle attendait que cette Ronica Vestrit sorte en traînant les pieds, vaincue. Mais tout à coup, le poing de la Marchande s'abattit sur le bureau, faisant jaillir l'encre de l'encrier. « Vous n'êtes pas à Jamaillia ! déclara Ronica brutalement. Vous êtes à Terrilville. Et ici, la vérité est attestée par les faits, et non par vos décrets. » Les traits crispés par la fureur et la détermination, la Marchande se pencha sur le bureau et approcha son visage de celui de Sérille. « Si Davad Restart avait été un traître, il y en aurait une preuve, là, dans ces registres. Si inconséquent qu'il ait pu être, il tenait toujours soigneusement ses comptes. »

Sérille se cala contre le dossier de son fauteuil. Son cœur cognait et ses oreilles bourdonnaient. Cette femme avait l'esprit complètement dérangé. Elle chercha en elle la force de bondir sur ses pieds et de fuir mais elle était paralysée. Elle aperçut le gamin derrière Ronica puis, avec un intense soulagement, plusieurs Marchands à sa suite. Tout à l'heure, elle aurait été furieuse qu'il ne les eût pas annoncés. Mais maintenant elle lui en était si piteusement reconnaissante que des larmes lui brûlèrent les yeux.

« Maîtrisez-la ! implora-t-elle. Elle me menace ! »

Ronica tourna vivement la tête vers les hommes. Quant à ceux-ci, ils semblaient pétrifiés. Elle se redressa lentement en tournant le dos à Sérille. Sur un ton de courtoisie glaciale, elle les salua par leur nom. « Marchand Drur. Marchand Contri. Marchand Devouchet. Je suis ravie de vous voir ici. Peut-être maintenant obtiendrai-je des réponses à mes questions. »

Les expressions qui passèrent sur les figures des Marchands apprirent à Sérille que sa position ne s'était pas affermie. Leurs mines saisies et contrites se voilèrent rapidement d'une sollicitude polie.

Seul le Marchand Devouchet la regardait dans les yeux. « Ronica Vestrit ? fit-il, incrédule. Mais je croyais… » Il se tourna vers ses compagnons, qui avaient été plus prompts à se ressaisir.

« Que se passe-t-il ici ? commença le Marchand Drur, mais Contri le devança.

— Je crains que nous ayons interrompu une conversation privée. Nous pouvons revenir plus tard.

— Point du tout, répondit Ronica avec gravité, comme s'ils s'étaient adressés à elle. À moins que vous ne jugiez que ma vie est du seul ressort de la Compagne. La question débattue ici est plus à même d'être résolue par le Conseil que par une Compagne du Gouverneur. Messieurs, comme vous le savez certainement, mes enfants et moi-même avons été victimes d'une agression sauvage, et diffamés au point que nos vies sont menacées. Le Marchand Restart a été traîtreusement assassiné et calomnié après coup, en sorte que ses meurtriers se targuent d'avoir eu raison. Je suis venue ici pour exiger que le Conseil enquête sur cette affaire et rende justice. »

Le regard de Devouchet se durcit. « Justice a été faite. Restart était un traître. C'est notoire. »

Ronica Vestrit garda un visage impassible. « C'est ce que je ne cesse d'entendre, en effet. Mais personne ne m'a fourni l'ombre d'une preuve.

— Ronica, soyez raisonnable, intervint le Marchand Drur sur un ton de reproche. Terrilville est sens dessus dessous. Nous sommes en pleine guerre civile. Le Conseil n'a pas le temps de se réunir pour débattre d'affaires privées, il doit…

— Le meurtre n'est pas une affaire privée ! Le Conseil se doit de répondre aux plaintes de tous les Marchands. C'est dans ce but qu'il a été créé, pour veiller à ce que, sans considération de fortune, la justice soit accessible à tous. C'est ce que j'exige. Je crois, moi, que Davad a été tué et ma famille attaquée sur de simples rumeurs. Ce n'est pas justice, c'est meurtre et voie de fait. En outre, alors que vous êtes persuadés que le coupable a été puni, je suis persuadée, moi, que les véritables traîtres courent toujours. J'ignore ce qu'il est advenu du Gouverneur. Cependant, cette femme a l'air d'être au courant, de son propre aveu. Je sais qu'il a été emmené de force cette nuit-là. Il me paraît peu vraisemblable qu'il "soit allé se cacher en lui déléguant son pouvoir". Il me semble plus probable que nous avons été mêlés à un complot jamaillien visant à renverser le Gouverneur puis à nous en faire endosser la responsabilité. J'ai même entendu dire qu'elle désirait traiter avec les Chalcédiens. Que leur donnera-t-elle, messieurs, pour les apaiser ? Qu'a-t-elle à leur offrir, hormis ce qui appartient à Terrilville ? En l'absence du Gouverneur, elle profite du pouvoir et de l'opulence. Certains Marchands n'auraient-ils pas été manipulés pour l'enlever, afin de servir les propres intérêts de cette femme ? Si c'est le cas, elle les a conduits à la trahison. N'est-ce donc point là une affaire dont le Conseil doit se saisir, s'il refuse d'examiner le meurtre de Davad Restart ? Ou s'agirait-il là encore d'"affaires privées" ? »

Sérille avait la bouche sèche. Les trois hommes échangeaient des regards hésitants. Ils étaient influencés par le discours de cette folle. Ils allaient se retourner contre elle ! Derrière eux, le petit serviteur s'attardait près de la porte, écoutant de toutes ses oreilles. Il y eut du bruit dans le couloir, et Roed Caern et Crion Trentor pénétrèrent dans la pièce. Grand et mince, Roed dominait son compagnon moins vigoureux. Il avait noué ses longs cheveux noirs en queue de cheval, à la manière d'un guerrier barbare. Ses yeux sombres qui d'ordinaire luisaient d'un éclat sauvage étincelaient maintenant de la convoitise du prédateur. Il dévisagea Ronica. En dépit du malaise que le jeune Marchand suscitait toujours en elle, Sérille éprouva un brusque soulagement à sa vue. Lui au moins se rangerait de son côté.

« J'ai entendu le nom de Davad Restart, fit remarquer Roed avec rudesse. Si quelqu'un conteste la manière dont il a fini, c'est à moi qu'il faut s'adresser. » Il défia Ronica du regard.

Elle se redressa et s'avança vers lui avec intrépidité. Elle lui arrivait à peine à l'épaule. Elle leva les yeux en demandant : « Fils de Marchand, vous avouez que vous avez du sang de Marchand sur les mains ? »

L'un des visiteurs eut un hoquet de surprise et Roed parut un instant saisi. Crion se lécha les lèvres nerveusement. « Restart était un traître ! déclara Roed.

— Prouvez-le-moi ! éclata Ronica. Prouvez-le-moi, et je me tairai, malgré que j'en aie. Traître ou non, Davad n'a pas été puni par la justice, il a été victime d'un meurtre. Mais, plus important, messieurs, je propose que vous vous le prouviez à vous-mêmes. Davad n'est pas le traître qui a tramé le rapt d'un Gouverneur. Il n'avait nul besoin d'enlever un homme qui logeait chez lui ! En croyant à la trahison de Davad, en croyant que vous avez déjoué un complot d'assassinat, vous vous condamnez vous-mêmes à la paralysie. Ceux qui sont derrière votre conspiration, si jamais il y eut conspiration, sont encore en vie et libres de perpétrer leurs forfaits. Peut-être avez-vous été manipulés en faisant exactement ce que vous affirmiez redouter : enlever le Gouverneur, attirer le courroux de Jamaillia sur Terrilville ? » Elle se força à grand-peine à adopter un ton calme. « Je sais que Davad n'était pas un traître. Mais il se peut qu'il ait été une dupe. Un madré comme lui pouvait être victime d'un plus madré encore. Je propose que vous examiniez avec soin les papiers de Davad et que vous vous demandiez qui l'utilisait. Posez-vous la question qui sous-tend tous les actes d'un Marchand. À qui cela profitait-il ? »

Elle les regarda l'un après l'autre. « Rappelez-vous ce que vous saviez de Davad. A-t-il jamais passé un marché quand il n'était pas certain d'en tirer avantage ? S'est-il jamais mis dans une situation physiquement périlleuse ? C'était un gaffeur en société, les Premiers et les Nouveaux Marchands n'étaient pas loin de le traiter en paria. Est-ce là l'homme au charisme et à l'habileté nécessaires pour tramer un complot contre le personnage le plus puissant du monde ? » Elle indiqua Sérille d'un mouvement de tête dédaigneux. « Demandez donc à la Compagne qui lui a fourni les informations qui l'ont conduite à ses suppositions. Comparez ces noms aux noms de ceux qui utilisaient Davad comme intermédiaire dans leurs affaires, et il se peut alors que vos soupçons se concrétisent. Quand vous aurez les réponses, vous me trouverez chez moi. À moins, bien sûr, que le fils du Marchand Caern juge que mon assassinat serait le moyen le plus expédient de régler l'affaire. » Elle se tourna brusquement. Droite comme une lame, sérieuse, elle fit face à Roed.

Le beau visage basané de Roed Caern était devenu pâle et défait. « Davad Restart a été éjecté de la voiture. On ne voulait pas qu'il meure là-bas ! »

Ronica le fixa de son regard glacial. « Que vous l'ayez voulu ou non, cela ne fait pas grande différence. Dans les deux cas, vous ne vous êtes souciés d'aucun de nous. Malta a écouté ce que vous avez dit, la nuit où vous l'avez laissée pour morte. Elle vous a vus, elle vous a entendus, et elle en a réchappé. Certainement pas grâce à vous. Marchands, fils de Marchands, je crois que vous avez de quoi réfléchir, ce soir. Bonne nuit. »

Cette femme, malgré son âge et ses vêtements usés, réussit à quitter la pièce avec la majesté d'une reine. Le soulagement que Sérille ressentit à son départ fut de courte durée. Elle se rassit dans son fauteuil, et se sentit troublée par tous ces visages qui l'entouraient. En se rappelant ses premiers mots quand les Marchands étaient entrés, elle eut envie de rentrer sous terre. Alors elle décida de se justifier. « Cette femme a perdu la raison, déclarat-elle, un ton plus bas. Je crois vraiment qu'elle m'aurait fait du mal si vous n'étiez pas arrivés. (Puis elle ajouta à mi-voix :) Il vaudrait peut-être mieux qu'elle soit détenue, d'une façon ou d'une autre… pour sa propre sécurité.

— Je ne peux pas croire que le reste de sa famille en ait réchappé, commença Crion d'une voix émue.

— La ferme ! » lui ordonna Roed Caern. Il parcourut la pièce d'un regard hargneux. « Je suis d'accord avec la Compagne. Ronica Vestrit est folle. Elle parle d'en appeler au Conseil, elle réclame des procès criminels, des jugements ! Comment peut-elle croire que ces règles s'appliquent en temps de guerre ? Aujourd'hui, c'est aux hommes forts d'agir. Si nous avions attendu que le Conseil se réunisse, la nuit de l'incendie, Terrilville serait à l'heure qu'il est aux mains des Chalcédiens. Le Gouverneur serait mort et on aurait fait retomber la faute sur nous. Les Marchands ont été obligés d'agir individuellement, et ils l'ont fait. Nous avons sauvé Terrilville ! Je regrette que Restart et les Vestrit se soient retrouvés mêlés à la capture du Gouverneur mais c'est eux qui ont décidé de monter avec lui en voiture. En se choisissant un tel compagnon, ils ont choisi leur sort !

— Capture ? fit le Marchand Drur en haussant le sourcil. On m'avait dit que nous étions intervenus pour empêcher les Nouveaux Marchands de l'enlever. »

Roed Caern ne blêmit pas. « Vous savez bien ce que je veux dire », gronda-t-il, et il se détourna. Il se dirigea vers une fenêtre et scruta au-dehors la nuit qui tombait, comme pour essayer d'apercevoir la silhouette de Ronica qui s'éloignait.

Drur secoua la tête. Le Marchand grisonnant paraissait plus vieux que son âge. « Je sais quelles étaient nos intentions mais d'une certaine façon… » Il laissa ses paroles en suspens. Puis il leva les yeux et regarda lentement tous les gens présents dans la pièce. « C'est pour cela que nous sommes venus ici ce soir, Compagne Sérille. Mes amis et moi-même craignons qu'en tentant de sauver Terrilville, nous ne l'ayons menée à sa perte. »

La figure de Roed s'assombrit de colère. « Et moi je suis venu pour dire que nous les jeunes, qui sommes ses forces vives, nous savons que nous ne sommes pas allés assez loin. Vous êtes impatients de traiter avec les Nouveaux Marchands, n'est-ce pas, Drur ? Alors même qu'ils ont déjà craché sur une proposition de trêve. Vous braderiez mes droits pour vous assurer une petite vieillesse bien tranquille. Eh bien, votre fille peut rester à la maison à faire de la dentelle pendant que des hommes meurent dans les rues. Elle peut vous laisser ramper lâchement devant les parvenus et marchander nos droits pour avoir la paix, mais pas nous. Qu'est-ce que ce sera, ensuite ? Vous la donnerez aux Chalcédiens pour acheter la paix ? »

Drur était devenu rouge comme un coq. Il serra les poings le long du corps.

« Messieurs, je vous en prie », dit Sérille d'une voix douce. La tension vibrait dans l'air. Elle se tenait au centre comme une araignée dans sa toile. Les Marchands se tournèrent vers elle, suspendus à ce qu'elle allait dire. Sa peur, son angoisse de tout à l'heure étaient réduites en cendres par le sentiment de triomphe qui brûlait secrètement en elle. Le Marchand s'opposait au Marchand, et ils étaient venus lui demander conseil. Ils avaient donc une haute opinion d'elle. Si elle pouvait conserver cette emprise sur eux, elle serait en sûreté pour toute sa vie. Alors, prudence maintenant. Allons-y doucement.

« Je savais que ce moment viendrait, dit-elle en mentant avec grâce. C'est une des raisons pour lesquelles j'ai pressé le Gouverneur de venir, afin qu'il serve de médiateur dans ce conflit. Vous vous considérez vous-mêmes désunis en factions séparées alors que le monde, lui, vous considère comme un tout. Marchands, vous devez vous voir avec les yeux du monde. Je ne veux pas dire (ici, elle haussa le ton et leva la main alors que Roed Caern, furieux, prenait sa respiration pour l'interrompre) que vous devez céder ce qui vous appartient de droit. Les Marchands et leurs fils peuvent être assurés que le Gouverneur Cosgo ne leur retirera pas ce que le Gouverneur Esclepius leur a octroyé. Cependant, si vous n'y prenez garde, vous pouvez encore le perdre en refusant de comprendre que les temps ont changé. Terrilville n'est plus un petit coin tranquille. Elle est en mesure de se transformer en un important port de commerce pour le monde. Pour ce faire, cette ville doit devenir plus diversifiée, plus tolérante que par le passé, sans toutefois perdre les qualités qui la rendent unique sur la couronne du Gouverneur. »

Les mots lui venaient, sortaient de sa bouche en formules cadencées, rationnelles. Les Marchands paraissaient fascinés. Elle savait à peine ce qu'elle disait. Peu importait. Ces hommes désiraient si désespérément trouver une solution qu'ils étaient prêts à écouter quiconque prétendrait en détenir une. Elle s'adossa à son fauteuil, tous les regards fixés sur elle.

Drur fut le premier à prendre la parole. « Vous allez traiter avec les Nouveaux Marchands en notre nom ?

— Vous allez réaffirmer les clauses de notre charte originelle ? demanda Roed Caern.

— En effet. En qualité de tiers et de représentante du Gouverneur, je suis seule qualifiée pour ramener la paix à Terrilville. Une paix durable, dont les termes seront acceptables par tous. » Avec un éclair dans les yeux, elle ajouta : « Et en ma qualité de représentante, je rappellerai aux Chalcédiens qu'en attaquant une possession de Jamaillia, ils attaquent Jamaillia elle-même. Le Trône de Perle ne tolérera pas pareil affront. »

Comme si ces paroles avaient déjà accompli la chose, il y eut un soudain relâchement de la tension. Les épaules se décrispèrent, les poings et les cous se détendirent.

« Vous ne devez pas vous considérer comme des adversaires. Vous apportez chacun vos propres forces à la table des négociations. » D'un geste, elle désigna les deux groupes, tour à tour. « Vos aînés connaissent l'histoire de Terrilville, et expriment des années d'expérience dans les négociations. Ils savent qu'on ne peut rien obtenir sans que les parties en présence soient disposées à céder sur des points mineurs. Alors qu'eux, vos fils, comprennent que leur avenir est subordonné à la reconnaissance par tous de la charte. Ils dispensent la force de leurs convictions et la ténacité de la jeunesse. Vous devez rester unis en ces temps troublés, afin de faire honneur au passé et de préparer l'avenir. »

Les deux groupes se regardaient ouvertement, à présent, l'hostilité s'émoussait à la perspective de tenter une alliance. Sérille sentit son cœur bondir. Voilà pour quoi elle était faite. Terrilville était son destin : elle l'unifierait, la sauverait, et la ferait sienne.

« Il est tard, dit-elle doucement. Je crois que nous avons besoin de repos. Et de réflexion. Je vous attendrai tous demain à midi pour déjeuner. D'ici là, j'aurai mis de l'ordre dans mes idées et propositions. Si nous sommes unanimes à décider de traiter avec les Nouveaux Marchands, je vous soumettrai une liste de ceux qui seraient prêts à négocier et qui ont suffisamment d'influence pour s'exprimer au nom de leurs congénères. » En voyant que Roed Caern se rembrunissait et que Crion lui-même faisait la grimace, elle ajouta avec un léger sourire : « Mais bien sûr vous n'êtes pas encore d'accord pour adopter cette position. Et rien ne sera fait tant que nous ne serons pas parvenus à un consensus, je vous en donne l'assurance. Je serai disposée à examiner toutes les suggestions. »

Elle les congédia avec un sourire et un « Bonne nuit, Marchands ».

L'un après l'autre, ils vinrent s'incliner sur sa main et la remercier de ses conseils. Quand ce fut au tour de Roed Caern, elle lui retint les doigts un instant. Devant son regard surpris, elle remua les lèvres et articula en silence : « Revenez plus tard. » Roed écarquilla ses yeux sombres mais ne dit mot.

Après que le petit serviteur les eut raccompagnés à la porte, elle lâcha un soupir de soulagement et de satisfaction. Elle survivrait ici, Terrilville serait à elle, quoi qu'il advienne du Gouverneur. Elle pinça les lèvres en songeant à Roed Caern. Puis elle se leva vivement et se dirigea vers la sonnette de service. Avec l'aide de sa servante, elle allait s'habiller de façon plus cérémonieuse. Il lui faisait peur. Il était capable de tout. Elle ne voulait surtout pas qu'il interprète sa requête comme un rendez-vous amoureux. Elle se montrerait froide et solennelle quand elle le lancerait aux trousses de Ronica Vestrit et de sa famille.

3

HIÉMAIN

La figure de proue regardait fixement droit devant elle en taillant la lame. Le vent en poupe gonflait ses voiles et la poussait en avant. L'étrave coupante faisait jaillir une blanche envolée d'embruns. Les gouttelettes emperlaient les joues de Vivacia et les boucles mousseuses de sa chevelure noire.

Elle avait laissé derrière elle les îles des Autres et de la Crête. Elle faisait route vers l'ouest, loin du grand large, en direction du chenal traître qui séparait l'île Dernière et l'île du Mur Protecteur. Au-delà de cette chaîne se situait la Passe Intérieure abritée jusqu'à la relative sécurité des Îles des Pirates.

Dans son gréement, l'équipage se déplaçait lestement jusqu'à ce que six voiles aient fait plein ventre. De ses longues mains, le capitaine Kennit se cramponnait à la lisse de proue, en clignant ses yeux bleu pâle. Les embruns mouillaient sa chemise blanche et son élégante veste noire de drap fin, mais il ne s'en souciait pas. À l'instar de la figure de proue, il regardait fixement devant lui avec ardeur, comme si sa volonté pouvait forcer encore l'allure du navire.

« Hiémain a besoin d'un guérisseur », déclara brusquement Vivacia. D'une voix désolée, elle ajouta : « Nous aurions dû garder l'esclave chirurgien du *Grincheux*. Nous aurions dû le forcer à venir avec nous. » La figure de proue croisa les bras et les serra étroitement sur sa poitrine. Elle ne se retourna pas vers Kennit mais demeura les yeux rivés sur la mer. Elle crispait les mâchoires.

Le capitaine pirate respira profondément et effaça de sa voix toute trace d'exaspération. « Je sais ce que tu redoutes. Mais tu dois écarter ces pensées. Nous sommes à des jours de tout avant-poste. D'ici qu'on accoste la terre, Hiémain sera convalescent ou bien il sera mort. Nous le soignons du mieux possible, navire. Maintenant, il ne reste qu'à compter sur ses propres forces. » Il tâcha, un peu tard, de la réconforter. Il déclara sur un ton plus doux : « Je sais que tu t'inquiètes pour le gamin. Je suis aussi préoccupé que toi. Tiens-t'en à cela, Vivacia : il respire, son cœur bat, il boit de l'eau et l'élimine normalement. Il présente tous les signes de quelqu'un qui va s'en sortir. J'ai vu assez de blessés dans ma vie pour le savoir.

— C'est ce que tu m'as dit. » Les mots étaient hachés. « Je t'ai écouté. Maintenant, je t'en supplie, écoute-moi. Sa blessure n'est pas ordinaire, elle va au-delà de la douleur ou des lésions de sa chair. Hiémain n'est plus là, Kennit. Je ne peux pas le sentir du tout. » Sa voix se mit à chevroter. « Tant que je ne le sens pas, je ne peux pas l'aider. Je ne peux lui prêter ni force ni réconfort. Je suis impuissante. Inutile. »

Kennit se força à contenir son impatience. Derrière lui, Jola hurlait furieusement sur les hommes, menaçant de les écorcher vifs s'ils ne mettaient pas un peu de nerf. *Tu gaspilles ta salive*, pensa Kennit. *Il te suffit d'en punir un une fois et tu n'auras plus jamais besoin de les menacer.*

Il croisa les bras, réprimant son humeur. La rigueur n'était pas de mise avec le navire. Pourtant, il avait du mal à brider son irritation. L'inquiétude qu'il ressentait pour le garçon le rongeait déjà comme un chancre. Il avait besoin de Hiémain. Il le savait. Il se sentait lié à lui par un lien quasi mystique. Le garçon était intimement mêlé à sa chance et à son destin de roi. Parfois, il lui semblait que Hiémain était son double, plus jeune, plus innocent, que sa vie rude n'avait pas marqué. Quand il songeait à lui de la sorte, il éprouvait à son égard une singulière tendresse. Il pouvait le protéger. Il pouvait être pour lui le guide que lui-même n'avait jamais eu. Cependant, il fallait qu'il soit le seul protecteur du gamin. Le lien qui unissait Hiémain au navire représentait un double obstacle. Tant qu'il subsisterait, ni le navire ni le garçon ne lui appartiendraient complètement.

Il déclara d'un ton ferme : « Tu sais qu'il est à bord. Tu nous as toi-même rattrapés et sauvés. Tu as vu qu'on l'embarquait. Crois-tu que je te mentirais en te disant qu'il est vivant si ce n'était pas le cas ?

— Non, répondit-elle avec difficulté. Je suis sûre que tu ne me mentirais pas. D'ailleurs, je suppose que, s'il était mort, je l'aurais senti. » Elle secoua sauvagement la tête, faisant flotter son opulente chevelure. « Nous avons été longtemps si étroitement liés. Je ne peux pas te faire comprendre quel effet cela me fait de le savoir à bord sans avoir conscience de lui. C'est comme si j'étais coupée d'une partie de moi-même… »

Sa voix se réduisit à un murmure. Elle avait oublié à qui elle s'adressait. Kennit s'appuya plus lourdement sur sa béquille de fortune. Il frappa trois fois de son pilon sur le pont. « Tu penses que je ne suis pas capable d'imaginer ce que tu ressens ?

— Si, je le sais, concéda-t-elle. Ah, Kennit, je n'arrive pas à exprimer à quel point je me sens seule sans lui. Tous les mauvais rêves, toutes les pensées malignes qui m'ont jamais hantée se déversent sans frein de tous les coins de ma tête. Ils bafouillent et se moquent de moi. Leurs railleries sournoises attaquent la conscience que j'ai de moi-même. » Elle leva ses larges mains de boissorcier et pressa les paumes sur ses tempes. « Je me suis si souvent répété que je n'avais plus besoin de Hiémain. Je sais qui je suis. Et je crois que je suis bien plus grande qu'il ne pourra jamais le concevoir. » Elle poussa un soupir exaspéré. « Il peut être tellement agaçant. Il débite des platitudes, et m'assène sa théologie, au point que j'en arrive à jurer que je serais plus heureuse sans lui. Pourtant, quand il n'est pas avec moi, et que je dois alors affronter ce que je suis vraiment… » Elle secoua la tête, à court de mots.

« Quand j'ai senti sur mes mains l'humeur visqueuse que le serpent a laissée sur la yole… (Elle s'interrompit. Elle reprit bientôt, d'une voix altérée.) J'ai peur. Je sens en moi une vraie terreur, Kennit. » Elle se contorsionna pour le regarder pardessus son épaule nue. « J'ai peur de la vérité qui se tapit en moi, Kennit. J'ai peur de l'intégralité de ma nature. Je montre un visage au monde mais je ne suis pas que ce visage. Il y en a d'autres cachés en moi. Je sens un passé derrière mon passé. Si je ne m'en protège pas, j'ai peur qu'il s'échappe de moi et change ce que je suis. Pourtant, c'est incompréhensible. Comment pourrais-je être autre que celle que je suis maintenant ? Comment puis-je avoir peur de moi-même ? Je ne comprends pas pourquoi je ressens cela. Et toi ? »

Kennit serra les bras sur sa poitrine et mentit. « Je crois que tu es sujette aux idées folles, ma dame de mer. Rien de plus. Peut-être te sens-tu un peu coupable. Je sais que moi-même je m'en veux d'avoir emmené Hiémain sur l'île des Autres où il a été exposé à ce danger. Pour toi, le remords doit être encore plus vif. Tu t'es montrée distante à son égard, ces derniers temps. Je sais que je suis venu m'interposer entre toi et lui. Pardonne-moi mais je ne le regrette pas. Maintenant que tu as été confrontée à la possibilité de le perdre, tu chéris l'emprise qu'il a encore sur toi. Tu te demandes ce que tu vas devenir s'il meurt. Ou s'il s'en va. »

Kennit secoua la tête et lui adressa un sourire désabusé. « Tu ne me fais pas encore confiance, je le crains. Je te l'ai dit, je serai toujours avec toi, jusqu'à la fin de mes jours. Pourtant, tu continues à t'accrocher à lui comme s'il était seul digne d'être ton partenaire. » Il marqua une pause puis hasarda une manœuvre pour voir comment elle allait réagir. « Je crois que nous devrions profiter de cette période pour nous préparer au départ de Hiémain. Nous avons beau l'aimer tous les deux, nous savons bien que son cœur n'est pas ici, mais à son monastère. L'heure viendra où nous devrons le laisser partir, si nous l'aimons vraiment. Tu n'es pas d'accord ? »

Vivacia se détourna vers la mer. « Si, je crois.

— Mon adorable fleur d'eau, pourquoi ne me laisses-tu pas le remplacer auprès de toi ?

— Le sang est mémoire, dit-elle tristement. Hiémain et moi partageons le sang et les souvenirs. »

Ce fut douloureux, car il avait mal dans tous ses membres mais Kennit se baissa lentement sur le pont. Il posa la main à plat sur la tache de sang qui conservait encore le contour de sa hanche et de sa jambe. « Mon sang, dit-il à mi-voix. J'étais étendu là quand on m'a amputé. Mon sang t'a imprégnée. Je sais que tu as partagé mes souvenirs, alors.

— En effet. Et de nouveau, quand tu es mort. Pourtant… » Elle s'interrompit puis reprit d'une voix plaintive : « Même inconscient, tu t'es caché de moi. Tu as partagé ce que tu as choisi de divulguer, Kennit. Tu as dissimulé le reste dans le mystère et dans l'ombre, en niant l'existence même de ces souvenirs. (Elle secoua sa tête massive.) Je t'aime, Kennit, mais je ne te connais pas. Pas comme Hiémain et moi nous connaissons. Je conserve en moi les souvenirs de trois générations de sa famille. Son sang aussi m'a imprégnée. Nous sommes comme deux arbres issus d'une même racine. (Elle respira tout à coup.) Je ne te connais pas, répéta-t-elle. Si je te connaissais vraiment, je comprendrais ce qui s'est passé quand tu es revenu de l'île des Autres. Les vents et la mer elle-même ont paru obéir à tes ordres. Un serpent s'est incliné devant ta volonté. Je ne comprends pas, pourtant j'en ai été témoin. Mais tu n'as pas jugé bon de m'expliquer. » Elle lui demanda, très doucement : « Comment pourrais-je placer ma confiance dans un homme qui se méfie de moi ? »

Durant un instant, le silence souffla avec le vent. « Je vois », répondit Kennit avec difficulté. Il se redressa sur son genou puis se releva laborieusement en s'aidant de sa béquille. Elle l'avait blessé et il décida de le lui montrer. « Tout ce que je peux te dire, c'est que le moment n'est pas encore venu de me révéler à toi. J'espérais que tu m'aimais assez pour être patiente. Tu as réduit cet espoir à néant. Malgré tout, j'espère que tu me connais suffisamment pour me croire. Hiémain n'est pas mort. Il montre des signes de rétablissement. Dès qu'il sera remis, je ne doute pas qu'il vienne te voir. Alors, je ne m'interposerai pas entre vous.

— Kennit ! » s'écria-t-elle, mais il s'en allait lentement en boitant. En atteignant la descente qui menait au franc-tillac, il dut se baisser gauchement pour l'atteindre. Il posa sa béquille et descendit à grand-peine l'échelle. Ce n'était pas commode pour un unijambiste mais il y parvint sans aide. Etta, qui aurait dû être à ses côtés, se trouvait au chevet de Hiémain. Il supposa qu'elle aussi préférait la compagnie du gamin à la sienne. Personne ne semblait se soucier de son épuisement, après les efforts qu'il avait déployés sur l'île des Autres. Malgré le temps chaud, il avait contracté une toux due à son long et pénible séjour dans l'eau. Il était courbatu, rompu mais personne ne lui témoignait sympathie ni soutien, car Hiémain était blessé, le corps brûlé par le venin du serpent de mer. Hiémain. Etta et Vivacia ne voyaient plus que lui.

« Oh, pauvre pirate ! Pauvre, pitoyable pirate mal-aimé ! »

Ces mots furent prononcés par une petite voix traînante, sarcastique, qui provenait de l'amulette sculptée attachée au poignet de Kennit. Il n'aurait même pas entendu la voix ténue, haletante, s'il n'avait pas descendu l'échelle, la main cramponnée au barreau près de son visage. Il atteignit le pont inférieur. D'une main, il se retint à l'échelle tandis que de l'autre il ajustait sa veste et faisait bouffer la dentelle à ses poignets. Il était enflammé de colère. Jusqu'au charme de bois-sorcier, qu'il avait créé pour lui porter chance, qui se retournait contre lui ! Sa propre figure, sculptée en miniature, se raillait de lui. Il eut l'idée d'une menace destinée à ce petit scélérat.

Il leva la main pour lisser la pointe de sa moustache. Le minuscule visage tout près de sa bouche, il fit remarquer à mi-voix : « Le bois-sorcier, ça brûle.

— Ainsi que la chair, rétorqua la petite voix grêle. Toi et moi sommes liés aussi intimement que Vivacia et Hiémain. Tu veux l'éprouver, ce lien ? Tu as déjà perdu une jambe. Ça te tente, une vie sans yeux ? »

Les mots de l'amulette lui glacèrent l'échine. Que savait-elle au juste ?

« Ah, Kennit, il ne peut guère y avoir de secrets entre nous. Guère. » Le charme répondait à ses pensées davantage qu'à ses paroles. Pouvait-il vraiment lire dans son esprit ou devinait-il grâce à sa perspicacité ?

« Voilà un secret que je pourrais partager avec Vivacia, poursuivit l'amulette, impitoyable. Je pourrais lui dire que tu n'as toi-même aucune idée de ce qui s'est produit durant le sauvetage. Qu'une fois l'exaltation passée, tu t'es blotti dans ton lit en tremblant comme un enfant, pendant qu'Etta s'occupait de Hiémain. (Un silence.) Peut-être Etta trouverait-elle cela amusant. »

Un regard involontaire à son poignet lui fit voir le sourire sardonique du charme. Kennit chassa un profond malaise. Il n'allait pas faire à cette méchante petite teigne l'honneur de lui répondre. Il reprit sa béquille et s'écarta rapidement devant une poignée de matelots se hâtant de rétablir une voile qui n'était pas au goût de Jola.

Que s'était-il effectivement passé quand ils avaient quitté l'île des Autres ? La tempête faisait rage autour d'eux, et Hiémain était inconscient, peut-être mourant, au fond de la yole. Kennit était en furie contre le sort qui cherchait à le déposséder de son avenir alors qu'il était si près de toucher au but. Il s'était levé dans le canot, avait secoué le poing et interdit à la mer de le noyer, aux vents de lui résister. La mer et le vent n'avaient pas seulement prêté attention à ses paroles mais le serpent venu de l'île avait émergé de l'abîme pour réunir la yole à son navire. Il souffla brusquement, refusant de céder à la crainte superstitieuse. Il était déjà assez pénible de voir l'équipage le couver des yeux, et trembler de terreur à la moindre remontrance. Même Etta frissonnait craintivement à son contact et lui parlait en baissant les yeux. De temps à autre, elle s'oubliait et retrouvait sa familiarité mais aussitôt qu'elle s'en apercevait, elle était consternée. Seule la vivenef le traitait aussi librement qu'à l'accoutumée. Mais elle venait d'avouer que le miracle avait dressé un mur entre eux. Il refusait de céder à leur superstition. Quoi qu'il se soit produit, Kennit devait l'accepter et aller son chemin comme avant.

Le commandement d'un navire exige du capitaine qu'il mène une vie séparée. Nul ne peut fraterniser sur un pied d'égalité avec le capitaine. Kennit avait toujours apprécié la solitude du chef. Depuis que Sorcor avait pris la barre de la *Marietta*, il avait quelque peu perdu de la déférence qu'il vouait à Kennit. L'incident de la tempête avait rétabli plus fermement la supériorité du capitaine sur son second. À présent, Sorcor le considérait avec un regard de foudroyé. Ce n'était pas la hauteur à laquelle le portait leur respect qui affectait tant Kennit, c'était la certitude qu'il pouvait se fracasser s'il venait à tomber de ce nouveau piédestal. La moindre erreur, désormais, pouvait le discréditer à leurs yeux. Il devait montrer une prudence accrue. La voie sur laquelle il s'était engagé devenait plus étroite et plus escarpée. Il plaqua sur son visage son petit sourire habituel. Personne ne devait soupçonner ses appréhensions. Il se dirigea vers la cabine de Hiémain.

*
*   *

« Hiémain ? Voilà de l'eau. Bois. »

Etta pressa une éponge au-dessus de sa bouche. Les gouttes tombèrent en pluie. Elle regarda avec angoisse s'entrouvrir les lèvres boursouflées. Il remua sa langue épaisse, avala puis suffoqua brièvement. « C'est mieux ? Tu en veux encore ? »

Elle se pencha et scruta son visage, souhaitant très fort une réaction. Elle aurait accepté n'importe quoi, un frémissement de paupière, une dilatation de narine. Rien. Elle humecta l'éponge. « Voilà encore de l'eau », dit-elle en faisant couler un filet dans sa bouche. Il avala à nouveau.

Elle répéta son geste à trois reprises. À la dernière, l'eau ruissela sur sa joue livide. Elle la tamponna doucement. La peau s'en détacha. Etta se laissa aller en arrière sur la chaise, à son chevet, et le contempla d'un air las. Elle n'aurait su dire si sa soif était étanchée ou s'il était trop épuisé pour avaler. Elle dénombra les signes consolants : il était vivant ; il respirait ; il buvait. Elle essaya de s'appuyer sur ces constatations pour espérer. Elle retrempa l'éponge dans la casserole d'eau. Elle examina ses mains. Elle s'était brûlée en venant au secours de Hiémain : elle l'avait saisi pour l'empêcher de se noyer et l'humeur visqueuse du serpent sur les vêtements du garçon avait attaqué sa peau, en y laissant des taches cuisantes, rouges et luisantes, sensibles au froid et à la chaleur. Et le venin avait provoqué ces lésions après avoir perdu de sa virulence sur les vêtements et la chair de Hiémain !

Ses habits avaient été réduits en lambeaux fins comme une pelure. Puis, comme l'eau chaude fait fondre la glace, la bave du serpent avait corrodé sa chair. Ses mains avaient été les plus exposées mais des éclaboussures avaient atteint son visage, avaient rongé sa queue de cheval de marin, laissant des écheveaux irréguliers de cheveux noirs accrochés à son crâne. Etta avait coupé les mèches qui restaient pour éviter qu'elles traînent sur ses plaies. Son cuir chevelu tondu le faisait paraître plus jeune encore.

Par endroits, les lésions ne semblaient guère plus sérieuses que des coups de soleil ; mais à d'autres, les tissus à vif luisaient, à côté d'une peau saine et hâlée. L'enflure déformait ses traits, ses yeux n'étaient plus que des fentes sous la saillie du front. Ses doigts ressemblaient à des saucisses. Il avait le râle humide. Sa chair suintante collait aux draps. Elle devinait qu'il souffrait atrocement et, pourtant, il ne le manifestait pas. Son absence de réaction faisait craindre à Etta qu'il ne soit en train d'agoniser.

Elle ferma les yeux en serrant fort les paupières. S'il mourait, toute la douleur qu'elle s'était exercée à dépasser se réveillerait. C'était monstrueusement injuste, le perdre maintenant, alors qu'elle était enfin arrivée à lui faire confiance ! Il lui avait appris à lire. Elle lui avait appris à se battre. Elle lui avait jalousement disputé l'attention de Kennit. D'une certaine manière, ce faisant, elle en était venue à le considérer comme un ami. Comment avait-elle pu se laisser aller à pareille imprudence ? Pourquoi avait-elle consenti à devenir aussi vulnérable ?

Elle avait fini par le connaître mieux que quiconque à bord. Pour Kennit, Hiémain était un porte-bonheur et le prophète de ses succès, quoiqu'il appréciât le gamin, qu'il l'aimât peut-être, à son corps défendant. L'équipage l'avait accepté, de mauvaise grâce d'abord, puis avec un orgueil quasi paternel depuis que ce garçon si pacifique avait tenu bon à Partage, poignard à la main, et proclamé bien haut son soutien au roi Kennit. Ses compagnons de bord avaient été passionnés par l'équipée sur la plage aux Trésors, persuadés que ce qu'il y trouverait serait un présage de la grandeur à venir de Kennit. Jusqu'à Sorcor qui en était venu à considérer Hiémain avec une indulgente affection. Mais personne ne le connaissait comme elle. S'il mourait, ils seraient tristes mais Etta serait endeuillée.

Elle refoula impitoyablement ses émotions. Ce qu'elle ressentait n'avait pas d'importance. Comment la mort de Hiémain affecterait-elle Kennit, c'était là la question essentielle. Impossible à deviner. Cinq jours plus tôt, elle aurait juré qu'elle connaissait le pirate comme personne. Non qu'elle prétendît être au fait de tous ses secrets ; c'était un homme très réservé et les mobiles de ses actes la laissaient souvent perplexe. Néanmoins, il la traitait avec bonté, mieux même. Elle savait qu'elle l'aimait. Cela lui avait suffi ; elle n'avait pas besoin d'être aimée en retour. C'était Kennit, elle n'en demandait pas davantage.

Elle avait écouté avec un scepticisme indulgent lorsque Hiémain avait commencé à formuler timidement ses suppositions. Sa méfiance première à l'égard de Kennit avait évolué peu à peu, il le croyait choisi par Sâ pour accomplir quelque grand destin. Elle avait soupçonné le pirate de jouer avec la naïveté du garçon, l'encourageant dans sa foi afin de pouvoir le rallier à ses entreprises. Elle avait beau aimer Kennit, elle le savait capable de ce genre de manœuvres. Qu'il emploie tous les moyens pour parvenir à ses fins ne le diminuait pas à ses yeux.

Mais c'était avant qu'elle n'ait vu Kennit lever les mains et hausser la voix pour calmer une tempête et commander à un serpent de mer. Depuis lors, elle avait l'impression qu'on lui avait enlevé l'homme qu'elle aimait pour lui en substituer un autre. Elle n'était pas la seule à ressentir cela. L'équipage qui aurait suivi son capitaine jusqu'à la mort la plus sanglante se taisait à présent à son approche et tremblait presque de terreur au moindre de ses ordres. Il le remarquait à peine. C'était bien là le plus inquiétant. Il paraissait accepter ce qu'il avait fait, et attendre de son entourage la même attitude. Il lui parlait comme si de rien n'était. Chose stupéfiante, il la touchait comme avant. Elle n'était pas digne d'être touchée par un être pareil, mais elle n'osait se refuser à lui. Qui était-elle pour discuter la volonté de quelqu'un comme lui ?

Qu'était-il ?

Des mots dont elle se serait moquée naguère lui vinrent à l'esprit. Élu des dieux. Aimé de Sâ. Prédestiné. Révélé. Choisi par le destin. Elle aurait voulu en rire, chasser ces idées folles, mais elle en était incapable. Depuis le tout début, Kennit lui avait paru différent des autres. Aucune règle ne semblait devoir s'appliquer à lui. Il avait réussi là où les autres auraient échoué, il accomplissait l'impossible sans effort. Les tâches qu'il s'assignait la confondaient. L'envergure de ses ambitions l'ébahissait. N'avait-il pas capturé une vivenef de Terrilville ? Qui d'autre aurait survécu à l'assaut d'un serpent de mer ? Qui, sinon Kennit, aurait pu inciter cette racaille qui peuplait les Îles des Pirates à commencer de se considérer comme des avant-postes d'un vaste royaume, le royaume légitime de Kennit ?

Quelle sorte d'homme était-il donc pour nourrir de tels rêves, sans parler même de les réaliser ?

Hiémain lui manquait plus cruellement encore quand elle se posait ces questions. S'il avait été éveillé, il aurait pu l'aider à comprendre. Quoique jeune, il avait passé presque toute sa vie à étudier dans un monastère. Quand elle avait fait sa connaissance, elle l'avait méprisé pour ses manières douces et sa bonne éducation. Si elle pouvait, aujourd'hui, se tourner vers lui avec toutes ses incertitudes ! Des mots comme destin, fortune, présage tombaient de ses lèvres aussi facilement que les jurons de sa bouche à elle. Venant de lui, ces mots-là étaient crédibles.

Elle se surprit à jouer avec la petite bourse qu'elle portait autour du cou. Elle l'ouvrit en soupirant, et en sortit la minuscule figurine. Elle l'avait trouvée dans sa botte, avec du sable et des coquilles de bernicles, après leur fuite de l'île des Autres. Quand elle avait interrogé Kennit sur la signification de ce présage, provenant de la plage aux Trésors, il lui avait répondu qu'elle la connaissait déjà. Cette réponse l'avait effrayée plus qu'aucune sinistre prédiction qu'il aurait pu formuler.

« Mais je ne sais vraiment pas », dit-elle doucement à Hiémain. Le poupon tenait exactement dans sa paume. On l'aurait cru fait d'ivoire mais pourtant il avait la couleur rosée d'une peau de bébé. Le nourrisson recroquevillé et endormi avait des cils minuscules et parfaits sur ses joues, des oreilles comme d'infimes coquillages et une queue de serpent lovée autour de lui. Il se réchauffait rapidement au creux de sa main et les contours lisses de son corps frêle appelaient la caresse. Du bout du doigt, elle suivit la courbe de la colonne vertébrale. « On dirait un bébé. Mais qu'est-ce que ça peut vouloir dire pour moi ? » Elle baissa la voix et chuchota sur le ton de la confidence, comme si le jeune garçon pouvait l'entendre. « Kennit a parlé d'un bébé, une fois. Il m'a demandé si j'aurais un enfant, au cas où il en voudrait un. Je lui ai répondu que oui, bien sûr. C'est ce que ça veut dire ? Est-ce que Kennit va me demander de porter son enfant ? »

Elle promena la main sur son ventre plat. À travers sa jupe, elle effleura une petite bosse. Une amulette de bois-sorcier, en forme de crâne, perçait son nombril ; le charme la préservait de la maladie et de la grossesse. « Hiémain, j'ai peur. J'ai peur de ne pas être à la hauteur de ces rêves. Et si je le décevais ? Que dois-je faire ?

— Je ne te demanderai rien qui soit au-delà de tes moyens. »

Etta se leva d'un bond avec une exclamation de surprise. Elle fit volte-face et découvrit Kennit dans l'encadrement de la porte. Elle se couvrit la bouche. « Je ne t'avais pas entendu, dit-elle d'un air coupable.

— Ah ? Mais moi, je t'ai entendue. Notre garçon est réveillé ? Hiémain ? »

Kennit pénétra en boitant dans la chambre et jeta un coup d'œil plein d'espoir sur la forme inerte.

« Non. Il boit, mais à part ça, rien n'indique que son état s'améliore, dit Etta, toujours debout.

— Mais tu lui poses quand même des questions ? » fit remarquer Kennit sur un ton pensif. Il tourna la tête vers elle et lui lança un regard perçant.

« Je n'ai personne avec qui partager mes doutes, commença-t-elle, puis elle s'interrompit. Je veux dire…, poursuivit-elle, hésitante, mais Kennit la fit taire d'un geste impatient.

— Je sais ce que tu veux dire », déclara-t-il. Il se laissa tomber sur la chaise. Il lâcha sa béquille qu'Etta rattrapa avant qu'elle ne claque par terre. Il se pencha en avant pour examiner Hiémain de plus près, en fronçant les sourcils. Il effleura le visage enflé du garçon avec une douceur toute féminine. « Ses conseils me manquent à moi aussi. » Il caressa la brosse de cheveux sur la tête de Hiémain, puis retira la main, rebuté par le contact rêche. « Je songe à le monter sur le gaillard d'avant, près de la figure de proue. Peut-être sera-t-elle capable d'accélérer sa guérison.

— Mais…, commença Etta, puis elle se ravisa et baissa les yeux.

— Tu y vois une objection ? Laquelle ?

— Je n'avais pas l'intention de…

— Etta ! aboya Kennit en la faisant sursauter. Épargne-moi tes jérémiades et tes courbettes. Si je te pose une question, c'est parce que je désire que tu me répondes, pas que tu pleurniches. Quelle objection vois-tu à ce qu'on le transporte là-haut ? »

Elle ravala sa peur. « Ses croûtes sont molles, suintantes. Si on le transporte, on va les arracher et retarder sa guérison. Sa peau est à vif, le vent et le soleil vont la dessécher et la crevasser encore plus. »

Kennit ne regardait que le garçon. Il parut réfléchir. « Je vois. Mais on le transportera avec beaucoup de précautions, et on ne le laissera pas longtemps. Vivacia a besoin de s'assurer qu'il est toujours vivant et Hiémain, lui, a besoin de la force de Vivacia pour guérir.

— Tu sais mieux que moi, certainement… », balbutia-t-elle. Mais il coupa court avec un : « En effet. Va chercher des hommes pour le transporter. J'attends ici. »

Hiémain nageait profond, dans les ténèbres et la chaleur. Quelque part, très haut, il y avait un monde d'ombre et de lumière, de voix, de souffrance, et de contact. Il l'évitait. Sur un autre plan, il y avait un être qui le cherchait à tâtons, qui l'appelait par son nom, qui l'appâtait aussi avec des souvenirs. Il était plus difficile de lui échapper mais il avait une forte détermination. Si cet être le découvrait, ils subiraient tous deux une grande douleur, un grand désenchantement. Tant qu'il restait infime, informe, à nager dans le noir, il pouvait s'y dérober.

On était en train de faire quelque chose avec son corps. Il y avait du fracas, du bavardage et de l'agitation. Il se concentra pour se cuirasser contre la souffrance à venir. La douleur avait le pouvoir de s'emparer de lui et de le retenir. La douleur serait en mesure de le tirer vers ce monde où il avait un corps, un esprit, une collection de souvenirs qui leur correspondaient. Ici, en bas, on était beaucoup plus en sécurité.

Ce n'est qu'une illusion. Et même si cette illusion dure longtemps, tu finiras par te languir de la lumière, du mouvement, du goût, du bruit, du toucher. Si tu attends trop, tu perdras peut-être tout cela, à jamais.

La voix résonna, ample autour de lui, comme le martèlement du ressac sur les rochers. Tel l'océan, la voix le retournait, le renversait, le considérant sous tous les angles. Il essaya en vain de se cacher. L'être le connaissait. « Qui es-tu ? » demanda Hiémain.

La voix était amusée. *Qui je suis ? Tu sais bien qui je suis, Hiémain Vestrit. Je suis celui que tu crains le plus, et celui qu'elle craint le plus. Je suis celui que tu évites de reconnaître. Je suis celui que tu nies, que tu te caches à toi-même, que vous vous cachez l'un à l'autre. Pourtant, je fais partie de vous deux.*

La voix se tut et attendit, mais il se refusa à prononcer les mots. Il savait que l'antique magie du nom agissait dans les deux sens. Connaître le vrai nom d'un être, c'était posséder le pouvoir de le ligoter. Mais le nommer pouvait aussi le rendre réel.

Je suis le dragon. La voix avait quelque chose d'irrévocable. *Tu me connais à présent. Et rien ne sera plus jamais pareil.*

« Je suis désolé, je suis désolé, bredouilla-t-il silencieusement. Je ne savais pas. Personne ne savait. Je suis désolé, tellement désolé. »

Pas autant que moi. La voix navrée était implacable. *Et pas autant que tu devrais l'être.*

« Mais ce n'est pas ma faute ! Je n'y suis pour rien ! »

Ce n'est pas ma faute non plus. Pourtant c'est moi qui suis le plus cruellement puni. La faute n'a rien à voir dans l'ordre de la grande nature, mon petit. Quand le mal est fait, la faute et la culpabilité sont aussi vaines que l'excuse. Une fois qu'on a accompli un acte, on doit en supporter les conséquences.

« Mais pourquoi es-tu là, si profond ? »

Et où devrais-je être ? Que me reste-t-il ? Lorsque je me suis rappelé qui j'étais, tes souvenirs étaient entassés sur moi. Pourtant, me voilà, et je resterai là, que tu me nies ou que tu m'affirmes. La voix marqua une pause. *Que je me nie moi-même ou que je m'affirme*, ajouta la voix d'un ton las.

La souffrance le taraudait. Hiémain se débattit dans un éblouissement de chaleur et de lumière, luttant pour garder les yeux fermés et la bouche close. Qu'était-on en train de lui faire ? Peu importait. Il ne réagirait pas. S'il bougeait, s'il criait, il serait forcé d'admettre qu'il était vivant et que Vivacia était morte. Il serait forcé d'admettre que son âme était liée à une chose morte longtemps avant qu'il soit né. C'était au-delà du macabre. Il était paralysé d'horreur. C'était là la merveille, la splendeur d'une vivenef. Il devait pour toujours frayer avec la mort. Il ne voulait pas se réveiller et le reconnaître.

Tu préférerais rester ici en bas avec moi ? Dans la voix de la créature perçait à présent une amertume amusée. *Tu souhaites traîner dans la tombe de mon passé ?*

« Non. Non, je veux être libre. »

Libre ?

Hiémain bredouilla : « Je ne veux rien connaître de tout ceci. Je ne veux pas en avoir jamais fait partie. »

Tu en as fait partie dès ta conception. Il n'y a pas moyen de défaire ce qui est.

« Alors, que dois-je faire ? » Les mots gémirent en lui, informulés. « Je ne peux pas vivre avec ça. »

Tu pourrais mourir, proposa la voix sardonique.

« Je ne veux pas mourir. » De cela, au moins, il était certain.

Moi non plus, rétorqua la voix impitoyable. *Mais je suis mort. Si riche que je sois de tous mes souve-*

nirs de vol, mes propres ailes ne se sont jamais déployées. Pour construire ce navire, on m'a dépouillé de mon cocon avant que je puisse éclore. Sur les dalles froides, on a jeté ce qui aurait dû être mon corps. Je ne suis fait que de souvenirs, souvenirs enchâssés dans les parois de mon cocon, des souvenirs que j'aurais dû réabsorber en prenant forme sous le chaud soleil d'été. Je n'avais aucun moyen de vivre et de grandir sinon à travers les souvenirs que ta race offrait. J'ai absorbé ce que vous m'avez donné et, quand ce fut assez, je me suis éveillé. Mais pas en tant que moi. Non. Je suis devenu la forme que vous m'avez imposée, j'ai adopté la personnalité qui était la somme des espérances de ta famille. Vivacia.

Un brusque changement de position réveilla la souffrance physique de Hiémain. L'air le submergea, la chaleur du soleil l'effleura. Ce contact échauda sa chair mise à nu. Mais pire que tout était la voix qui l'appelait dans un mélange de joie et d'inquiétude. « Hiémain ? Tu m'entends ? C'est Vivacia. Où es-tu ? Que fais-tu ? Je ne te sens pas du tout. »

Il sentit les pensées du navire se tendre vers lui. Il se déroba en tremblant, refusant le contact. Il se fit tout petit, se cacha plus profond. Dès que Vivacia l'atteindrait, elle saurait tout ce qu'il savait. Quel effet cela produirait sur elle, d'affronter ce qu'elle était réellement ?

Tu as peur que cela la rende folle ? Tu as peur qu'elle t'emporte avec elle ? Il y avait une jubilation féroce dans la voix, quand elle formula la pensée, presque une menace. Hiémain fut glacé de peur. Il comprit aussitôt que sa cachette n'était pas un asile mais un piège. « Vivacia ! » s'écria-t-il éperdument mais son corps ne lui obéit pas. Aucun son ne sortit de ses lèvres. Sa pensée même était étouffée dans le dragon, enveloppée, étranglée, confinée. Il essaya de lutter ; il suffoquait sous le poids de sa présence. Le dragon le tenait si serré qu'il en oubliait comment respirer. Son cœur bondissait follement. La souffrance le sabrait, son corps protestait en se contractant. Dans un monde lointain, sur un pont inondé de soleil, des voix effarées criaient leur impuissance. Il battit en retraite dans une immobilité du corps et de l'âme, ultime degré de ténèbres avant la mort.

Bien. Il y avait de la satisfaction dans la voix. *Reste tranquille, mon petit. N'essaie pas de me défier, et je ne serai pas obligé de te tuer.* Un silence. *Je n'ai vraiment aucun désir de nous voir mourir. Entremêlés comme nous le sommes, la mort de l'un mettrait les autres en danger. Tu l'aurais compris si tu avais pris le temps de réfléchir. Je t'en donne le loisir maintenant. Emploie-le à méditer sur notre situation.*

Pendant un instant, Hiémain se concentra seulement sur sa survie. Le souffle pénétra puis frémit dans ses poumons. Son pouls devint plus régulier. Il était vaguement conscient des exclamations de soulagement. La douleur bouillonnait toujours. Il tenta de s'en échapper, de méconnaître ses clameurs afin de pouvoir se consacrer au problème que le dragon lui avait soumis.

Il se recula soudain devant son éclat d'irritation. *Par tout ce qui vole, tu n'as donc pas une once de bon sens ? Comment des créatures telles que toi sont-elles arrivées à survivre et à infester le monde si com-*

plètement en étant à ce point ignorantes d'elles-mêmes ? Ne recule pas devant la douleur, imagine qu'elle te rend fort. Regarde-la, espèce de nigaud ! Elle cherche à te dire ce qui ne va pas de façon que tu puisses y remédier. Pas étonnant que vous ayez une vie si brève. Non, regarde-la ! Comme ça.

*
*   *

Les hommes d'équipage qui avaient porté Hiémain, chacun à un des quatre coins du drap, l'avaient déposé en douceur sur le pont. Malgré tout, Kennit avait surpris le spasme de souffrance qui avait crispé le visage du garçon. Il supposa qu'on pouvait l'interpréter comme un signe encourageant ; au moins répondait-il encore à la douleur. Mais quand la figure de proue lui avait parlé, il n'avait même pas frémi. Personne, parmi ceux qui entouraient la forme étendue, ne pouvait deviner à quel point le capitaine était inquiet. Il avait été persuadé que le gamin réagirait à la voix du navire. Peut-être cette absence de réaction signifiait-elle que la mort allait l'emporter. Kennit croyait qu'il y avait quelque part, entre la vie et la mort, un espace où le corps n'était plus qu'un misérable animal, seulement capable de réflexes instinctifs. Il l'avait déjà observé. Sous la cruelle supervision d'Igrot, son père avait tenu des jours dans cet état. Peut-être Hiémain en était-il là, à cette heure.

La pénombre dans la cabine avait été charitable. Ici, en plein jour, Kennit ne pouvait persister à croire que tout irait bien pour le garçon. Son corps brûlé était hideusement révélé dans le moindre détail. Sa brève crise de spasmes avait déplacé les croûtes suintantes que son corps avait réussi à former ; de ses plaies s'écoulait un liquide séreux. Hiémain était mourant. Son enfant-prophète, le prêtre qui aurait dû être son devin était en train de mourir alors que l'avenir de Kennit n'était pas encore né. Il fut envahi par un sentiment d'injustice, il étouffait. Il avait été si près, si près d'atteindre son rêve. À présent, il allait tout perdre avec la mort de cet adolescent. C'était trop décourageant. Il ferma les yeux et serra les paupières sur la cruauté du destin.

« Oh, Kennit ! s'écria la vivenef à voix basse, et il sut qu'elle partageait ses émotions. Ne le laisse pas mourir ! supplia-t-elle. Je t'en prie. Tu l'as sauvé du serpent et de la mer. Ne peux-tu le sauver aujourd'hui ?

— Silence ! » ordonna-t-il presque rudement. Il fallait qu'il réfléchisse. Si le garçon mourait maintenant, ce serait la négation de cette chance qu'il avait cherché à s'attirer. Ce serait pire que la guigne. Il ne pouvait en accepter l'éventualité.

Peu soucieux des hommes rassemblés qui regardaient dans un profond silence le garçon supplicié, Kennit se baissa gauchement sur le pont. Il scruta longuement le visage inerte de Hiémain. Il posa un index sur un endroit intact de la joue. Le gamin était encore imberbe, la peau était douce. Le spectacle de cette beauté détruite lui déchira le cœur. « Hiémain, appela-t-il doucement. Fiston, c'est moi, Kennit. Tu as dit que tu me suivrais. Sâ t'a envoyé pour parler en mon nom. Tu te souviens ?

Tu ne peux pas t'en aller maintenant, petit. Pas alors qu'on est si près du but. »

Il fut vaguement conscient des murmures étouffés qui passèrent dans les rangs des matelots. Compassion, ils éprouvaient de la compassion pour lui. L'idée qu'ils puissent interpréter ses paroles comme une marque de faiblesse l'irrita brièvement. Mais non, ce n'était pas de la pitié. Il leva les yeux sur leurs visages et n'y lut que de l'inquiétude, non seulement pour Hiémain mais aussi pour lui. Ils étaient touchés par la sollicitude que montrait leur capitaine à l'égard de ce gamin blessé. Il soupira. Eh bien, si Hiémain devait mourir, lui, Kennit, tournerait l'événement à profit autant qu'il le pourrait. Il lui caressa doucement la joue. « Pauvre petit, marmonna-t-il assez haut pour être entendu. Tant de souffrance. Il serait plus charitable de te laisser partir, non ? »

Il leva les yeux vers Etta. Les larmes ruisselaient sans retenue sur ses joues. « Essaie de lui donner encore à boire, ordonna-t-il avec douceur. Mais ne sois pas déçue. Il est entre les mains de Sâ maintenant, tu sais. »

*
* *

Le dragon altérait sa conscience. Hiémain ne voyait pas avec ses yeux ni ne se complaisait dans la douleur. Mais le dragon infléchissait sa conscience vers une direction inexplorée. Qu'était-ce que la douleur ? Des éléments détériorés de son corps, des brèches dans ses barrières de défense contre le monde extérieur. Les barrières avaient

113

besoin d'être réparées, les éléments détériorés devaient se décomposer et se disperser. Rien ne devait faire obstacle à cette tâche. Il fallait y consacrer toutes les ressources. Son corps l'exigeait de lui, et la souffrance était la sonnette d'alarme.

« Hiémain ? » La voix d'Etta perça la noirceur ouatée. « Voilà de l'eau. » Il sentit un filet humide, agaçant, sur sa bouche. Il remua les lèvres, s'étrangla brièvement en essayant de l'éviter. Mais il comprit aussitôt son erreur. Ce liquide était nécessaire à son corps pour se reconstituer. De l'eau, un peu de nourriture et le repos absolu, libéré des dilemmes qui le grevaient.

Une légère pression sur sa joue. De très loin, une voix qu'il connaissait. « Meurs s'il le faut, fiston. Mais sache que cela me fait mal. Ah, Hiémain, si tu m'aimes ne serait-ce qu'un peu, résiste et vis. N'abandonne pas le rêve que tu as toi-même prédit. »

Les mots se rangèrent dans sa mémoire, pour être examinés plus tard. Pour le moment, il n'avait pas de temps à consacrer à Kennit. Le dragon lui montrait quelque chose, quelque chose d'essence divine, qu'il s'étonnait d'avoir abrité si longtemps en lui, à son insu. Le mécanisme de son corps se déployait devant lui. L'air chuchotait dans ses poumons, le sang circulait dans ses membres, et tout cela lui appartenait. Ce n'était pas un domaine incontrôlable ; c'était son propre corps. Il pouvait le réparer.

Il sentit qu'il se détendait. Nullement limitées par la tension, les ressources de son corps se répandaient vers les parties malades. Il connaissait ses besoins. Au bout d'un moment, il découvrit les muscles réticents de ses mâchoires et de sa langue engourdie. Il remua les lèvres. « De l'eau », parvint-il à croasser. Il leva un bras roide pour tenter faiblement de se protéger de la lumière. « De l'ombre », supplia-t-il. La caresse du soleil et du vent sur les lésions de sa peau lui causait une douleur atroce.

« Il a parlé ! » s'exclama Etta, exultante.

« C'est le capitaine, dit quelqu'un. Il l'a ressuscité.

— La mort elle-même recule devant Kennit ! » déclara un autre.

La paume rêche qui lui effleurait la joue avec tant de douceur, et les mains fortes qui lui soulevaient la tête pour porter à sa bouche la tasse merveilleusement fraîche et embuée de gouttelettes, c'était Kennit. « Tu m'appartiens, Hiémain », déclara le pirate.

Hiémain but à ces paroles.

*
* *

Je crois que tu peux m'entendre, trompeta Celle-Qui-Se-Souvient en nageant dans l'ombre de la coque argentée. Elle réglait son allure sur celle du navire. *Je flaire ton odeur. Je sens ta présence mais je ne peux te trouver. Est-ce à dessein que tu te caches de moi ?*

Elle se tut, tous les sens tendus afin de capter une réaction. Quelque chose, elle goûta quelque chose dans l'eau, une saveur amère comme les toxines piquantes de ses propres glandes. Ces sels suintaient de la coque du navire, si une telle chose était possible. Elle avait l'impression d'entendre des voix, si lointaines qu'elle ne distinguait pas les mots, seulement une rumeur. C'était incompréhensible. Le serpent était tout près de croire qu'il devenait fou. Quelle ironie : atteindre la liberté et être vaincu par la folie !

Celle-Qui-Se-Souvient frémit de tout son corps et sécréta un mince filet de toxines. *Qui es-tu ?* demanda-t-elle. *Où es-tu ? Pourquoi te caches-tu de moi ?*

Elle attendit une réponse. En vain. Personne ne lui parla mais elle fut persuadée qu'on l'écoutait.

4

LE VOL DE TINTAGLIA

Le ciel n'était pas bleu, certes non ! Elle avait pris son vol plus d'une fois mais, comparé à sa couleur étincelante, rien ne pouvait prétendre à ce bleu. Le dragon Tintaglia arqua son dos et admira le soleil qui argentait ses écailles d'un bleu profond. Beauté indicible. Pourtant, cette merveille même ne parvenait pas à distraire son œil aiguisé, son odorat plus aiguisé encore de ce qui importait davantage que sa splendeur.

Son repas se déplaçait loin en dessous, dans une clairière. Une biche, grasse de sa pâture d'été, se hasardait avec trop de témérité à quitter la forêt. Insensée ! Autrefois, aucun daim ne serait sorti à découvert sans avoir au préalable jeté un coup d'œil prudent dans le ciel. Les dragons avaient-ils disparu depuis si longtemps du monde que les bêtes à sabots aient ainsi renoncé à se méfier du ciel ? Elle allait bientôt leur apprendre ! Tintaglia replia ses ailes et piqua vers la terre. Ce fut seulement quand elle fut trop proche pour que la biche puisse fuir qu'elle donna le ton de chasse. La sonnerie musicale de son *ki-i-i* alors qu'elle fondait sur sa proie déchira la paix matinale. Les serres de ses membres antérieurs saisirent l'animal, le plaquèrent sur son poitrail tandis que les massives pattes postérieures absorbaient le choc de l'atterrissage. Elle rebondit sans effort en emportant la biche. La bête, en état de stupeur, ne bougeait pas. Une rapide morsure à l'encolure l'avait paralysée. Tintaglia emporta sa proie sur une corniche rocheuse surplombant la vallée du fleuve du désert des Pluies. Là, elle lapa le sang qui formait une flaque avant de cisailler de gros morceaux rouge sombre pour assouvir sa faim, rejetant la tête en arrière pour les avaler. L'extraordinaire volupté qu'elle éprouvait à manger faillit la terrasser. Au goût de la viande chaude et saignante, à l'odeur fétide des tripes répandues se mêlait la sensation de réplétion de ses entrailles. Elle sentait son corps se régénérer. Jusqu'au soleil baignant ses écailles, qui la gorgeait !

Après son repas, elle s'était étirée pour dormir quand une pensée agaçante fit irruption. Avant sa chasse, elle avait été sur le point de faire quelque chose. Elle contempla la lumière du soleil qui jouait sur ses paupières closes. Qu'était-ce ? Ah ! Les humains. Elle avait eu l'intention de porter secours aux humains. Elle poussa un lourd soupir et sombra plus profondément dans le sommeil. Mais elle ne leur avait rien promis, car la promesse faite à un insecte engage-t-elle un être comme elle ?

Quand même. Ils l'avaient délivrée.

Mais ils étaient probablement morts et il était sans doute trop tard pour les sauver, de toute façon. Paresseusement, elle laissa son esprit flotter vers eux. Ce fut presque irritant de découvrir qu'ils étaient tous deux encore en vie, quoique leurs pensées fussent réduites à un simple bourdonnement de moustique.

Elle releva la tête avec un soupir puis s'éveilla suffisamment pour se remettre sur pattes. Elle transigea : elle irait au secours du mâle. Elle savait exactement où il se trouvait. La femelle était tombée à l'eau, quelque part ; elle pouvait être n'importe où, à cette heure.

Tintaglia s'avança à pas mesurés jusqu'au bord de la falaise et s'élança.

*
*   *

« J'ai tellement faim », dit Selden en frissonnant. Il se pressa davantage contre Reyn, cherchant la chaleur que le jeune homme perdait rapidement lui-même. Il n'avait même pas le courage de répondre au garçon tremblant. Ils étaient allongés sur une natte de branchages qui s'enfonçait petit à petit dans la vase montante. La boue l'engloutirait bientôt, avec leur dernier espoir. La seule issue se trouvait très haut au-dessus de leurs têtes. Ils avaient bien tenté de construire une plate-forme de débris mais, à mesure qu'ils amassaient la terre et les branches, la vase les avalait. Reyn savait qu'ils allaient mourir là, et tout ce que le gamin trouvait à faire, c'était de pleurnicher qu'il avait faim.

Il eut envie de le secouer pour lui rendre un peu de raison, mais il passa un bras autour de ses épaules et lui dit pour le réconforter : « Quelqu'un a dû voir le dragon. Ma mère et mon frère le sauront et devineront d'où il est sorti. Ils vont envoyer du secours. » En son for intérieur, il doutait de ses paroles. « Repose-toi un peu.

— J'ai tellement faim », répéta désespérément Selden. Il soupira. « En un sens, cela valait la peine. J'ai vu le dragon s'envoler. » Il tourna le visage vers la poitrine de son compagnon et se tut. Reyn baissa les paupières. Était-il possible que ce soit aussi simple que cela ? S'endormir simplement et mourir ? Il tâcha de penser à quelque chose d'assez important qui l'inciterait à continuer la lutte. Malta. Mais Malta était probablement déjà morte, quelque part dans la cité effondrée. La cité elle-même était la seule chose à laquelle il tînt avant de rencontrer Malta, et elle était en ruine, tout autour de lui. Il n'exhumerait jamais ses secrets. Peut-être mourir ici en devenant l'un de ses secrets serait-ce s'en approcher autant qu'il était possible. Il découvrit dans son cœur l'écho des paroles de Selden. Au moins avait-il délivré le dragon. Tintaglia était ressuscitée et s'était envolée, libre. C'était quelque chose, mais ce n'était pas une raison suffisante pour continuer de vivre. Peut-être était-ce une raison suffisante pour mourir satisfait. Il l'avait sauvée.

Il sentit une légère secousse, suivie par un bruit d'éclaboussement alors qu'une cascade de terre dégringolait du trou pour s'écraser dans la vase. Peut-être le plafond tout entier allait-il s'effondrer ? Ce qui leur procurerait une mort rapide.

Une bouffée d'air frais lui effleura le visage, chargée d'une forte odeur de reptile. Il rouvrit les yeux et aperçut la tête de Tintaglia, de la taille d'un poney, passée à travers l'ouverture. « Encore vivant ? dit-elle en manière de salut.

— Tu es revenue ? » fit-il incrédule.

Elle ne répondit pas. Elle retira la tête et de ses pattes antérieures munies de serres, elle commença à affouiller le sol autour de l'orifice. Des roches, de la terre et des fragments de plafond se mirent à pleuvoir dans la salle. Selden se réveilla en poussant un cri et se blottit tout tremblant contre Reyn. « Non, tout va bien. Je crois qu'elle essaie de nous venir en aide. » Il se voulait rassurant en abritant le garçon de l'averse de débris.

La terre, les pierres dégringolaient, et le trou s'élargit. Une lumière plus vive s'infiltra dans la pièce. « Grimpez là-dessus », ordonna soudain Tintaglia. Elle glissa la tête en tenant dans ses mâchoires serrées un gros tronçon d'arbre, comme un terrier qui rapporte un bâton. Ses naseaux fumaient dans la fraîcheur de l'air et la puanteur de reptile était suffocante. Reyn rassembla ses dernières forces pour se mettre debout et soulever Selden de façon qu'il puisse escalader le tronc. Lui-même le saisit par l'autre bout. Dès qu'il s'y fut cramponné, le dragon les hissa. Ils restèrent brièvement coincés dans l'orifice mais elle secoua brutalement le tronçon pour le dégager, superbement indifférente à leur faible prise sur le bois. Un instant plus tard, elle les déposait sur la terre moussue. Ils se retrouvaient affalés sur un tertre isolé au milieu de la forêt marécageuse, avec sous leurs pieds le dôme enseveli depuis des siècles. Selden s'éloigna en titubant du tronçon d'arbre et s'affaissa en pleurant de soulagement. Reyn chancelait mais découvrit qu'il tenait debout. « Merci, parvint-il à articuler.

— Tu n'es pas obligé de me remercier. J'ai tenu parole. » Elle dilata les naseaux et souffla une haleine fumante qui le réchauffa. « Tu vas vivre maintenant ? » C'était autant une constatation qu'une question.

Ses jambes se mirent à trembler et il se laissa tomber sur les genoux. « Si nous pouvons rentrer bientôt à Trois-Noues. Nous avons besoin de manger. Et de nous réchauffer.

— Je peux vous y amener, j'imagine, concéda-t-elle de mauvais gré.

— Sâ merci ! » souffla Reyn dans la prière la plus fervente qu'il eût jamais prononcée. Il se remit sur pied et s'avança en titubant vers Selden. Il se pencha, empoigna le petit garçon avec l'intention de le soulever mais il s'aperçut qu'il n'en avait pas la force. Il ne put que le tirer pour le mettre debout. En le traînant à demi, il se dirigea d'un pas vacillant vers Tintaglia.

« Je suis à bout de forces, dit Reyn. Il faut que tu t'accroupisses pour qu'on grimpe sur ton dos. »

Les yeux d'argent du dragon roulèrent de dédain. « M'accroupir ? Vous sur mon dos ? Non, je ne crois pas, humain.

— Mais... tu as dit que tu nous emmènerais à Trois-Noues.

— C'est juste. Mais aucune créature ne me chevauchera jamais, encore moins un humain. Je vous porterai dans mes serres. Mettez-vous devant moi, tous les deux. Je vais vous transporter jusque chez vous. »

Reyn regarda avec hésitation les pattes écailleuses. Les griffes étaient argentées, étincelantes et acérées. Il voyait mal comment elle pourrait les porter en les serrant sans les empaler. Il baissa les yeux vers Selden dont le visage tourné vers lui reflétait ses doutes. « Tu as peur ? » demanda-t-il à mi-voix.

Selden réfléchit un moment. « J'ai encore plus faim que peur », conclut-il. Il se redressa. Son regard erra sur le dragon. Quand il reposa les yeux sur Reyn, il était radieux. Il secoua la tête, émerveillé. « Les légendes. Les tapisseries et les peintures. Elles sont si pâles comparées à son éclat. Il est trop extraordinaire pour qu'on doute ou qu'on ait peur. Même s'il me tue maintenant, je mourrai dans sa splendeur. » Reyn fut saisi par les paroles extravagantes du gamin. Selden rassembla ses dernières forces en respirant profondément. Son compagnon devinait ce qu'il lui en coûtait de se tenir droit et de déclarer. « Je le laisserai me transporter.

— Ah vraiment ? » fit le dragon, sur un ton narquois et malicieux. Ses yeux pétillaient d'amusement et de plaisir à la flatterie du garçon.

« Oui », déclara fermement Reyn. Selden garda le silence mais ouvrit tout grand la bouche quand le dragon recula brusquement sur ses postérieurs. Il se dressa au-dessus d'eux. Reyn eut toutes les peines du monde à rester immobile tandis que Tintaglia tendait ses pattes griffues. Il tint le gamin contre lui et ne broncha pas quand elle referma ses serres autour d'eux. Les pointes des griffes se promenèrent sur lui, prenant sa mesure avant de l'envelopper. Les extrémités acérées de deux serres étaient posées sur son dos, la sensation était désagréable mais pas douloureuse. Elle les étreignit contre son poitrail, tel un écureuil qui protège sa précieuse noisette. Selden poussa un cri involontaire quand le dragon s'accroupit sur ses énormes postérieurs et bondit vers le ciel.

Ses ailes bleues battaient. Ils montaient régulièrement. La forêt se referma derrière eux. Reyn tordit le cou et découvrit le spectacle vertigineux du faîte des arbres en dessous. Son estomac se serra mais bientôt son cœur se dilata d'émerveillement. Il oublia presque sa peur devant ce panorama nouveau et impressionnant. Verdoyante, foisonnante, la vallée se déployait loin au-dessous d'eux. Le dragon les emportait toujours plus haut dans un tourbillon qui s'élargissait et lui permettait d'entrevoir le fleuve serpentant parmi la végétation luxuriante. Les eaux étaient d'un gris plus pâle qu'à l'ordinaire. Parfois, après de violents tremblements de terre, elles coulaient blanches et acides des jours durant, et quiconque y naviguait était bien avisé de veiller à son embarcation. Quand le fleuve était blanc, il avait tôt fait de ronger le bois. Le dragon inclina les ailes et ils se balancèrent au-dessus des terres en amont du fleuve. Alors Reyn aperçut et sentit Trois-Noues. Vue d'en haut, la cité était suspendue dans les branches comme une guirlande de lanternes décoratives. La fumée des foyers montait dans l'air serein.

« Voilà ! » Il cria le mot, répondant à la question informulée du dragon, puis il se rendit compte qu'il n'avait pas besoin de s'exprimer à voix haute. Avec la proximité, leur ancien lien s'était rétabli. Il eut un fugace pressentiment qui le glaça puis sentit la réponse sardonique du dragon : il n'avait pas à s'inquiéter. Il n'entrait pas dans les projets de Tintaglia d'avoir encore affaire aux humains.

Reyn se félicita d'avoir l'estomac vide quand ils descendirent en spirales vertigineuses. Il entrevit dans un tourbillon la cité et le fleuve, des silhouettes éparses qui criaient et les montraient du doigt. Il sentit le dépit du dragon qui constatait l'absence de terrain assez vaste et plat pour se poser. Quelle sorte de cité était-ce donc là ?

Ils atterrirent sans douceur sur les quais. Les plates-formes flottantes adaptées au débit du fleuve cédèrent sous le choc. Une gerbe blanche jaillit des bords du quai, faisant rouler dangereusement le *Kendri*. Éperdue, la vivenef poussa un rugissement. Alors que le quai remontait en se balançant sous le poids du dragon, Tintaglia ouvrit ses serres. Reyn et Selden tombèrent à ses pieds. Elle s'écarta d'eux en pivotant et planta ses pattes antérieures dans le bois. « Maintenant, vous allez vivre, affirma-t-elle.

— Maintenant… nous allons… vivre », dit Reyn, pantelant. Selden gisait comme un lapin assommé.

Reyn prit conscience du martèlement des pas et des susurrements étouffés. Il leva les yeux. Une véritable marée humaine se déversait sur l'embarcadère. Nombre de figures étaient barbouillées, après les longues fouilles dans la boue. La fatigue se lisait sur les visages ahuris. Certains avaient à la main des outils en guise d'armes. Tous s'arrêtèrent à l'extrémité du quai. Les cris d'incrédulité montèrent en une clameur confuse, les spectateurs restaient bouche bée et pointaient le doigt vers Tintaglia. Reyn aperçut sa mère qui se frayait à coups de coude un chemin à travers la foule. Quand elle atteignit le premier rang des curieux pétrifiés d'effroi, elle s'avança seule, prudemment, vers le dragon. Puis elle vit son fils et perdit tout intérêt pour la gigantesque créature.

« Reyn ? demanda-t-elle, incrédule. Reyn ! » Sa voix se brisa en prononçant son nom. « Tu es vivant ? Sâ soit loué ! » Elle courut vers lui et s'agenouilla.

Il tendit le bras, étreignit sa main. « Il est vivant, dit-il. J'avais raison. Le dragon est vivant. »

Un long gémissement les interrompit. Reyn vit Keffria se dégager des curieux agglutinés et se précipiter vers Selden le long du quai. Elle s'agenouilla près de lui, et le prit dans ses bras. « Oh, Sâ merci, il est vivant. Mais Malta ? Où est Malta, où est ma fille ? »

Reyn prononça les mots difficiles. « Je ne l'ai pas trouvée. Je crains qu'elle n'ait péri dans la cité. »

Comme un vent qui se lève, le cri monta de la gorge de Keffria, un hurlement déchirant. « Non, non, non ! » Selden pâlit dans son étreinte. Les traits du rude petit gars, le compagnon de Reyn dans l'épreuve, frémirent soudain et retrouvèrent leur expression enfantine. Il ajouta ses sanglots à la plainte de sa mère.

« Maman, maman, ne pleure pas, ne pleure pas ! » Il la tirait sans pouvoir capter son attention.

« Celle que vous appelez Malta n'est pas morte, intervint brusquement le dragon. Cessez ces braillements et ces pleurnicheries exagérées.

— Pas morte ? » s'exclama Reyn.

Selden lui fit écho. Il empoigna sa mère gémissante et la secoua. « Maman, écoute, tu n'as pas entendu ce que vient de dire le dragon ? Il a affirmé que Malta n'est pas morte. Arrête de pleurer ; Malta n'est pas morte. » Il tourna vers Tintaglia un regard brillant. « Tu peux croire le dragon. Quand il m'a porté, j'ai senti sa sagesse me pénétrer jusqu'aux os ! »

Derrière eux, sur les quais, la clameur croissante noya les paroles de Selden. Certains poussaient des exclamations stupéfaites. « Il a parlé ! » « Le dragon a parlé ! » « Vous avez entendu ? » Quelques-uns opinaient du chef, surpris, tandis que d'autres interrogeaient leurs voisins. « Je n'ai rien entendu. » « Il a renâclé, c'est tout. »

Les yeux argentés de Tintaglia se ternirent de dégoût. « Leur esprit est trop petit pour parler au mien. Humains ! » Elle assouplit son long col. « Écarte-toi, Reyn Khuprus ! J'en ai fini avec toi et ta race désormais. J'ai rempli le contrat.

— Non ! Attends ! » Reyn se dégagea d'une secousse de l'étreinte de sa mère. Il saisit hardiment le bout griffu de l'aile étincelante de Tintaglia. « Tu ne peux pas t'en aller déjà. Tu as dit que Malta était vivante. Mais où est-elle ? Comment sais-tu qu'elle vit ? Est-elle en sécurité ? »

Le dragon se libéra sans effort. « Nous avons été liés un temps, comme tu le sais, Reyn Khuprus. En conséquence, je conserve une certaine cons-cience d'elle. Quant à l'endroit où elle se trouve, je l'ignore, je sais seulement qu'elle flotte sur l'eau. Sur le fleuve, je présume, si j'en juge par sa peur. Elle a faim, elle a soif, mais je ne crois pas qu'elle soit blessée. »

Reyn tomba à genoux devant le dragon. « Emmène-moi à elle. Je t'en supplie. Je serai à jamais ton débiteur si tu fais seulement cela pour moi. »

Une lueur d'amusement passa sur la face du dra-gon, ses yeux chavirèrent, ses naseaux se dilatèrent légèrement. « Je n'ai pas besoin de tes services, humain. Et ta compagnie m'ennuie. Adieu. » Il souleva les ailes et commença à les ouvrir. « Écarte-toi de moi si tu ne veux pas être renversé. »

Mais Reyn bondit près de lui. Le corps aux écailles lustrées n'offrait aucune prise à ses mains tâtonnantes. Il se jeta à sa patte antérieure et l'entoura de ses bras, comme un enfant s'accroche à sa mère. Mais ses paroles étaient pleines de force et de fureur. « Tu ne peux pas t'en aller, Dragon Tintaglia ! Et laisser mourir Malta. Tu sais qu'elle en a fait autant que moi pour te délivrer. Elle s'est ouverte aux souvenirs de la cité. Elle a découvert les mécanismes secrets qui commandaient le grand mur. Si elle n'était pas venue te chercher, je n'aurais pas pénétré dans la cité pendant un tremblement de terre. Tu serais ensevelie à l'heure qu'il est ! Tu ne peux pas ignorer cette dette ! Tu ne peux pas. »

Il eut vaguement conscience derrière lui des questions confuses et de la conversation entre sa mère, Selden et Keffria. Peu lui importait d'être entendu, peu importait ce que le garçon leur racontait. Il ne pensait qu'à Malta. « Le fleuve est blanc, poursuivit-il. Les eaux blanches rongent les bateaux. Si elle est sur un tronc d'arbre ou un radeau, l'eau va le dévorer et elle avec. Elle mourra parce qu'elle s'est risquée dans la cité pour tenter de te sauver. »

Les yeux du dragon tourbillonnèrent, argent moucheté d'écarlate, si grande était sa colère. Il souffla un jet d'haleine brûlante qui faillit le renverser. Puis d'une patte il le souleva de terre comme s'il n'était qu'une poupée de son. Les serres se refermèrent cruellement autour de sa poitrine. Reyn pouvait à peine respirer.

« Très bien, insecte ! siffla Tintaglia. Je vais t'aider à la retrouver. Mais après ça, j'en ai fini avec toi et les tiens. Quel que soit le bien que vous m'ayez fait, elle et toi, ta race a causé de grands préjudices à la mienne. » Elle le souleva et le lança vers la vivenef. Kendri les regardait fixement, il avait la figure d'un mourant. « Ne crois pas que je ne sais pas ! Prie pour que j'oublie ! Prie pour que, après ce jour, tu ne me revoies jamais ! »

Reyn à bout de souffle était incapable de répliquer, et elle n'attendit pas sa réponse. D'un bond puissant, elle jaillit en avant. Le brusque vacillement du quai fit tomber ceux qui s'y étaient aventurés. Reyn entendit le cri d'horreur de sa mère lorsque le dragon l'emporta. Puis les bruits s'éteignirent dans le vent rapide de leur ascension.

Il n'avait pas deviné le soin que Tintaglia avait pris de lui et de Selden, durant leur précédent vol. Maintenant, elle s'élevait si rapidement que le sang battait à ses tempes et que ses oreilles éclataient. Son estomac était certainement resté loin en dessous. Il sentit la fureur qui bouillonnait en elle. Il lui avait fait honte, devant des humains, en prononçant son nom. Il avait révélé son nom aux autres, qui ne le méritaient pas.

Il reprit haleine mais ne se décida pas à parler. S'excuser, c'était peut-être commettre une erreur aussi grave que de lui avoir rappelé ce qu'elle devait à Malta. Il se tint coi et s'agrippa aux griffes, en tâchant de desserrer leur étreinte autour de ses côtes.

« Tu veux que je les relâche, Reyn Khuprus ? » demanda le dragon sur un ton moqueur. Elle ouvrit les serres mais avant qu'il ait glissé vers sa mort, elle les referma brusquement. Suffoquant de terreur, il sentit qu'elle arrêtait leur ascension, le corps à l'oblique, et qu'elle les entraînait dans une large spirale au-dessus du fleuve. Ils étaient à trop haute altitude pour apercevoir quoi que ce soit. La terre boisée était un tapis moussu, onduleux, le fleuve réduit à un ruban blanc. Elle s'adressa à lui par la pensée.

Les yeux d'un dragon ne sont pas ceux d'un oiseau de proie, petite créature de chair. Je vois comme il faut d'ici. Elle n'est pas en vue. Elle a dû être poussée en aval.

Le cœur de Reyn fit un bond dans sa poitrine. « Nous la retrouverons », assura le dragon de mauvaise grâce. Ses grandes ailes se mirent à battre régulièrement, les menant en aval du fleuve.

« Descends plus bas, supplia Reyn. Laisse-moi la chercher des yeux. Si elle est dans les bas-fonds, elle peut être cachée par les arbres. Je t'en prie. »

Tintaglia ne répondit pas mais descendit si rapidement que la vue de Reyn se brouilla. Elle survolait le fleuve. Il se cramponnait à ses serres des deux mains et s'efforçait d'embrasser du regard toute la surface du fleuve et de ses berges. Le vol était trop rapide. Il tenta de se persuader que les sens plus aiguisés du dragon découvriraient Malta si lui la manquait mais, au bout d'un moment, le désespoir s'empara de lui. Ils étaient allés trop loin. S'ils ne l'avaient pas encore retrouvée, c'était qu'elle n'était plus là.

« Là ! » s'exclama soudain Tintaglia.

Il regarda mais ne vit rien. Elle vira sur l'aile, tourna aussi adroitement qu'une hirondelle, et le ramena au-dessus de la même étendue d'eau. « Là.

Dans ce petit bateau, avec deux autres. Presque au milieu du fleuve. Tu la distingues, maintenant ?

— Oui ! » La joie jaillit en lui, aussitôt suivie par l'horreur. Ils l'avaient retrouvée et, alors que Tintaglia le transportait plus près, il reconnut le Gouverneur et sa Compagne. Mais la voir, ce n'était pas encore la sauver. « Tu peux l'enlever du canot ? demanda-t-il.

— Peut-être. Si je te lâche et que je submerge l'embarcation par la même occasion. J'ai une chance de pouvoir l'attraper, et elle n'aura que des côtes cassées. C'est ça que tu veux ?

— Non ! » Il réfléchit frénétiquement. « Est-ce que les dragons savent nager ? Tu ne pourrais pas te poser près d'elle ?

— Je ne suis pas un canard ! » Son dégoût était manifeste. « Si les dragons décident de se poser sur l'eau, ils ne s'arrêtent pas à la surface mais plongent jusqu'au fond et en ressortent en marchant. Je ne crois pas que tu apprécierais l'expérience. »

Il se raccrochait à la moindre lueur d'espoir. « Tu ne pourrais pas me lâcher dans le canot ?

— Pour quoi faire ? Te noyer avec elle ? Ne dis pas de bêtises. Le vent de mes ailes ferait chavirer le bateau bien avant que je m'en approche assez pour te lâcher exactement dessus. Humain, j'ai fait ce que j'ai pu. Je l'ai retrouvée pour toi. Maintenant, tu sais où elle est, à toi et aux autres humains de la sauver. Mon rôle dans sa vie est terminé. »

Piètre réconfort. Il avait vu Malta lever la tête vers eux alors qu'ils la survolaient. Il croyait presque l'avoir entendue crier, le supplier de venir à son secours. Pourtant, le dragon avait raison. Ils ne pouvaient rien pour elle sans leur faire courir un grand danger à tous.

« Ramène-moi à Trois-Noues, vite, supplia-t-il. Si le *Kendri* appareille maintenant pour aller la chercher, qu'il met toute la toile, on peut encore rejoindre le canot avant que le fleuve ne le détruise.

— Voilà qui est sage ! grommela le dragon sur un ton sarcastique. Il aurait été encore plus sage de t'embarquer immédiatement au lieu de me demander ce service. Je t'avais dit qu'elle était sur le fleuve. »

La froide logique du dragon était décourageante. Reyn ne trouva rien à répondre. Tintaglia agita ses ailes puissantes et s'éleva au-dessus de la forêt aux multiples dais. La terre filait rapidement tandis qu'elle le ramenait à Trois-Noues.

« Tu ne peux vraiment plus m'aider ? » s'enquit-il d'une voix pitoyable alors qu'elle décrivait des cercles au-dessus de la cité. En l'apercevant, les gens qui se trouvaient sur le quai coururent vers le rivage. Le vent de ses gigantesques ailes, qu'elle agitait lentement pour freiner leur descente, secoua le *Kendri*. Son lourd arrière-train amortit le choc de l'atterrissage alors que le quai s'enfonçait et tressautait sous le poids. Elle souleva Reyn dans ses serres, se dévissant le cou et tournant la tête pour poser sur lui un énorme œil argenté.

« Petit humain, je suis un dragon. Je suis le dernier Seigneur des Trois Règnes. S'il reste quelque part un membre de ma race, je dois le rechercher et l'aider. Je ne peux pas me soucier d'une brève étincelle comme toi. Alors, débrouille-toi comme tu peux, tout seul. Je pars. Je doute qu'on se revoie jamais. »

Elle le déposa sur ses pieds. Si elle avait eu l'intention d'être douce, elle avait échoué. Alors qu'il s'éloignait en titubant, il sentit une brusque commotion, plus morale que physique. Il eut soudain l'impression affolante d'avoir oublié quelque chose d'une extrême importance. Puis il comprit que son lien mental avec le dragon avait disparu. Tintaglia s'était coupée de lui. Cette perte l'étourdit. Il lui semblait avoir tiré une certaine vitalité de ce lien car, tout à coup, il eut conscience de sa faim, de sa soif et de son immense fatigue. Il réussit à faire quelques pas avant de tomber à genoux. C'était aussi bien, du reste, qu'il soit déjà à terre car il se serait affalé de toute façon quand le dragon secoua le quai en bondissant vers le ciel. Une dernière fois, le battement de ses ailes chassa vers lui une bouffée nauséabonde de son odeur de reptile. Hébété, il sentit des larmes de chagrin lui brûler les yeux.

Le quai parut tanguer un long moment. Reyn s'aperçut que sa mère s'agenouillait près de lui. Elle lui berça la tête dans son giron. « Il t'a fait mal ? Reyn, Reyn, tu peux parler ? Tu es blessé ? »

Il respira à fond. « Prépare le *Kendri* à appareiller immédiatement. Nous devons descendre au plus vite le fleuve. Malta, le Gouverneur et sa Compagne… dans un petit canot. » Il s'interrompit, soudain trop épuisé pour trouver ses mots.

« Le Gouverneur ! s'exclama quelqu'un près de lui. Sâ soit loué ! S'il est vivant et qu'on puisse le récupérer, alors rien n'est perdu. Vite au *Kendri*. Préparez-le à appareiller !

— Envoyez-moi un guérisseur ! » La voix de Jani Khuprus résonna au-dessus des murmures qui s'élevaient soudain. « Je veux qu'on transporte Reyn à mes appartements.

— Non, non ! » Il s'accrocha faiblement au bras de sa mère. « Je dois partir avec le *Kendri*. Tant que Malta ne sera pas en sécurité, je ne pourrai pas me reposer. »

5

PARANGON ET LES PIRATES

« Ça m'fait rien d'êt'rossé si j'le mérit'. Mais pas là. J'ai rien fait d'mal.

— La plupart des rossées que j'ai reçues, c'était justement quand je n'avais rien fait de mal, mais je n'avais rien fait de bien non plus », rétorqua Althéa avec impartialité. Elle prit Clef par le menton et lui tourna le visage vers la lumière déclinante du jour. « Ce n'est pas grand-chose, petit. Une lèvre fendue et un bleu sur la joue. Dans quelques jours, il n'y paraîtra plus. Il ne t'a quand même pas cassé le nez. »

Clef se dégagea d'un air boudeur. « Il l'aurait fait si j'l'aurais pas vu v'nir. »

Althéa lui donna une tape sur l'épaule. « Alors, ça veut dire que tu es rapide et costaud. Et ce sont les qualités d'un bon marin.

— Alors vous trouvez qu'c'est juste, c'qui m'a fait ? » demanda Clef, furieux.

Althéa respira. Elle se durcit pour répondre avec froideur : « Lavoy est le second, tu es le mousse et moi, je suis le lieutenant. La justice n'a rien à voir là-dedans, Clef. La prochaine fois, sois un peu plus vif. Et assez malin pour rester en dehors de son chemin quand il est de mauvaise humeur.

— Il est t'jours d'mauvaise humeur », rétorqua Clef d'un air sombre. Althéa laissa passer la remarque. Un marin a le droit de se plaindre du second mais elle ne pouvait permettre à Clef de croire qu'elle prendrait son parti. Elle n'avait pas été témoin de l'incident ; mais elle avait entendu le récit indigné qu'en avait fait Ambre. Celle-ci était en haut, dans le gréement. Le temps qu'elle redescende sur le pont, Lavoy s'était éloigné d'un air arrogant. Althéa se félicitait qu'il n'y ait pas eu d'affrontement entre le second et le charpentier du navire. Néanmoins, l'incident avait aggravé l'inimitié qui régnait entre Ambre et Lavoy. La taloche que ce dernier avait administrée à Clef avait jeté le gamin sur le carreau, et tout ça parce que le filin qu'il était en train de lover n'était pas assez plat au goût du second. En son for intérieur, Althéa considérait Lavoy comme une brute et un imbécile. Clef était un bon petit gars qui donnait le meilleur de lui-même quand on le complimentait, non quand on le brutalisait.

Ils se tenaient à l'arrière, les yeux perdus dans le sillage du navire. Au loin, on apercevait les petits tertres verts des îlots. La mer était calme, avec une brise légère que le *Parangon* utilisait au mieux. Ces derniers temps, le navire semblait non seulement désireux mais presque impatient de leur faire gagner au plus vite les Îles des Pirates. Il avait cessé tous ses discours sur les serpents et ses songeries métaphysiques sur l'essence de l'être et ce qu'il pensait de lui-même. Althéa secoua la tête en observant des mouettes qui piquaient sur un banc de poissons à la surface de l'eau. Elle se réjouissait qu'il ait renoncé à philosopher. Ambre avait semblé apprécier ces longues conversations qui au contraire troublaient Althéa. Maintenant, son amie se plaignait que Parangon soit renfermé et cassant mais, aux yeux d'Althéa, il paraissait plus sain et plus concentré sur sa tâche. Cela ne valait certainement rien à un homme ni à une vive-nef de réfléchir perpétuellement sur sa propre nature. Elle se retourna vers Clef. Le mousse léchait consciencieusement sa lèvre fendue. Ses yeux bleus étaient perdus au loin. Elle le poussa doucement du coude.

« Tu ferais mieux d'aller dormir un peu, petit. Ton quart va revenir bien assez tôt.

— P'-êtr'bien », acquiesça-t-il, apathique. Il la dévisagea un instant d'un air absent puis parut la voir enfin. « J'sais que j'ai qu'à accéter. J'l'ai appris ça, quand j'étais esclave. Des fois, y a qu'à accéter et baisser ta tête. »

Althéa eut un sourire sans joie. « Parfois, j'ai l'impression qu'il n'y a pas beaucoup de différence entre un matelot et un esclave.

— P'-êtr'bien, approuva le gamin sur un ton agressif. 'Nuit, m'dam'», ajouta-t-il avant de tourner les talons et de s'éloigner.

Elle continua à contempler un petit moment le sillage qui s'élargissait derrière le navire. Ils étaient bien loin de Terrilville, à présent. Elle pensa à sa mère et à sa sœur, bien douillettement à la maison, et les envia. Puis elle se rappela à quel point elle avait trouvé ennuyeuse la vie à terre, et combien l'éternelle attente l'avait usée. Elles étaient probablement dans le cabinet de travail de son père, à l'heure qu'il était, en train de siroter leur tisane et de se demander comment présenter Malta à la bonne société avec une bourse aussi plate. Il faudrait lésiner sur tout et tenir jusqu'à la fin de l'été. Pour être juste, elle conclut qu'elles devaient s'inquiéter à son sujet, et pour le navire, et pour le mari et le fils de Keffria. Elles devraient prendre leur mal en patience. Althéa doutait fort d'être de retour, quoi qu'il advienne, avant le printemps.

Quant à elle, elle se préoccupait plutôt de la grande question : comment retrouver son navire et ramener Vivacia en sécurité à Terrilville ? Quand Brashen l'avait aperçue pour la dernière fois, la vivenef était aux mains du pirate Kennit, mouillée dans une des places fortes de pirates. C'était maigre comme information. Ces îles n'étaient portées sur aucune carte, elles étaient infestées de pirates ; de surcroît, la région était incertaine car les tempêtes et les inondations modifiaient les contours des côtes, de l'embouchure des fleuves et des voies navigables. C'était ce qu'elle avait entendu dire. Dans ses traversées commerciales vers le sud, son père avait toujours évité les Îles des Pirates, précisément à cause des dangers qu'elle s'apprêtait à affronter. Qu'en aurait pensé son père ? Elle conclut qu'il aurait approuvé sa tentative de sauvetage du navire mais désapprouvé son choix du vaisseau. Il disait toujours que Parangon n'était pas seulement fou mais qu'il avait la guigne. Quand elle était petite, il lui avait interdit de l'approcher.

Elle se retourna brusquement et se mit à marcher comme si elle avait pu s'éloigner de son malaise. La soirée était agréable et le navire, exceptionnellement stable, taillait bien de la route depuis deux jours. Lavoy, le second, s'était lancé dans une furie de discipline et de propreté, mais ce n'était pas inhabituel. Brashen lui avait ordonné de dissiper la tension existant entre les matelots enrôlés et ceux qui s'étaient embarqués clandestinement pour échapper à l'esclavage. N'importe quel second savait que, pour souder un équipage, il n'y avait rien de tel que de maintenir ses membres sur les dents durant quelques jours.

En général, la discipline laissait un peu à désirer et la propreté beaucoup. L'équipage devait non seulement affiner ses compétences, mais aussi apprendre à se battre. Pas uniquement pour défendre le navire, ajouta-t-elle avec morosité, mais pour maîtriser les techniques d'assaut. Tout cela lui parut soudain insurmontable. Comment pouvaient-ils espérer localiser la *Vivacia*, sans parler même de la récupérer, avec un équipage aussi disparate et un vaisseau imprévisible ?

« Bonsoir, Althéa », dit Parangon. Sans même y songer, elle avait rejoint le gaillard d'avant et s'était approchée de la figure de proue. Il tourna vers elle son visage défiguré, comme s'il avait pu la voir.

« Bonsoir, Parangon », répondit-elle. Elle tâcha d'adopter une intonation enjouée, mais le navire la connaissait trop bien.

« Alors, qu'est-ce qui te tracasse le plus ce soir ? »

Althéa capitula. « J'ai tellement de soucis qui me grignotent, qui jappent à mes talons comme des roquets, navire ! En vérité, je ne sais lequel me tracasse le plus. »

La figure de proue eut un petit reniflement de dédain. « Alors, flanque-leur un bon coup de pied, comme si c'était vraiment une bande de chiots, et reporte le regard sur votre destin. » Il détourna sa figure barbue pour faire face à l'horizon qu'il ne voyait pas. « Kennit, dit-il d'une voix de prophète. Nous allons tenir tête au pirate, et lui reprendre ce qui nous appartient de droit. Rien ne doit venir s'interposer entre nous et notre but. »

Althéa en resta coite. Elle n'avait jamais entendu le navire parler de la sorte. Au début, il répugnait même à s'aventurer en mer. Il avait passé tant d'années échoué sur la plage, abandonné, aveugle, qu'il avait reculé devant l'idée de naviguer, sans parler même de s'engager dans une mission de sauvetage. À présent, il semblait à l'entendre qu'il en avait non seulement accepté l'idée mais encore qu'il goûtait la perspective de se venger de l'homme qui s'était emparé de Vivacia. Il croisa ses bras musclés sur sa large poitrine. Ses poings étaient serrés. Avait-il vraiment épousé sa cause ?

« Ne pense pas aux obstacles qui se dressent entre le présent et le moment où nous l'affronterons, dit le navire d'une voix basse et douce. Si tu t'inquiètes à chaque étape d'un voyage, qu'il soit long ou court, tu le fractionnes à l'infini et chaque fraction peut t'abattre. Garde les yeux fixés sur le but.

— Je pense que nous ne réussirons que si nous nous préparons », objecta Althéa.

Parangon secoua la tête. « Apprends à croire en ton succès. Si tu te dis : quand on trouvera Kennit, il faudra qu'on se batte bien, alors tu remettras sans cesse à plus tard. Battons-nous bien maintenant. Faisons dès aujourd'hui ce qu'il faut pour réussir au bout du voyage, et quand arrivera le moment, tu découvriras que ce n'est qu'un début. »

Althéa soupira. « Tu parles comme Ambre.

— Non, répondit-il platement. Maintenant, je parle comme moi. Le moi que j'avais écarté et caché, le moi que j'avais l'intention d'être à nouveau, un jour, quand je serais prêt. Mais j'ai cessé d'avoir l'intention. Je suis, maintenant. »

Sans un mot, Althéa secoua la tête. Les rapports avec Parangon étaient plus faciles quand il était maussade. Elle l'aimait mais elle n'était pas liée à lui comme à Vivacia. Avec Parangon, elle avait souvent l'impression de s'occuper d'un enfant chéri mais mal élevé et difficile. Parfois, c'était vraiment trop pénible. Même aujourd'hui, où il paraissait s'être allié à elle, son caractère passionné pouvait être effrayant. Un silence embarrassé tomba entre eux.

Elle écarta ces pensées et essaya de se détendre dans le doux balancement du navire et les bruits lénitifs de la nuit. La paix fut de courte durée.

« Tu peux dire que tu me l'as dit, si tu veux. » La voix d'Ambre derrière elle était lasse et amère.

Althéa attendit que le charpentier du navire vienne la rejoindre à la lisse avant de se hasarder à poser sa question.

« Tu as parlé au capitaine au sujet de Clef et de Lavoy ?

— Oui. » Elle tira un mouchoir de sa poche et s'épongea le front. « Ça n'a servi à rien. Brashen s'est contenté de répondre que Lavoy était le second, Clef le mousse, et qu'il n'interviendrait pas. Je ne comprends pas ça. »

Un léger sourire arrondit les lèvres d'Althéa. « Cesse de le considérer comme Brashen. S'il était dans la rue et qu'il voyait Lavoy assommer un petit garçon, il se précipiterait pour intervenir. Mais nous ne sommes pas dans la rue. Nous sommes sur un navire et il est le capitaine. Il ne peut pas se mettre entre le second et l'équipage. S'il le faisait ne serait-ce qu'une fois, les hommes perdraient tout respect pour Lavoy. Ils auraient une kyrielle de plaintes à formuler contre lui et tout finirait aux pieds du capitaine. Il serait si occupé à jouer la nounou qu'il n'aurait plus le temps de commander. Je parie que Brashen n'admire pas plus que toi le geste de Lavoy. Mais le capitaine sait que la discipline du navire doit passer avant la fierté malmenée d'un gamin.

— Jusqu'où laissera-t-il aller Lavoy ? gronda Ambre.

— Ça, ça concerne le capitaine, pas moi, répondit Althéa. (Elle ajouta avec un sourire ironique :) Je ne suis que le lieutenant, tu sais. » Ambre s'essuya encore le front puis la nuque, et son amie lui demanda : « Tu vas bien ?

— Non », répliqua Ambre laconiquement, sans la regarder. Althéa scruta le profil du charpentier. Dans la lumière déclinante, sa peau paraissait parcheminée et tendue, ses traits étaient accusés. Le teint d'Ambre était si particulier que son amie ne pouvait rien en conclure mais, ce soir, il lui évoquait un parchemin vétuste. Elle avait noué ses cheveux châtain clair et les avait dissimulés sous un fichu.

Althéa laissa le silence se prolonger, et Ambre finit par déclarer, à contrecœur : « Mais je ne suis pas malade. Je souffre d'une affection qui se déclare de temps en temps, avec de la fièvre et de la fatigue. Ça va aller. » Devant le regard horrifié de son amie, elle se hâta d'ajouter : « Ce n'est pas contagieux. Cela ne touche que moi.

— Malgré tout, tu devrais en parler au capitaine. Et rester dans ta cabine jusqu'à ce que ce soit passé. »

Elles sursautèrent toutes deux quand Parangon intervint tranquillement : « Des rumeurs de fièvre ou de maladie à bord d'un navire, ça peut rendre l'équipage nerveux.

— Je garderai cela pour moi, assura Ambre. Ça m'étonnerait qu'à part toi et Jek on remarque ma maladie. Jek m'a déjà vue malade ; cela ne l'inquiétera pas. » Elle se tourna vers Althéa. « Et toi ? Tu as peur de dormir à côté de moi ? »

Elles se regardèrent dans l'obscurité croissante. « Je te crois sur parole quand tu dis qu'il n'y a rien à craindre. Mais tu devrais quand même en parler au capitaine. Il pourra peut-être organiser tes tâches de façon que tu aies plus de temps pour te reposer. » Elle n'ajouta pas qu'il trouverait probablement le moyen de l'isoler pour éviter d'ébruiter sa maladie.

« Le capitaine ? (Un petit sourire retroussa les lèvres d'Ambre.) Tu penses vraiment toujours à lui de cette façon ?

— C'est bien ce qu'il est », répliqua Althéa avec raideur. La nuit, dans sa couchette étroite, elle ne songeait certainement pas à Brashen en tant que capitaine. Mais le jour, elle était bien obligée. Elle n'avouerait pas à Ambre à quel point il lui était difficile d'observer cette distinction. En parler ne faciliterait pas les choses. Il valait mieux garder le silence. Elle avait la désagréable impression que Parangon connaissait les sentiments réels qu'elle éprouvait pour Brashen. Elle se figura qu'il allait débiter des horreurs, faire des révélations, mais la figure de proue resta muette.

« C'est ce qu'il est en partie, approuva volontiers Ambre. À certains égards, c'est son meilleur côté. Je crois qu'il a passé longtemps à rêver, à imaginer la façon dont il se comporterait s'il était capitaine. Je crois qu'il a souffert sous les ordres de supérieurs médiocres, qu'il a beaucoup appris des bons, et il apporte toute cette expérience dans ce qu'il fait maintenant. Il a plus de chance qu'il ne le suppose, d'être en mesure de vivre son rêve. C'est si rare.

— Qu'est-ce qui est si rare ? » demanda Jek en les rejoignant à grandes enjambées. Elle gratifia Althéa d'un large sourire et Ambre d'un coup de coude affectueux. Elle s'appuya à la lisse et entreprit de se curer les dents. Althéa la dévisagea avec envie. Jek respirait la santé, éclatait de vitalité. Élancée, musclée, elle se comportait avec le plus grand naturel. Elle ne se comprimait pas la poitrine et ne se gênait pas pour porter des culottes de marin qui dévoilaient ses mollets. Sa longue tresse blonde était embroussaillée par le vent et le sel mais elle s'en moquait complètement. Elle est, pensa Althéa mal à l'aise, ce que je fais semblant d'être : une femme que son sexe n'empêche pas de vivre comme elle l'entend. Ce n'était pas juste. Jek avait grandi dans les Six-Duchés et elle revendiquait l'égalité comme un droit. En conséquence, les hommes la lui cédaient généralement. Althéa avait l'impression parfois qu'elle avait besoin d'une permission pour être simplement elle-même. Et les hommes paraissaient le sentir. Rien ne lui venait facilement. La lutte était aussi constante que sa respiration.

Jek se pencha sur la lisse. « Bonsoir, Parangon ! » Elle demanda à Ambre, par-dessus son épaule : « Je pourrais t'emprunter une aiguille fine ? J'ai du raccommodage à faire mais je ne trouve plus la mienne.

— Si tu veux. Je viens dans un moment, je te la donnerai. »

Jek remua avec nervosité. « Dis-moi où elle est, je la prendrai moi-même.

— Prends une des miennes, intervint Althéa. Elles sont dans mon petit sac, piquées dans un morceau de toile. Il y a aussi du fil. » Elle savait que l'exigence immodérée d'intimité de son amie s'étendait à ses affaires.

« Merci. Alors, qu'est-ce qui est si rare ? » Elle fit la moue et prit une expression interrogatrice.

« Ce n'est pas ce que tu crois, répondit Ambre avec indulgence. On parlait des gens qui vivent leurs rêves, et je disais qu'ils étaient rares, et encore plus rares à apprécier le fait. Car la plupart découvrent, quand leur rêve se réalise, que ce n'est pas ce qu'ils voulaient. Ou que le rêve dépasse leurs capacités, et ça se termine dans l'amertume. Mais, pour Brashen, on dirait que ça se passe bien. Il fait ce qu'il a toujours voulu faire et il le fait bien. C'est un bon capitaine.

— C'est vrai », approuva Jek d'un air méditatif. Elle reprit sa position première le long de la lisse avec une grâce féline et leva son regard pensif vers les étoiles naissantes. « Et je parie qu'il n'est pas mauvais non plus dans d'autres domaines. »

Jek avait du tempérament ; ce n'était pas la première fois qu'Althéa l'entendait exprimer l'intérêt qu'elle portait à un homme. La vie à bord et les règles qui l'obligeaient à une période d'abstinence contrariaient sa nature. Si elle ne pouvait satisfaire son corps, elle laissait libre cours à sa folle du logis et tenait souvent à partager ses fantasmes avec Ambre et Althéa. C'était son principal sujet de conversation durant les rares nuits qu'elles passaient ensemble sur leurs couchettes. Jek était douée d'un humour caustique et le récit de ses liaisons passées qui avaient mal tourné faisait souvent mourir de rire les deux femmes. En général, Althéa trouvait amusants ses commentaires grivois sur les matelots mais elle découvrit que, s'agissant de Brashen, elle n'en appréciait pas le sel. Elle eut l'impression d'avoir du mal à respirer.

Jek ne parut pas remarquer son silence contraint. « Vous avez observé ses mains ? interrogea-t-elle avec emphase. Il a les mains d'un homme qui sait travailler… et on l'a tous vu à l'œuvre, là-bas sur la plage. Mais maintenant qu'il est le capitaine, qu'il n'est plus dans le goudron et la gadoue, il a les mains soignées d'un monsieur. Quand un homme me touche, j'ai horreur de me demander où il les a fourrées avant, et s'il les a lavées depuis. J'aime bien qu'un homme ait les mains propres.

— C'est le capitaine, objecta Althéa. On ne devrait pas parler de lui comme ça. »

Elle surprit la grimace d'Ambre à sa remarque affectée. Elle crut que Jek allait répliquer vertement, avec sa langue bien pendue, et elle craignit encore plus que Parangon ne pose une question. Mais l'autre se contenta de s'étirer et de rétorquer : « Il ne sera pas toujours le capitaine. Ou peut-être ne serai-je pas toujours un matelot sur son navire. En tout cas, un jour viendra où je ne serai pas obligée de l'appeler "commandant". Et alors… » Elle s'assit brusquement, en faisant un grand sourire qui découvrit ses dents blanches. « Eh bien… (elle haussa un sourcil) je crois que ça se passera bien entre nous. Je l'ai vu en train de m'observer. Plusieurs fois, il m'a félicitée sur mon travail. » Plus pour elle-même que pour les autres, elle ajouta : « On est de la même taille. Ça me plaît. C'est plus… commode pour plein de choses. »

Althéa ne put se contenir. « Ce n'est pas parce qu'il t'a félicitée qu'il lorgne sur toi. Le capitaine est comme ça. Il sait reconnaître le bon travail. Et il le dit, comme il le dirait s'il voyait qu'on sabote la besogne.

— Bien sûr, admit Jek de bon cœur. Mais il a bien fallu qu'il m'observe pour savoir que je faisais du beau travail. Si tu vois ce que je veux dire. » Elle se pencha à nouveau par-dessus la lisse. « Qu'est-ce que tu en penses, navire ? Ça fait un bout de temps que vous êtes amis, le capitaine Trell et toi. J'imagine que vous vous en êtes raconté, des histoires. Qu'est-ce qu'il aime comme genre de femme ? »

Durant le bref silence qui suivit, Althéa fut au supplice. Son cœur s'arrêta, elle retint son souffle. Que Brashen avait-il confié à Parangon, que le navire allait-il laisser échapper ?

Parangon avait changé d'humeur. Il répondit sur un ton gamin, presque charmeur, manifestement

flatté par l'attention que lui accordait Jek :
« Brashen ? Tu crois vraiment qu'il me parlerait
librement de ce sujet ? »

Jek roula des yeux. « Ça existe un homme qui
ne parlerait pas en toute liberté en compagnie de
ses semblables ?

— Peut-être a-t-il mentionné une ou deux histoires devant moi, de temps en temps. » La voix avait
pris une intonation salace.

« Ah, je pensais bien, aussi. Alors, qu'est-ce qu'il
préfère, notre capitaine ? Non. Laisse-moi deviner. » Elle s'étira avec nonchalance. « Peut-être,
puisqu'il félicite toujours son équipage quand le
travail est fait "leste et bien", c'est ce qu'il préfère
chez une femme ? Une qui est rapide à grimper
dans le gréement et à baisser la toile…

— Jek ! » Althéa ne put réprimer son indignation, mais Parangon intervint.

« À vrai dire, Jek, d'après ce qu'il m'a raconté,
ce qu'il préfère, c'est les femmes qui se taisent. »

Jek rit de bon cœur. « Bon, mais pendant qu'elle
se tait, cette femme, il espère qu'elle va faire quoi ?

— Jek. » Tout le reproche d'Ambre était contenu
dans ce simple mot prononcé à mi-voix. Jek se
retourna vers les deux femmes en riant alors que
Parangon demandait : « Quoi ? »

— Navré d'interrompre ce caquetage mais le
capitaine désire voir le lieutenant. » Lavoy s'était
approché sans bruit. Jek se redressa et son sourire
s'évanouit. Ambre jeta au second un regard flamboyant, sans mot dire. Althéa se demanda ce qu'il
avait entendu et s'en voulut. Elle ne devrait pas
traîner sur le gaillard d'avant, à bavarder de
manière si désinvolte avec des membres d'équi-

page, surtout sur des sujets pareils. Elle résolut d'imiter Brashen et de mettre davantage de distance entre l'équipage et elle, ce qui contribuerait à entretenir le respect. Pourtant, l'idée de rompre les liens d'amitié qui l'unissaient à Ambre la décourageait. Alors, elle serait vraiment seule.

Comme l'était Brashen.

« J'arrive tout de suite », répondit-elle tranquillement à Lavoy. Elle ne releva pas le désobligeant « caquetage ». Il était le second. Il pouvait lui faire des reproches, la réprimander et se moquer d'elle, et elle se devait d'encaisser. Qu'il ne s'en soit pas privé devant des membres d'équipage lui restait sur le cœur mais riposter ne ferait qu'empirer les choses.

« Et quand vous en aurez fini là-bas, occupez-vous de Clapot, voulez-vous ? On dirait bien que notre gaillard a besoin d'un petit rafistolage. » Lavoy fit craquer lentement ses articulations et un sourire apparut sur ses lèvres.

La remarque était destinée à provoquer Ambre, Althéa le savait. Le rafistolage dont Clapot avait besoin, c'était le résultat direct des poings de Lavoy. Il avait découvert la répugnance d'Ambre envers toute forme de violence. Il n'avait pas encore trouvé de prétexte pour passer son humeur sur Jek ou sur le charpentier du navire mais il paraissait se délecter de ses réactions devant les rossées qu'il infligeait aux autres membres d'équipage. Le cœur serré, Althéa déplora que son amie soit si orgueilleuse. Si elle acceptait de s'incliner un peu devant le second, Lavoy serait satisfait. Elle redoutait ce qui pourrait sortir de la fermentation de cette situation.

Lavoy prit la place d'Althéa sur la lisse. Ambre se retira légèrement. Jek souhaita laconiquement une bonne nuit à Parangon, avant de s'éloigner d'un pas nonchalant. Althéa savait qu'elle devait se dépêcher d'aller voir Brashen mais elle n'aimait pas laisser Lavoy et Ambre seuls. S'il arrivait quelque chose, ce serait la parole de son amie contre celle du second. Et la parole d'un simple matelot n'avait aucun poids à côté de celle d'un second.

Althéa raffermit sa voix. « Charpentier, il faudrait réparer le loquet de ma cabine ce soir. Il vaut mieux profiter du beau temps pour s'occuper des petits travaux, faute de quoi ils risquent de se transformer en gros pendant une tempête. »

Ambre lui lança un coup d'œil. En réalité, elle avait été la première à signaler que la porte fermait mal. Althéa avait accueilli sa remarque avec un haussement d'épaules. « Je vais m'en occuper, alors », promit Ambre avec gravité. Althéa s'attarda encore un peu en espérant que son amie saisirait ce prétexte pour fausser compagnie à Lavoy. Mais elle n'en fit rien, et Althéa n'avait aucun moyen de la forcer sans attiser davantage la tension qui couvait. Elle les laissa à contrecœur.

La chambre du capitaine se trouvait à l'arrière du bâtiment. Althéa frappa un coup sec et attendit qu'on lui dise d'entrer. On avait supposé, lors de la construction du *Parangon*, que le capitaine serait aussi le propriétaire du navire, ou à tout le moins un membre de la famille. La plupart des marins devaient se contenter de hamacs crochés dans les cales, là où ils trouvaient de la place. Cependant, Brashen avait une chambre munie d'une porte, d'un lit fixe, d'une table, d'une table de cartes et de fenêtres qui donnaient sur le sillage du navire. Elle fut accueillie par la douce lumière jaune d'une lampe, les riches odeurs de cire, et les chaudes nuances du bois poli.

Brashen leva les yeux de la table des cartes. Devant lui étaient étalés ses croquis sur les morceaux de toile et les essais d'Althéa sur parchemin. Il paraissait fatigué et bien plus vieux que son âge. Son visage s'était desquamé après les brûlures causées par le venin du serpent. À présent, les rides sur son front, ses joues et aux coins de son nez étaient plus nettement marquées. Le venin avait aussi rongé une partie de ses sourcils, et l'intervalle laissé nu lui donnait un air quelque peu surpris. Elle se félicitait que les gouttes de poison brûlant n'aient pas abîmé ses yeux bruns.

« Eh bien ? » demanda tout à coup Brashen, et elle se rendit compte qu'elle le dévisageait.

« Vous m'avez convoquée », déclara-t-elle presque sèchement, car elle se sentait embarrassée.

Il se toucha les cheveux, comme s'il se croyait coiffé de travers. Il parut ébranlé par sa réponse directe. « Convoquée. Oui. En effet. J'ai eu une petite conversation avec Lavoy. Il m'a exposé quelques-unes de ses idées. Certaines me paraissent valables mais je crains qu'il ne m'entraîne à des actes que je risque de regretter plus tard. Et je me demande si je connais bien cet homme. Est-il capable de tricher, même… » Il se redressa dans son fauteuil comme si subitement il avait décidé qu'il parlait trop librement. « Je voudrais avoir votre opinion sur la façon dont est dirigé ce navire, ces derniers temps.

— Depuis l'attaque du serpent ? » précisa-t-elle inutilement. Il y avait eu un subtil glissement de pouvoir depuis que Brashen et elle avaient ensemble éloigné le serpent. Les hommes avaient davantage de respect pour ses capacités, désormais, et il lui semblait que Lavoy ne voyait pas la chose d'un bon œil. Elle chercha une façon de s'exprimer sans paraître critiquer le second. Elle respira. « Depuis l'affrontement avec le serpent, je trouve ma part de commandement plus facile à assumer. Les matelots m'obéissent promptement et correctement. Je sens que je me suis acquis leur cœur et leur fidélité. » Elle prit une nouvelle inspiration et sauta le pas. « Pourtant, depuis lors, le second a décidé de durcir la discipline. En un sens, c'est compréhensible. Les hommes n'ont pas bien réagi pendant l'attaque. Certains n'ont pas obéi et il n'y en a pas beaucoup qui se sont empressés de venir à la rescousse. »

Brashen fit la grimace. « J'ai moi-même observé que Lavoy n'est pas venu à notre secours. Il était de quart, sur le pont, et pourtant il ne nous a pas aidés du tout. » Althéa sentit son estomac se contracter. Elle aurait dû le remarquer aussi. Lavoy était resté bras ballants pendant que Brashen et elle combattaient le serpent. Sur le moment, cela lui avait paru bizarrement naturel qu'ils soient seuls tous les deux à affronter le danger. Elle se demanda si la défection de Lavoy ne s'expliquait pas autrement que par la peur. Avait-il espéré qu'elle, ou Brashen, ou eux deux fussent tués ? Espérait-il hériter du commandement du navire ? Si oui, qu'en serait-il de leur mission ? Brashen s'était tu pour la laisser réfléchir.

« Depuis l'attaque du serpent, le second a durci la discipline mais pas de façon équitable. Certains hommes me paraissent injustement visés. Clapot, par exemple. Et Clef. »

Brashen ne la quittait pas des yeux. « Je suis surpris que vous ayez de la sympathie pour Clapot. Il n'a rien fait pour vous venir en aide quand Artu vous a agressée. »

Elle secoua la tête, au bord de la colère. « Personne ne se serait attendu à ça de sa part. Il est à moitié demeuré. Si on lui donne des instructions, qu'on lui dit ce qu'il faut faire, il ne s'en sort pas trop mal. Il était dans tous ses états quand Artu… quand j'ai repoussé Artu, Clapot sautait partout, se frappait la poitrine et se faisait des reproches. Sincèrement il ne savait pas quoi faire. Artu était son compagnon de bordée, je suis le lieutenant et il ne savait pas qui choisir. Mais sur le pont, quand le serpent a attaqué, je me souviens qu'il a été le seul à avoir le cran de lui jeter un seau et à tirer Haff pour le mettre en sûreté. S'il n'avait pas fait ce geste, il nous manquerait un matelot. Il n'est pas finaud. Loin de là. Mais c'est un bon marin, si on n'exige pas de lui ce qui dépasse ses capacités.

— Et vous pensez que Lavoy exige trop de lui ?

— Il est en butte à toutes les moqueries des autres. C'était à prévoir et tant que cela ne va pas trop loin, Clapot a l'air d'apprécier d'être un objet d'attention. Mais quand Lavoy s'y met aussi, le jeu devient plus cruel. Et plus dangereux. Lavoy m'a dit d'aller soigner Clapot quand vous aurez terminé avec moi. C'est la deuxième fois en deux jours qu'il est rossé. Ils l'entraînent à faire des bêtises ou des choses dangereuses. Quand quelque chose va de travers et que Lavoy en accuse Clapot, aucun de ses camarades n'avoue sa part de responsabilité. Ce n'est pas sain pour l'équipage. Ça nuit à leur unité alors qu'on a absolument besoin de les rassembler. »

Brashen hochait la tête avec gravité. « Avez-vous remarqué l'attitude de Lavoy à l'égard des esclaves de Terrilville qu'on a libérés ? » demanda-t-il à mi-voix.

La question la fit sursauter. Elle garda un instant le silence, repassant dans sa tête ces derniers jours. « Il les traite bien, dit-elle enfin. Je ne l'ai jamais vu se mettre en colère contre eux. Il ne les mélange pas avec le reste de l'équipage autant qu'il le pourrait. Certains paraissent avoir de grandes possibilités. Harg et Kitel ont beau le nier, je crois qu'ils avaient déjà tâté d'un pont avant. D'autres ont des cicatrices – des manières – d'hommes d'armes. Nos deux meilleurs archers ont le visage tatoué. Pourtant, ils jurent tous être des fils de commerçants, d'innocents habitants des Îles des Pirates capturés par des trafiquants d'esclaves. Ce sont des recrues précieuses pour nous mais ils font bande à part. Je crois qu'à la longue on devrait convaincre les autres de les accepter comme camarades, afin de…

— Et vous avez vu qu'il ne leur permet pas seulement de faire bande à part mais qu'il paraît les y encourager par la façon qu'il a de distribuer le travail ? »

Elle se demanda où Brashen voulait en venir. « Peut-être, en effet. On dirait qu'il utilise Harg et Kitel presque comme un capitaine utiliserait un second et un lieutenant pour prendre le quart. Parfois, on a l'impression que les esclaves affranchis forment un second équipage à bord. » Elle fit remarquer, mal à l'aise : « Le rejet semble aller dans les deux sens. Ce n'est pas seulement que nos fatras-de-marine n'acceptent pas les affranchis. Les tatoués sont tout aussi enclins à faire bande à part. »

Brashen s'adossa à son fauteuil. « Ils étaient esclaves à Terrilville. À l'origine la plupart ont été capturés dans les villes des Îles des Pirates. Ils étaient prêts à tout pour s'enfuir à bord du *Parangon*, c'était pour eux l'occasion de rentrer chez eux. De mon côté, avant le départ, j'étais prêt à les embarquer en échange de leur travail à bord. Maintenant, je me demande si c'était un marché avisé. Un homme capturé dans les Îles des Pirates pour être vendu comme esclave est probablement plus susceptible d'être un pirate. Ou, en tout cas, d'avoir de fortes sympathies à l'égard des pirates.

— Peut-être, admit-elle avec réticence. Quand même, ils devraient nous être un peu plus dévoués, nous les avons aidés à échapper à l'esclavage. »

Le capitaine haussa les épaules. « Qui sait ? C'est difficile à dire. J'ai dans l'idée qu'aujourd'hui ils se sentent plus dévoués à Lavoy qu'à vous et à moi. Ou à Parangon. » Il s'agita dans son fauteuil. « Voilà la proposition de Lavoy : il dit qu'en pénétrant dans les eaux des Îles des Pirates, nous aurons plus de chances de nous en approcher si nous leur faisons croire que nous sommes pirates nous-mêmes. Selon lui, ces matelots tatoués peuvent nous donner de la crédibilité et nous apprendre leurs habitudes. Il insinue même que certains auraient une bonne connaissance de ces îles. Alors, on pourrait continuer comme navire pirate.

— Quoi ? fit Althéa, incrédule. Comment ?

— En nous inventant un pavillon. En prenant un ou deux vaisseaux, pour nous entraîner à la bataille, selon l'expression de Lavoy. Alors on entre dans une petite ville avec du butin, des trophées, on a la main large et on fait passer le mot qu'on aimerait suivre Kennit. Il y a un certain temps que ce Kennit s'est proclamé Roi des Pirates. Aux dernières nouvelles, il rassemblait une suite. Si on prétend vouloir s'y rallier, on sera peut-être en mesure de l'approcher et de se faire une idée de la situation de Vivacia avant d'agir. »

Althéa fit taire son indignation et se força à réfléchir. Le grand avantage de cette idée, dans l'éventualité où ils approchaient Kennit, c'était qu'ils pourraient découvrir combien de rescapés comptait l'équipage de Vivacia. S'il y avait des rescapés. « Mais on pourrait tout aussi bien être attirés dans une place forte d'où il serait impossible de s'échapper, même si on avait raison de Kennit et de ses hommes. Il y a deux autres obstacles de taille à considérer. Le premier, c'est que Parangon est une vivenef. Comment Lavoy croit-il qu'on peut cacher le fait ? Et le deuxième, c'est qu'on sera obligés de tuer, simplement pour s'"entraîner à la bataille". On devra attaquer un petit vaisseau marchand, massacrer l'équipage, voler la cargaison... comment peut-il même y songer ?

— On pourrait attaquer un transport d'esclaves. »

La réponse l'ébranla et la laissa sans voix. Elle scruta son visage. Il était sérieux. Il accueillit son silence étonné avec une expression de lassitude. « Nous n'avons pas d'autre stratégie. Je ne cesse d'imaginer des moyens de localiser Vivacia subrepticement puis de la suivre et d'attaquer quand Kennit s'y attendra le moins. Je ne trouve rien. Et je parie que, si Kennit garde en otage des membres de l'équipage, il les exécutera plutôt que de nous laisser les récupérer.

— Je croyais qu'on voulait d'abord négocier. Proposer de payer une rançon pour les survivants et le navire. »

Même à ses propres oreilles, ces mots parurent puérils et naïfs. La somme que sa famille avait réussi à réunir avant le départ de Parangon ne suffirait pas à acquitter la rançon d'un navire ordinaire, encore moins d'une vivenef. Althéa avait repoussé cette question, en se disant qu'ils négocieraient avec Kennit, lui promettraient un second paiement plus consistant une fois que Vivacia serait retournée, intacte, à Terrilville. La rançon, c'est ça surtout qui intéressait la plupart des pirates ; c'était leur principale raison d'être.

Mais Kennit n'était pas comme la plupart des pirates. Tout le monde connaissait les histoires qui couraient sur lui. Il capturait les transports d'esclaves, massacrait les équipages et libérait leur cargaison. Les prises devenaient des vaisseaux pirates, et l'équipage était souvent composé des hommes mêmes qui avaient fait partie de la cargaison. À leur tour, ces navires pourchassaient les transports d'esclaves. En vérité, si la *Vivacia* n'avait pas été mêlée à tout cela, Althéa aurait applaudi aux actions de Kennit qui visaient à débarrasser les Rivages Maudits de l'esclavage. Elle aurait été enchantée de voir le commerce chalcédien des esclaves paralysé dans les Îles des Pirates. Mais son beau-frère avait transformé la vivenef familiale en transport d'esclaves et Kennit s'en était emparé. Althéa désirait si passionnément reprendre son navire que c'en était pour elle une douleur perpétuelle.

« Vous voyez », déclara Brashen à mi-voix. Il ne l'avait pas quittée des yeux. Elle baissa la tête sous son regard, gênée tout à coup qu'il puisse aussi facilement lire dans ses pensées. « Tôt ou tard, on en sera réduits à verser le sang. On pourrait s'emparer d'un petit transport d'esclaves. Nous ne sommes pas obligés de tuer les matelots. S'ils se rendent, nous pourrions les laisser aller à la dérive dans les canots. Alors, nous amènerions le navire dans une ville pirate, libérerions la cargaison, comme Kennit. On gagnerait peut-être la confiance des habitants des Îles et ça nous permettrait de recueillir des renseignements sur la *Vivacia*. » Il paraissait hésitant, tout à coup. Les yeux sombres qui la fixaient étaient comme tourmentés.

Elle était perplexe. « Vous me demandez la permission ? »

Il fronça les sourcils. Il attendit un moment avant de répondre. « C'est embarrassant, admit-il doucement. Je suis le capitaine du *Parangon*. Mais Vivacia est le navire de votre famille. C'est votre famille qui a financé l'expédition. Je crois que, pour certaines décisions, vous avez droit à être consultée avant le second. » Il se radossa à son fauteuil et se mordilla les phalanges. Puis il dirigea les yeux vers elle. « Alors, Althéa, qu'en pensez-vous ? »

La façon dont il prononça son nom modifia soudain la teneur de la conversation. Il lui indiqua un siège d'un geste et elle s'assit avec lenteur. Luimême se leva et traversa la pièce. Il revint à la table avec un flacon de rhum et deux verres, dans lesquels il versa une rasade. Il la regarda et lui sourit en reprenant sa place. Il posa un verre devant elle. Elle observa ses mains soignées et tâcha de se concentrer sur la conversation. Qu'en pensait-elle ? Elle répondit sans hâte.

« J'ignore ce que j'en pense. Je crois que je me reposais sur vous pour tout ça. Vous *êtes* le capitaine, vous savez, pas moi. » Elle avait voulu s'exprimer avec légèreté mais sa remarque résonnait presque comme une accusation. Elle prit une gorgée de rhum.

Il croisa les bras et s'appuya au dossier de son fauteuil. « Oh, je ne le sais que trop », murmura-t-il. Il leva son verre.

Elle fit dévier la conversation. « Et il faut prendre Parangon en compte. Nous connaissons son aversion pour les pirates. Quel serait son sentiment sur tout ça ? »

Brashen émit un petit bruit de gorge et reposa brusquement son rhum. « C'est le tour le plus étrange de cette histoire : Lavoy prétend que le navire serait ravi. »

Althéa fut sceptique. « Comment peut-il le savoir ? En a-t-il déjà parlé avec Parangon ? » Elle s'emporta subitement. « Comment ose-t-il ? On n'a vraiment pas besoin qu'il mette des idées pareilles dans la tête de Parangon ! »

Il se pencha au-dessus de la table. « Il prétend que c'est Parangon qui lui en a parlé le premier. D'après lui, il était en train de fumer une pipe à l'avant, un soir, et la figure de proue lui a demandé s'il avait jamais songé à devenir pirate. De là est venue l'idée qu'être un vaisseau pirate serait le plus sûr moyen d'entrer dans un port pirate. Et Parangon s'est vanté de connaître beaucoup de secrets des Îles. Toujours d'après Lavoy.

— Vous avez interrogé Parangon là-dessus ? »

Brashen secoua la tête. « Je n'ai pas osé aborder le sujet ; soit il penserait que je l'approuve, auquel cas il concentrerait toute son énergie là-dessus. Soit que je ne l'approuve pas, auquel cas il pourrait décider d'insister, uniquement pour prouver qu'il en est capable. Vous savez comment il est. Je n'ai pas voulu lui faire part de cette idée avant que nous soyons tous d'accord. Si j'en souffle mot, il se mettrait peut-être dans la tête que la piraterie est la seule solution valable.

— Je me demande si le mal n'est pas déjà fait », dit rêveusement Althéa. Le rhum produisait un petit point chaud au creux de son ventre. « Parangon est très bizarre depuis quelque temps.

— Est-ce que ça n'a pas toujours été le cas ? releva-t-il avec ironie.

— Là, c'est différent. Il est bizarre mais de façon inquiétante. Il dit que l'affrontement avec Kennit est notre destin. Et que rien ne doit nous détourner de ce but.

— Et vous n'êtes pas d'accord ? demanda Brashen pour la sonder.

— Je ne sais pas, quant au destin. Brashen, si nous pouvions tomber sur Vivacia quand elle n'a qu'une bordée de service, et la voler à ce moment-là, je ne souhaiterais pas mieux. Je ne veux qu'une seule chose : mon navire, et son équipage s'il y a des survivants. Je n'ai aucun désir qu'on se batte ni qu'on verse le sang plus qu'il n'est nécessaire.

« — Moi non plus », dit Brashen à mi-voix. Il versa encore une rasade dans les verres. « Mais je ne crois pas qu'on récupérera Vivacia sans l'un et l'autre. Il faut qu'on se fasse à cette idée dès maintenant.

— Je sais », concéda-t-elle à contrecœur. Vraiment ? Le savait-elle ? Elle n'avait jamais participé à une bataille d'aucune sorte. Une ou deux rixes de taverne, c'était là l'étendue de son expérience en matière de bagarre. Elle n'arrivait pas à s'imaginer une épée en main, se battant pour libérer la *Vivacia*. Si on l'attaquait, elle saurait se défendre. Certes. Mais pourrait-elle sauter sur un pont étranger, en brandissant une lame, et tuer des hommes qui lui étaient inconnus ? Assise là avec Brashen bien au chaud dans une chambre confortable, elle en doutait. Ce n'était pas dans les mœurs des Marchands. On l'avait éduquée à négocier pour obtenir ce qu'elle voulait. Pourtant, une chose était sûre : elle voulait reprendre Vivacia. Elle le voulait passionnément. Quand elle verrait son navire bien-aimé en des mains étrangères, peut-être la rage, la furie s'éveilleraient-elles en elle. Peut-être alors serait-elle capable de tuer.

« Eh bien ? » lança Brashen. Elle se rendit compte qu'elle avait les yeux perdus vers la fenêtre, dans le sillage frangé de dentelle. Elle reporta son regard sur lui. En tripotant son verre, elle demanda à son tour : « Eh bien quoi ?

— On se fait pirates ? Ou, du moins, on fait semblant ? »

Dans sa tête, ça tournait à toute vitesse. « Vous êtes le capitaine, dit-elle enfin. Je crois que c'est à vous de décider. »

Il garda un moment le silence puis finit par lui adresser un grand sourire. « Je l'avoue, sur un certain plan, l'idée me séduit. J'y ai déjà réfléchi. Pour notre pavillon, que pensez-vous d'un serpent de mer écarlate sur fond bleu ? »

Althéa fit la grimace. « Ça n'a rien d'un porte-bonheur. Mais effrayant, oui.

— Effrayant, c'est ce qu'on cherche. Et c'est l'emblème le plus terrifiant que j'aie pu imaginer, issu directement de mes pires cauchemars. Quant à la chance, je crains bien que nous n'ayons à compter que sur nous-mêmes.

— C'est ce qu'on a toujours fait. On ne poursuivra que des transports d'esclaves ? »

Une expression de gravité passa sur le visage de Brashen. Puis une pointe de son ancienne malice éclaira son regard. « On ne serait peut-être pas obligés de poursuivre qui que ce soit. On pourrait seulement faire comme si… Et si on jouait un peu la comédie ? Je serais un cadet insatisfait de Terrilville, un genre de petit-maître, par exemple. Un monsieur qui a mis cap au sud pour tâter un peu de la piraterie et de la politique. Qu'en dites-vous ? »

Althéa rit bien fort. Le rhum s'étalait dans son ventre et poussait des vrilles de chaleur de par tout son corps. « Je crois que vous pourriez en arriver à vous prendre au jeu, Brashen. Mais et moi ? Comment expliquer un équipage mixte sur un vaisseau de Terrilville ?

— Vous pourriez être ma ravissante captive, comme dans une histoire de ménestrel. Une fille de Marchand, prise en otage et rançonnée. » Il coula vers elle un regard oblique. « Ce qui contribuerait à établir ma réputation de hardi pirate. On pourrait dire que le *Parangon* était votre navire familial, pour expliquer la vivenef.

— C'est un peu trop dramatique », objecta-t-elle doucement. Dans les yeux de Brashen luisait une vive étincelle. Le rhum les affectait tous les deux. Au moment où elle craignait que son cœur ne l'emporte sur sa raison, le visage du capitaine se rembrunit tout à coup.

« Si seulement il nous suffisait de monter une farce aussi romanesque pour reprendre Vivacia ! Mais en réalité jouer au pirate sera beaucoup plus violent et sanglant. Je crains bien de ne pas apprécier le rôle autant que Lavoy. Ou Parangon. » Il secoua la tête. « Parfois, je me dis que ces deux-là ont une prédisposition à… comment dirais-je ? À la pure méchanceté. S'ils avaient, l'un ou l'autre, toute latitude de s'y abandonner, je crois qu'ils s'enfonceraient dans une sauvagerie qui nous paraîtrait, à vous et à moi, inimaginable.

— Parangon ? » prononça Althéa, sur un ton dubitatif. Mais un petit frisson de certitude lui parcourut l'échine.

« Parangon, confirma Brashen. Lavoy et lui peuvent se révéler un très mauvais tandem. Je voudrais les empêcher de se rapprocher, si c'est possible. »

Un coup à la porte les fit sursauter. « Qui est là ? demanda rudement Brashen.

— Lavoy, commandant.

— Entrez. »

Althéa se leva d'un bond et le second entra. D'un coup d'œil rapide il remarqua le flacon de rhum et les deux verres sur la table. Althéa tâcha de ne pas avoir l'air surprise ni coupable mais le regard qu'il lui lança exprimait éloquemment ses soupçons. D'une voix sarcastique qui frisait l'insolence, il déclara : « Navré de vous interrompre mais il faut s'occuper des affaires du navire. Le charpentier est inconscient sur le gaillard d'avant. J'ai pensé que vous aimeriez le savoir.

— Que s'est-il passé ? » demanda Althéa sans réfléchir.

Lavoy eut une moue de dédain. « Je m'adresse au capitaine, matelot.

— Exactement, dit Brashen d'une voix froide. Alors poursuivez. Althéa, allez voir le charpentier. Lavoy, que s'est-il passé ?

— Corbleu, est-ce que je sais, moi ? » Le robuste second haussa exagérément les épaules. « Je l'ai trouvée là et j'ai pensé que vous aimeriez le savoir. »

Althéa n'avait pas le temps de le contredire, et ce n'était pas le moment de révéler à Brashen qu'elle les avait laissés seuls tous les deux. Le cœur sur les lèvres, elle se précipita pour voir ce que Lavoy avait fait à Ambre.

6

UNE FEMME INDÉPENDANTE

Une petite bruine tombait du ciel couvert. L'eau dégouttait sans fin des buissons dans le jardin. Des feuilles roussies, détrempées jonchaient les pelouses gorgées d'eau. Sérille laissa retomber le rideau bordé de dentelle. Elle se retourna vers la pièce. La grisaille du jour s'était insinuée dans la maison et Sérille se sentait glacée et vieille dans son étreinte. Elle avait ordonné qu'on tirât les rideaux et qu'on allumât du feu pour tenter de réchauffer la pièce. Mais, loin de se sentir plus à l'aise, elle avait l'impression d'être enveloppée, prise au piège. L'hiver arrivait insidieusement à Terrilville. Elle frissonna. L'hiver était au mieux une saison désagréable. Cette année, s'y ajoutaient le désordre et les troubles.

La veille, escortée par une garde imposante, elle avait quitté la propriété de Restart pour se rendre en voiture à Terrilville. Elle avait ordonné aux hommes de traverser la ville, le vieux marché, et de longer les quais. Partout, elle avait vu ruine et destruction. Elle avait cherché en vain des signes de réfection, de renouveau dans la cité bouleversée. Les maisons et les boutiques incendiées exhalaient une odeur tenace de désespoir. Les embarcadères se terminaient en langues de bois calcinées. Deux mâts pointaient des eaux mornes du port. Les passants, emmitouflés et encapuchonnés contre le froid, marchaient à pas pressés. Ils détournaient les yeux à la vue de la voiture. Même dans les rues où patrouillaient les vestiges de la Garde municipale, on sentait l'oppression et la nervosité.

Disparus, les salons de thé animés et les corporations de marchands prospères. La ville gaie et affairée qu'elle avait traversée lors de son premier trajet vers la maison de Davad Restart était morte, ne subsistait que ce fouillis de ruines nauséabondes. La rue du désert des Pluies n'était plus qu'un alignement d'échoppes condamnées et de boutiques abandonnées. Les rares endroits ouverts avaient un aspect méfiant, inquiet. À trois reprises, le véhicule avait dû faire demi-tour, arrêté par des barricades de décombres.

Elle avait compté dénicher des marchands, des citadins s'efforçant à reconstruire. Elle avait imaginé qu'elle descendrait de sa voiture pour les saluer et les féliciter. Ils l'auraient invitée à pénétrer dans leurs boutiques en réparation, lui auraient vanté l'avancée des travaux. Elle les aurait congratulés, aurait loué leur vaillance, ils auraient été honorés de sa visite. Elle avait espéré s'acquérir leur loyauté et leur amour. Or, elle n'avait vu que des réfugiés harcelés, des mines renfrognées et fermées. Personne ne l'avait même saluée. Elle avait regagné la maison de Davad et était simplement montée se coucher, sans dîner, l'appétit coupé.

Elle se sentait flouée. Terrilville, c'était la babiole rutilante qu'elle s'était toujours juré de posséder un jour. Elle était venue de si loin, elle avait tant enduré, tout cela pour seulement l'entrevoir. Comme si le sort lui refusait toute joie, au moment même où elle croyait atteindre son but la cité s'était elle-même détruite. Une partie d'elle désirait simplement admettre la défaite, embarquer sur un navire et rentrer à Jamaillia.

Mais il n'y avait plus de navires pour la ramener en toute sécurité à Jamaillia. Les Chalcédiens étaient à l'affût du moindre vaisseau qui tentait de quitter le port ou d'y entrer. Et à supposer qu'elle puisse, d'une façon ou d'une autre, atteindre Jamaillia, quel accueil lui réserverait-on ? Le complot contre le Gouverneur prenait racine là-bas. On pourrait la considérer comme un témoin et une menace. On trouverait bien un moyen de l'éliminer. Elle avait conçu des soupçons depuis que le Gouverneur avait proposé de faire cette petite balade à Terrilville puis d'aller ensuite visiter Chalcède. Ses nobles et ses conseillers auraient dû protester vigoureusement à l'annonce de ce départ ; il était rare qu'un Gouverneur s'aventurât au-delà des frontières de Jamaillia. Bien loin d'avoir rencontré des objections, il n'avait reçu que des encouragements. Elle soupira. Cette même bande de flagorneurs qui lui avaient appris, si jeune, les plaisirs de la chair, du vin et des herbes capiteuses l'avaient incité à leur abandonner complètement le gouvernement de ses terres pendant qu'il traverserait des eaux hostiles, aux bons soins d'alliés douteux. Jobard et paresseux, il avait gobé la mouche. Alléché par les invites de ses « alliés » chalcédiens, qui lui promettaient des drogues exotiques et des plaisirs charnels plus exotiques encore, il avait été éloigné de son trône comme un enfant qu'on appâte avec des friandises et des jouets. Ses partisans les « plus loyaux » qui l'avaient toujours poussé à agir à sa guise avaient ainsi réussi à le détrôner.

Subitement, une idée vint la frapper. Elle ne se souciait pas autrement de ce qu'il en irait du Gouverneur et de son autorité à Jamaillia. Elle ne désirait que préserver le pouvoir qu'il avait ici pour se l'approprier, elle. Il fallait donc découvrir qui à Terrilville avait été si empressé de contribuer à sa chute. Les mêmes tâcheraient de la déposer, elle aussi.

Durant un bref instant, elle regretta de ne s'être pas penchée davantage sur Chalcède. Dans la chambre du capitaine, elle avait vu des lettres en chalcédien, rédigées en caractères jamailliens. Elle avait reconnu les noms de deux grands nobles et des sommes d'argent. Elle avait deviné, alors, qu'elle tenait entre ses mains la source d'une conspiration. Pour quels services les Chalcédiens avaient-ils été payés ? Ou bien étaient-ce eux, les commanditaires ? Si elle avait été capable de lire ces lettres quand le capitaine chalcédien la retenait prisonnière... alors, elle se déroba.

Elle avait horreur de penser à ce que ces jours de cauchemar, où elle avait été détenue et violée, avaient fait d'elle. Elle en avait été irrémédiablement changée, et d'une façon qu'elle méprisait. Elle ne pouvait oublier que le capitaine chalcédien avait eu sur elle un droit de vie et de mort. Elle ne pouvait oublier que le Gouverneur, cet homme infantile, gâté, jouisseur, avait eu le pouvoir de la placer dans cette situation. Ce qui avait pour toujours altéré l'image qu'elle se faisait d'elle-même. Elle avait été forcée de reconnaître l'empire que les hommes avaient sur elle. Eh bien, ce pouvoir, elle le détenait désormais, et aussi longtemps qu'elle le garderait, elle serait en sécurité. Aucun homme ne pourrait plus lui imposer sa volonté. Elle était forte de son éminente position. Cette position la protégerait. Elle devait s'y maintenir coûte que coûte.

Cependant, le pouvoir avait un prix.

Elle releva encore le coin du rideau et scruta au-dehors. Même ici à Terrilville, elle n'était pas à l'abri de tentatives d'assassinat. Elle le savait. Elle ne sortait pas sans être accompagnée. Elle ne dînait jamais seule et elle s'assurait que ses hôtes soient servis avant elle, des mêmes plats auxquels elle goûtait elle-même. Si l'on parvenait à l'assassiner, du moins ne mourrait-elle pas seule. Mais elle ne les laisserait pas la tuer ni lui ravir l'influence qu'elle avait eu tant de mal à s'acquérir. Ce pouvoir était menacé mais elle pouvait déjouer ces menaces. Elle pouvait garder le Gouverneur en relégation et l'empêcher de communiquer. Pour son bien, naturellement. Elle s'autorisa un petit sourire. Elle regrettait qu'on l'eût emmené si loin. S'il avait été ici, à Terrilville, elle aurait pu veiller à ce qu'il jouisse de ses herbes à plaisir et du confort qui l'auraient rendu malléable. Elle aurait pu trouver un moyen de le séparer de Keki. Elle aurait pu le convaincre qu'il était plus sage d'adopter un profil bas et de la laisser s'occuper des affaires.

Un coup discret à la porte interrompit ses pensées. Elle laissa retomber le rideau et se retourna. « Entrez. »

La servante avait la figure tatouée. Sérille jugeait répugnant le tatouage qui s'étendait comme une araignée verte sur sa joue. Elle évitait le plus possible de la regarder. Elle s'en serait bien séparée mais l'esclave était la seule qu'elle ait pu dénicher qui soit formée convenablement aux usages courtois de Jamaillia. « Qu'y a-t-il ? demanda-t-elle à la femme qui faisait la révérence.

— La Marchande Vestrit désire vous parler, Compagne Sérille.

— Faites-la entrer », répondit Sérille d'un air absent. Son moral déjà bas descendit d'un cran. Elle savait qu'il était sage de garder cette femme à proximité de manière à pouvoir la surveiller. Roed Caern lui-même en avait convenu. Au début, Sérille avait été enchantée de sa ruse. Au cours d'une réunion secrète, les chefs du Conseil des Marchands avaient été horrifiés quand elle avait exigé l'arrestation de Ronica Vestrit. Même en ces temps troublés, ils refusaient de reconnaître la sagesse d'une telle décision, et le souvenir de cet affrontement la faisait encore grincer des dents. L'incident lui avait révélé les limites de son pouvoir sur eux.

En revanche, elle avait démontré aux chefs du Conseil son ingéniosité. Par une requête gracieusement formulée, elle avait invité la Marchande à demeurer chez Restart. Ronica devait prétendument assister Sérille dans l'examen des papiers du Marchand non seulement pour prouver l'innocence de Davad mais aussi la sienne. Après avoir un peu hésité, Ronica avait accepté. La Compagne s'était d'abord félicitée de son idée. Ronica Vestrit vivant sous son toit, l'espionnage de Roed en était simplifié. Il allait découvrir rapidement qui était de mèche avec elle. Mais la tactique de Sérille avait un prix. Savoir que la Marchande était là, tout près, c'était savoir qu'il y avait un serpent dans son lit. La conscience qu'on a du danger n'implique pas forcément sa neutralisation.

Le jour de l'arrivée de Ronica, Sérille avait été sûre de sa victoire. La Marchande n'avait rien pris avec elle que les baluchons qu'elle portait avec sa servante. Celle-ci était une esclave affranchie tatouée qui traitait sa maîtresse quasiment sur un pied d'égalité. La dame Vestrit avait peu de vêtements et aucun bijou. Quand Ronica, dans la simplicité de sa mise, s'était assise au bas bout de la table, ce soir-là, Sérille s'était sentie triomphante. Cette pauvre femme ne constituait pas une menace. Elle deviendrait le symbole de la charité de la Compagne. Et elle finirait bien par trahir involontairement ses acolytes. Chaque fois qu'elle quittait la maison, Roed la suivait.

Cependant, depuis que Ronica s'était installée dans l'ancienne chambre de Davad, elle n'avait pas laissé un jour de paix à Sérille. Elle la harcelait comme un moucheron. Alors que la Compagne devait concentrer toute son énergie à consolider son pouvoir, Ronica la dérangeait à tout propos. Que faisait-elle pour débarrasser le port des épaves ? Avait-on des nouvelles d'un secours éventuel de Jamaillia ? Avait-elle envoyé un oiseau à Chalcède pour protester contre les attaques guerrières ? Avait-elle essayé de s'acquérir le soutien des gens de Trois-Navires afin qu'ils patrouillent la nuit dans les rues ? Si on le leur proposait, peut-être les anciens esclaves préféreraient-ils travailler pour un salaire que vagabonder et piller. Pourquoi Sérille n'avait-elle pas pressé le Conseil de se réunir et de reprendre l'administration de la cité ? Chaque jour, la Marchande la harcelait avec ce genre de questions. Par-dessus le marché, elle ne manquait pas une occasion de rappeler à Sérille qu'elle n'était qu'une étrangère. Quand la Compagne ne tenait pas compte de ses exigences, Ronica revenait avec une insistance lassante sur l'innocence de Davad et la mainmise abusive de Sérille sur ses biens. La femme ne semblait pas avoir le moindre respect pour elle, et ne lui témoignait même pas l'élémentaire courtoisie due à une Compagne du Gouverneur.

Elle en était d'autant plus ulcérée qu'elle n'était pas assez sûre de sa position pour user de son autorité sur la Marchande. Elle avait trop souvent cédé au harcèlement de cette femme. D'abord, en faisant enterrer Davad, puis en rendant un verger à la nièce du traître. Céder ne faisait que l'encourager. Elle lui résisterait.

Grâce à Roed, elle savait à quoi Ronica employait ses matinées. En dépit des dangers de la rue, celle-ci se risquait avec sa servante à sortir tous les jours, elle allait de porte en porte pour battre le rappel des Marchands, afin qu'ils se réunissent. D'après Roed, elle était souvent éconduite ou accueillie avec brusquerie par ceux qu'elle visitait mais elle était tenace. Comme la pluie sur une pierre, elle usait à la longue le cœur le plus endurci. Ce soir, elle remporterait son plus grand triomphe : le Conseil allait se réunir.

Si les Marchands écoutaient Ronica ce soir et concluaient à l'innocence de Davad, l'autorité de

Sérille en serait sérieusement entamée. Si le Conseil décidait que la nièce devait hériter de la propriété, la Compagne n'aurait plus qu'à quitter la maison Restart et elle serait forcée de demander l'hospitalité à un autre Marchand. Elle perdrait son intimité et son indépendance. Elle ne pouvait laisser faire.

Elle s'était doucement mais fermement opposée à la réunion du Conseil, sous le prétexte qu'il était trop tôt, qu'il était risqué pour les Marchands de se rassembler dans un endroit où l'on pouvait les attaquer. Mais ils ne l'écoutaient plus.

Du temps, c'était tout ce qu'il lui fallait ; du temps pour renforcer ses alliances, du temps pour déterminer lequel pouvait être enjôlé par des flatteries, lequel circonvenu par des promesses de titres ou de terre. Avec le temps, un oiseau apporterait peut-être des nouvelles de Jamaillia. Un Marchand lui avait communiqué un message provenant de son associé jamaillien. Des bruits couraient sur la mort du Gouverneur et des émeutes étaient imminentes. Le Gouverneur pouvait-il envoyer une missive de sa propre main pour démentir ces dangereuses rumeurs ?

Elle avait renvoyé un oiseau porteur d'un message rassurant : il s'agissait de fausses rumeurs. Elle demandait qui avait reçu la nouvelle de la mort du Gouverneur et d'où elle émanait. Elle doutait fort d'obtenir une réponse. Que pouvait-elle faire d'autre ? Si seulement elle avait disposé d'un jour, d'une semaine de plus ! Avec un peu plus de temps, elle était sûre de dominer le Conseil. Alors, grâce à son éducation supérieure, à son expérience de la politique et de la diplomatie, elle pourrait les mener à la paix. Elle pourrait les éclairer sur les compromis acceptables. Elle pourrait unir tous les habitants de Terrilville et à partir de là traiter avec les Chalcédiens. Ce qui aux yeux de tous établirait son autorité sur Terrilville. Du temps, c'était tout ce qu'il lui fallait, et Ronica le lui volait.

La Marchande Vestrit entra majestueusement dans la pièce. Elle portait un livre de comptes sous le bras. « Bonjour », dit-elle sèchement. Elle suivit des yeux la servante qui se retirait. « Ne serait-ce pas beaucoup plus simple si je m'annonçais moi-même au lieu d'être obligée de chercher la servante pour qu'elle frappe à la porte et dise mon nom ?

— Plus simple mais pas convenable, rétorqua froidement Sérille.

— Vous êtes à Terrilville, maintenant, répliqua Ronica d'une voix égale. Ici, nous ne perdons pas notre temps à vouloir impressionner les gens. » On aurait dit qu'elle apprenait les bonnes manières à sa fille indocile. Sans demander la permission, elle alla vers le bureau et ouvrit le registre qu'elle avait apporté. « Je crois que j'ai trouvé quelque chose susceptible de vous intéresser. »

Sérille s'approcha du feu. « Cela m'étonnerait », marmonna-t-elle aigrement. Ronica s'était beaucoup trop évertuée à rechercher les preuves. Ses incessantes manœuvres pour la confondre étaient mortifiantes et éventaient les propres supercheries de la Compagne.

« Vous vous lassez déjà de jouer au Gouverneur ? demanda sèchement Ronica. Ou bien vous adoptez l'attitude que vous présumez être celle d'un chef ? »

Sérille eut l'impression qu'on l'avait giflée. « Comment osez-vous ! commença-t-elle, puis elle écarquilla les yeux. D'où tenez-vous ce châle ? » Elle l'avait vu dans la chambre de Davad, jeté sur le bras d'un fauteuil. Se servir ainsi, quelle impudence !

Les yeux de Ronica s'élargirent et s'assombrirent, comme si Sérille lui avait fait mal. Puis son visage s'adoucit. Elle caressa l'étoffe souple drapée sur ses épaules. « C'est moi qui l'ai fait, dit-elle à mi-voix. Il y a des années, quand Dorille était enceinte de son premier enfant. J'ai teint la laine, je l'ai filée moi-même, le cadeau particulier d'une jeune mariée à une autre. Je savais qu'elle l'aimait, mais c'est touchant de découvrir que, de toutes ses affaires, c'est ce châle que Davad a gardé en souvenir d'elle. Elle était mon amie. Je n'ai pas besoin de votre permission pour emprunter ses affaires. C'est vous qui êtes une intruse et une pillarde ici, pas moi. »

Sérille la regarda fixement, muette de fureur. Il lui vint l'idée d'une vengeance mesquine. Elle n'examinerait pas les preuves fragiles de cette femme. Elle ne lui donnerait pas cette satisfaction. Elle grinça des dents et lui tourna le dos. Le feu était mourant. Voilà pourquoi elle avait si froid, tout d'un coup. Il n'y avait donc pas de serviteurs capables à Terrilville ? D'un geste furieux, elle saisit le tisonnier pour essayer de ranimer les flammes.

« Vous allez vérifier ce registre avec moi, oui ou non ? » demanda Ronica. Elle pointait le doigt sur une page comme si c'était d'une importance capitale.

Sérille laissa sa colère déborder. « Qu'est-ce qui vous fait penser que j'ai du temps à perdre avec ça ? Vous croyez que je n'ai rien de mieux à faire qu'à m'abîmer la vue sur les pattes de mouche d'un mort ? Ouvrez les yeux, vieille femme, et regardez un peu les difficultés que Terrilville a à affronter au lieu de rester fixée sur votre obsession. Votre ville est en train de périr et vos concitoyens n'ont pas le cran de se battre pour la sauver. Malgré mes ordres, des bandes d'esclaves continuent à piller et à voler. J'ai ordonné qu'ils soient arrêtés et enrôlés de force dans une armée pour défendre la ville mais rien n'a été fait. Les routes sont bloquées par les décombres mais personne n'a songé à les déblayer. Les commerces sont fermés et les gens se terrent derrière leur porte comme des lapins. » Elle tisonna une bûche et fit jaillir une gerbe d'étincelles dans la cheminée.

Ronica traversa la pièce et s'agenouilla devant l'âtre. « Donnez-moi ça ! » s'exclama-t-elle, dégoûtée. Sérille laissa tomber le tisonnier avec mépris. La Marchande ne releva pas le geste offensant. Elle prit le tisonnier et se mit à soulever les brandons à demi consumés pour les replacer au milieu du feu. « Votre point de vue sur Terrilville est erroné. Nous devons d'abord tenir notre port. Quant au pillage et au désordre, je vous en tiens responsable, au même titre que mes concitoyens Marchands. Ils restent là, bras croisés, comme une bande d'empotés, à attendre que vous ou un autre leur disiez quoi faire. Vous avez semé la division dans notre ville. Si vous ne vous étiez pas proclamée porte-parole du Gouverneur, le Conseil aurait pris les choses en main, comme il l'a toujours fait. À présent, certains disent qu'on doit vous écouter, d'autres qu'ils doivent d'abord s'occuper d'eux-mêmes, et d'autres encore, les plus sages selon moi, qu'on devrait réunir tous ceux qui sont du même avis dans la ville et se mettre à la tâche. Qu'importe, désormais, qu'on soit Premier ou Nouveau Marchand, habitant de Trois-Navires ou simple immigrant ? C'est la pagaille dans cette ville, notre négoce est ruiné, les Chalcédiens cueillent tous ceux qui se risquent à sortir de la Baie des Marchands, pendant que nous nous chamaillons. » Elle s'assit sur ses talons et regarda avec satisfaction le feu qui reprenait. « Ce soir, peut-être allons-nous enfin remédier un peu à tout ça. »

Un terrible soupçon naissait dans l'esprit de Sérille. Cette femme avait l'intention de lui voler ses projets et de les présenter comme étant les siens ! « Vous m'espionnez ? Comment se fait-il que vous en sachiez autant sur ce qui se dit en ville ? »

Ronica émit un reniflement de mépris. Elle se leva lentement, et ses genoux craquèrent. « J'ai des yeux et des oreilles. Et c'est ma ville, je la connais mieux que vous ne la connaîtrez jamais. »

*
* *

Ronica soupesa le tisonnier froid dans sa main et scruta les yeux de la Compagne. Le voilà de nouveau, cet éclair d'effroi sur son visage. Elle comprit soudain que des mots et des menaces appropriés pouvaient réduire cette femme à s'effondrer comme une enfant pleurnicheuse. Elle avait été complètement brisée. Elle n'était qu'une coquille vide d'autorité dissimulant un abîme de peur. La Marchande ressentait parfois de la pitié pour elle.

Il était presque trop facile de la malmener. Pourtant, quand lui venaient ces pensées, elle endurcissait son cœur. La peur rendait Sérille dangereuse. Elle se sentait menacée par tous. Elle préférerait attaquer la première, quitte à se tromper, plutôt qu'accepter l'éventualité d'une agression dirigée contre elle. La mort de Davad le prouvait. Cette femme prétendait à une autorité sur Terrilville que personne, pas même le Gouverneur, ne possédait. Pire, ses tentatives pour exercer son prétendu pouvoir morcelaient la capacité déjà bien réduite de Terrilville à se gouverner elle-même. Ronica emploierait toutes les tactiques à sa disposition pour rendre à sa ville la paix et l'autonomie. Tant que la paix ne serait pas revenue, elle n'aurait aucun espoir de retrouver sa famille ni même de savoir ce qui lui était advenu.

Aussi imita-t-elle le geste méprisant de la femme : elle jeta le tisonnier sur la pierre de l'âtre. Elle surprit le tressaillement de la Compagne quand l'objet atterrit avec fracas et roula sur le sol. Le feu était bien reparti. Ronica se retourna et croisa les bras en faisant face à Sérille. « Les gens bavardent et si l'on veut vraiment savoir ce qui se passe, on n'a qu'à les écouter. Même les domestiques, quand on les traite comme des êtres humains, peuvent se révéler source d'informations. Ainsi ai-je appris qu'une délégation de Nouveaux Marchands conduite par Mingslai vous a fait des ouvertures de trêve. C'est pourquoi il est si important, précisément, que vous regardiez ce que j'ai découvert dans les comptes de Davad. Vous pourrez procéder avec prudence dans vos rapports avec Mingslai. »

Les joues de Sérille s'empourprèrent. « Ainsi, par pitié je vous invite chez moi, et vous en profitez pour m'espionner ! »

Ronica soupira. « Vous n'avez pas entendu ce que je vous ai dit ? Ce n'est pas en vous espionnant que j'ai obtenu cette information. » Ce qui n'était pas le cas pour d'autres renseignements, mais il était inutile de le révéler pour l'instant. « Et je n'ai que faire de votre pitié. J'accepte mon sort. J'ai déjà vu ma situation changer, et cela se reproduira. Je n'ai pas besoin de vous pour la changer. » Ronica émit un petit bruit amusé. « La vie n'est pas une course pour rétablir le passé. Et on ne doit pas se hâter non plus d'aller au-devant de l'avenir. Observer le changement, c'est ce qui rend la vie intéressante.

— Je vois, commenta Sérille avec dédain. Observer le changement. Alors c'est là l'esprit intrépide de Terrilville dont j'ai tant entendu faire l'article ? Une patiente passivité devant ce que la vie vous réserve. Comme c'est stimulant ! Et ça ne vous intéresse pas de ramener Terrilville à sa situation passée ?

— Les tâches impossibles ne m'intéressent pas, riposta Ronica. Si nous concentrons nos efforts à revenir en arrière, nous sommes voués à l'échec. Nous devons avancer, créer une nouvelle ville. Elle ne sera jamais plus comme avant. Les Marchands ne jouiront plus du même pouvoir. Mais nous pouvons tout de même continuer. C'est cela le défi, Compagne. Accepter ses expériences, les mettre à profit au lieu d'en rester prisonnier. Il n'est rien de plus destructeur que la pitié, surtout la pitié de soi.

Il n'est pas d'épreuve si terrible dans la vie qu'on ne puisse la surmonter. »

Le regard que lui adressa Sérille était si singulier que Ronica sentit un frisson lui parcourir l'échine. L'espace d'un instant, ce fut comme si une morte regardait par ses yeux. Elle déclara d'une voix neutre : « Vous êtes moins avertie du monde que vous ne le croyez, Marchande. Si vous aviez subi ce que j'ai bravé, vous sauriez qu'il est des épreuves insurmontables. Il est des expériences qui vous changent à jamais, aussi allégrement qu'on souhaite les oublier. »

Ronica croisa fermement son regard. « Ce n'est vrai que dans la mesure où vous avez décidé de le croire. Ce terrible événement, quel qu'il soit, est passé, disparu. Si vous vous y accrochez, que vous le laissez vous façonner, vous serez condamnée à le revivre perpétuellement. Vous lui accordez du pouvoir sur vous. Écartez-le, modelez votre avenir selon vos désirs, en dépit de ce qui vous est arrivé. Alors vous l'aurez maîtrisé.

— C'est facile à dire, rétorqua sèchement Sérille. Votre optimisme puéril me paraît révéler une extraordinaire ignorance. Je crois que j'ai eu assez de philosophie de province pour aujourd'hui. Allez-vous-en.

— Mon "optimisme puéril", c'est l'esprit de Terrilville dont vous avez tant "entendu faire l'article", riposta à son tour Ronica. Vous n'arrivez pas à reconnaître que c'est la capacité à dominer le passé qui nous a permis de survivre ici. C'est ce qu'il faut que vous trouviez en vous-même, Compagne, si vous espérez vous intégrer à nous. Maintenant, allez-vous regarder ces pages, oui ou non ? »

Ronica la vit se dresser sur ses ergots. Elle aurait voulu aborder Sérille en amie, en alliée, mais la Compagne paraissait considérer toutes les femmes comme des rivales ou des espionnes. Alors, droite et froide, Ronica attendit la réponse. Elle observait l'autre avec un œil de marchandeur, elle la vit darder un regard vers les registres ouverts sur la table puis vers elle. Sérille avait envie de savoir ce qu'ils contenaient mais elle ne voulait pas avoir l'air de céder. Ronica lui laissa un peu de temps puis, devant le silence de la Compagne, elle décida de risquer le tout pour le tout.

« Très bien. Je constate que cela ne vous intéresse pas. J'ai cru que vous souhaiteriez voir ce que j'ai découvert avant que j'emporte ces registres au Conseil. Si vous ne voulez pas m'écouter, je suis sûre qu'eux ils m'écouteront. » D'un pas ferme, elle se dirigea vers le bureau. Après avoir refermé l'épais registre, elle le fourra sous son bras. Elle prit son temps pour quitter la pièce en espérant que Sérille la rappellerait. Elle traversa lentement le couloir, espérant toujours, mais elle entendit la porte du bureau se refermer sèchement. C'était inutile. Avec un soupir, elle se mit à gravir l'escalier vers la chambre de Davad. Elle s'arrêta en s'apercevant qu'on frappait à la porte, puis s'approcha vivement de la rampe et baissa les yeux vers l'entrée.

Une servante ouvrit la porte et esquissait un salut poli quand le jeune Marchand entra en la bousculant. « J'ai des nouvelles pour la Compagne Sérille. Où est-elle ? demanda Roed Caern.

— Je vais la prévenir que vous êtes…, commença la servante, mais Roed secoua la tête avec impatience.

« — C'est urgent. Un oiseau est arrivé du désert des Pluies. Elle est dans le cabinet ? Je connais le chemin. » Sans laisser le temps à la domestique de répondre, il passa devant elle. Ses bottes résonnaient sur les dalles et sa cape flottait derrière lui tandis qu'il traversait le vestibule, la démarche arrogante. La servante trotta sur ses talons, en continuant ses vaines protestations. Ronica le suivit des yeux et se demanda si elle aurait le courage de descendre pour écouter à la porte.

*
* *

« Comment osez-vous faire irruption de la sorte ! » dit Sérille en se relevant du foyer où elle tisonnait le feu. Elle déchargeait toute la colère et le dépit destinés à la Marchande. Puis, surprenant l'étincelle dans les yeux de Roed Caern, elle recula d'un pas vers l'âtre.

« Je vous demande pardon, Compagne. J'ai eu la sottise de croire que des nouvelles du désert des Pluies mériteraient votre attention immédiate. » Entre le pouce et l'index, il tenait un petit cylindre en cuivre, comme ceux que portaient les oiseaux. Tandis qu'elle le fixait, les yeux écarquillés, il osa s'incliner avec raideur. « J'attendrai, bien sûr, votre bon gré. » Il se tourna vers la porte où la servante se tenait toujours, bouche bée, à espionner.

« Fermez cette porte ! » ordonna-t-elle hargneusement à la domestique. Son cœur cognait dans sa poitrine. Les gardes du Gouverneur n'avaient pris que cinq oiseaux des pigeonniers de Davad la nuit où elle l'avait envoyé au désert des Pluies. Ils ne les auraient pas utilisés sans nécessité. C'était le premier message qui leur était parvenu depuis qu'ils avaient appris l'arrivée du Gouverneur au désert des Pluies et sa mise en lieu sûr. Elle avait alors senti la réaction ambiguë des Marchands des Pluies à sa requête. Le Gouverneur les avait-il influencés ? Allait-elle être accusée de trahison ? Qu'y avait-il dans ce cylindre et qui d'autre en avait pris connaissance ? Elle tâcha de composer sa physionomie mais l'expression d'amusement cruel sur le visage de cet homme brun, bien découplé, lui fit craindre le pire.

Mieux valait d'abord caresser son poil hérissé. Il lui faisait penser à un chien de garde sauvage aussi prompt à se retourner contre son maître qu'à le protéger. Si seulement elle n'avait pas eu tant besoin de lui !

« Vous avez raison, bien sûr, Marchand Caern. Ces nouvelles ne souffrent aucun délai. En vérité, j'ai été harcelée par des soucis domestiques, ce matin. Les servantes n'ont pas cessé de me déranger dans mon travail. Je vous en prie. Entrez. Réchauffez-vous. » Elle alla même jusqu'à lui accorder une gracieuse inclination de la tête bien que, naturellement, elle soit d'un rang supérieur.

Roed refit un salut, profond, et qu'elle devina ironique. « Certainement, Compagne. Je comprends combien cela peut être irritant, surtout quand un fardeau si lourd pèse sur vos frêles épaules. »

C'était là, une inflexion dans sa voix, le choix des mots.

« Le message ? » s'enquit-elle.

Il s'avança, et s'inclina une nouvelle fois en lui présentant le cylindre. La cire du cachet paraissait intacte mais rien n'aurait empêché Caern de lire le message puis de resceller le cylindre. Inutile de s'inquiéter. Elle brisa le sceau, dévissa le couvercle et fit tomber le petit rouleau de parchemin dans sa main. Avec un calme qu'elle était loin de ressentir, elle s'assit au bureau et se pencha vers la lampe en déroulant le message.

Les mots étaient brefs, et leur brièveté même la mit au supplice. Il y avait eu un fort tremblement de terre. Le Gouverneur et sa Compagne étaient portés disparus, peut-être tués dans l'éboulement. Elle lut et relut le billet, regrettant qu'il ne contienne pas davantage d'informations. Y avait-il un espoir qu'il en ait réchappé ? Qu'en était-il de ses ambitions si le Gouverneur était mort ? Aussitôt après, elle se demanda si le message n'était pas une supercherie, dont les motifs étaient trop complexes à démêler. Elle gardait les yeux rivés sur les lettres qui se brouillaient.

« Tenez, buvez. On dirait que vous en avez besoin. »

C'était de l'eau-de-vie dans un petit verre. Elle n'avait même pas remarqué que Roed avait pris le flacon et l'avait servie mais elle accepta avec reconnaissance. Elle avala une gorgée et sentit la chaleur de l'alcool la détendre. Elle ne protesta pas quand il ramassa le billet et le lut. Sans le regarder, elle parvint à articuler : « Les autres seront-ils au courant ? »

Roed s'assit avec désinvolture au coin du bureau. « Il y a beaucoup de Marchands dans cette ville qui gardent des liens étroits avec leurs parents du désert des Pluies. Il y a d'autres oiseaux en chemin avec les mêmes nouvelles. Comptez là-dessus ! »

Elle dut lever les yeux pour le voir sourire. « Que vais-je faire ? » s'entendit-elle demander, puis elle se maudit. Avec cette unique question, elle s'en remettait entièrement à lui.

« Rien, répondit-il. Rien, pour le moment. »

*
* *

Ronica ouvrit la porte de la chambre de Davad. Ses mules étaient encore humides. La solide porte du cabinet de travail avait trop bien étouffé la conversation entre la Compagne et son visiteur, et sa sortie dans le jardin avait été infructueuse. Les fenêtres du bureau étaient bien fermées. Ronica embrassa du regard la pièce en soupirant. Elle aurait tant voulu être chez elle. Peut-être était-elle plus en sécurité ici mais sa maison, si dévastée qu'elle soit, lui manquait. Elle se sentait une intruse ici. Elle trouva Rache en train de frotter le sol, apparemment décidée à effacer toute trace de Davad. Ronica referma sans bruit la porte derrière elle.

« Je sais que tu ne supportes pas d'être ici, dans la maison de Davad, au milieu de ses affaires. Tu n'es pas obligée de rester, tu sais, dit-elle avec douceur. Je suis tout à fait capable de m'occuper de moi. Tu ne me dois rien. Tu peux aller ton chemin, Rache, sans trop craindre d'être reprise comme esclave en fuite. Naturellement, si tu veux demeurer avec moi, j'en serais ravie. Ou, si tu le souhaites, je pourrais te donner une lettre avec des indications pour te rendre à la ferme des Atres. Tu pourrais t'y installer. Je suis sûre que ma vieille nounou t'accueillera volontiers et elle sera probablement enchantée de ta compagnie. »

Rache lâcha son chiffon dans le seau et se remit debout avec raideur. « Je n'abandonnerai pas la seule personne qui m'ait témoigné de la bonté à Terrilville, déclara-t-elle. Peut-être pouvez-vous prendre soin de vous-même mais vous avez quand même besoin de moi. Je me moque complètement de la mémoire de Davad Restart. Qu'importe qu'il ait été un traître quand je sais, moi, qu'il était un assassin ? Mais je ne veux pas vous voir diffamée simplement à cause des liens que vous aviez avec lui. D'ailleurs, j'ai des nouvelles pour vous.

— Merci », dit Ronica avec raideur. Davad avait été un vieil ami de la famille et elle avait toujours reconnu son côté impitoyable. Pourtant, Davad était-il entièrement responsable de la mort de l'enfant de Rache ? Il est vrai, l'argent de Davad les avait achetés et il était copropriétaire du transport d'esclaves. Mais il n'était pas là quand le garçon était mort dans la cale du navire, terrassé par la chaleur, l'eau croupie et le manque de nourriture. Néanmoins, c'était lui qui avait profité du commerce d'esclaves, alors peut-être était-il responsable. Elle se sentait mal à l'aise. Qu'en était-il alors de la *Vivacia* et des esclaves qui constituaient sa cargaison ? Elle pouvait rejeter la faute sur son gendre. Le navire appartenait à Keffria, et sa fille avait laissé son mari Kyle en user à sa guise. Mais Ronica avait-elle vraiment résisté ? Elle s'y était opposée mais, qui sait ? si elle s'était montrée plus intransigeante…

« Vous voulez entendre mes nouvelles ? » demanda Rache.

Ronica émergea en sursaut de sa rêverie. « Certainement. » Elle s'approcha du foyer et inspecta la bouilloire sur la plaque. « On boit un peu de tisane ?

— Il n'y en a presque plus », prévint Rache.

Ronica haussa les épaules. « Quand il n'y en aura plus, il n'y en aura plus. À quoi bon la laisser s'éventer par crainte d'en manquer ? » Elle saisit la petite boîte de tisane et en secoua quelques feuilles dans le pot. Elles prenaient leurs repas à la table de Sérille mais, ici, dans les chambres, Ronica aimait bien avoir sa propre théière. Rache avait subtilisé avec désinvolture de la cuisine de Davad tasses, soucoupes et autres menus ustensiles. Elle les disposa sur la table.

« Je suis sortie ce matin. Je suis allée sur les quais, discrètement bien sûr, mais il ne s'y passe pas grand-chose. Les petits navires qui parviennent à entrer déchargent et rechargent vite, avec des hommes armés qui surveillent tout le temps. Il y avait un seul Nouveau Marchand, probablement plusieurs familles qui se sont associées dans l'entreprise. La cargaison paraissait principalement constituée de vivres. Deux autres navires m'ont paru appartenir à des Premiers Marchands mais je ne me suis pas suffisamment approchée pour en être sûre. La vivenef *Ophélie* mouille dans le port mais à l'ancre, pas amarrée au quai. Il y avait des hommes armés sur le pont.

« J'ai quitté le port. Ensuite, je suis allée sur la plage, comme vous l'aviez suggéré, où les pêcheurs tirent au sec leurs barques. Là, c'était plus animé, bien qu'il y eût moins de bateaux que d'habitude. Cinq ou six canots, des pêcheurs qui triaient leurs prises et ramendaient leurs filets. Je leur ai proposé de travailler en échange d'un peu de poisson mais ils m'ont accueillie froidement. Pas impolis, remarquez, mais distants, comme si je pouvais leur attirer des ennuis ou les voler. Ils n'arrêtaient pas de regarder derrière moi, comme s'ils pensaient que je faisais de la diversion au profit d'un comparse mal intentionné. Mais au bout d'un moment, ils ont bien vu que j'étais seule, et certains m'ont prise en pitié. Ils m'ont tendu deux petits carrelets et ont un peu bavardé avec moi.

— Qui t'a offert les carrelets ?

— Une femme du nom de Eke. C'est son père qui lui a dit de les donner et quand quelqu'un a paru sur le point de protester, il a dit : "Faut bien manger, Ange." Le nom du pêcheur généreux, c'est Kelter. Un costaud, avec un ventre comme une barrique, une barbe rousse et des poils roux sur les bras mais pas très chevelu.

— Kelter. » Ronica fouilla dans sa mémoire. « Pelé Kelter. Est-ce qu'on ne l'a pas appelé "Pelé" ? »

Rache acquiesça d'un signe de tête. « Mais je croyais que c'était pour le taquiner, je ne savais pas que c'était son nom. »

Ronica fronça les sourcils. La bouilloire chantait, et la vapeur s'échappait du bec. Elle la souleva et versa l'eau dans la théière. « Pelé Kelter. J'ai entendu ce nom quelque part mais je n'en sais pas plus sur lui.

— D'après ce que j'ai vu, c'est notre homme. Je ne lui ai pas parlé, bien sûr. Je crois qu'il faut y aller doucement et prudemment. Mais si vous cherchez un homme qui puisse représenter les familles de Trois-Navires, je crois que c'est le bon.

— Bien. » Le ton de Ronica manifestait sa satisfaction. « Le Conseil se réunit ce soir. J'ai l'intention de divulguer les informations dont je dispose,
et d'insister pour qu'on rétablisse l'union avec le
reste des habitants de la ville. Je ne sais pas si je
réussirai. C'est tellement décourageant de constater qu'ils sont si peu nombreux à avoir agi. Mais
j'essaierai. »

Le silence se prolongea quelques minutes.
Ronica sirotait sa tisane.

« Et s'ils ne vous écoutent pas, alors vous renon-
cerez ? demanda Rache.

— Je ne peux pas », répondit Ronica simplement. Puis elle eut un petit rire amer. « Car si je
renonce, je n'aurai plus rien à faire. Rache, c'est le
seul moyen que j'aie d'aider ma famille. Si je puis
être le taon qui pique Terrilville pour la pousser à
agir, alors Keffria et les enfants pourront rentrer en
toute sécurité. Au pire, je serai peut-être en mesure
de leur envoyer des nouvelles ou d'en recevoir.
Les choses étant ce qu'elles sont, avec les bagarres
sporadiques dans les rues et mes voisins qui se
méfient les uns des autres, sans compter qu'on
m'accuse de trahison, leur retour est impossible.
Et si, par miracle, Althéa et Brashen arrivent à
ramener Vivacia, alors il leur faudra un foyer pour
les accueillir. J'ai l'impression d'être une jon-
gleuse, Rache, avec toutes ces massues qui me
pleuvent dessus. Je dois en attraper le plus possible et essayer de les relancer. Si je n'en suis pas
capable, c'est que je ne suis qu'une vieille vivant
au jour le jour, à attendre la fin. C'est le seul espoir
que j'aie de reprendre ma vie en main. » Elle reposa
sa tasse, qui tinta doucement contre la soucoupe.

« Regarde-moi, poursuivit-elle à mi-voix. Je n'ai même pas une tasse à moi. Les membres de ma famille… morts, ou si loin que je ne sais rien d'eux. Tout ce que je considérais comme allant de soi m'a été enlevé ; rien dans ma vie n'est comme je m'y attendais. On n'est pas fait pour vivre ainsi… »

Sous le regard de Rache, Ronica laissa sa phrase en suspens. Elle se rappela subitement à qui elle s'adressait. Elle prononça les derniers mots sans réfléchir. « Ton mari a été vendu avant toi et envoyé en Chalcède. As-tu jamais songé à le rechercher ? »

Rache prit sa tasse au creux de ses mains en baissant les yeux. Ses cils se mouillèrent mais les larmes ne coulèrent pas. Durant un long moment, Ronica contempla la raie droite et pâle qui séparait les cheveux bruns.

« Je suis désolée…, commença-t-elle.

— Non, dit Rache d'une voix douce mais ferme. Non, je ne le rechercherai jamais. Car j'aime à penser qu'il a trouvé un bon maître qui le traite bien, grâce à ses talents de scribe. Je peux espérer qu'il croit son fils et sa femme sains et saufs, quelque part. Mais si j'allais en Chalcède, avec cette marque sur ma figure, on aurait tôt fait de me reprendre comme esclave fugitive. Je redeviendrais une chose. Et même si je n'étais pas reprise, que je le retrouve en vie, il faudrait que je lui dise comment est mort notre fils. Comment il est mort et pourquoi, moi, j'ai survécu. Comment pourrais-je le lui expliquer ? J'ai beau essayer d'imaginer, ça ne donne jamais rien de bon. Si vous allez jusqu'au bout, Ronica, ça se termine toujours dans l'amertume. Non. Si sombre que soit la situation maintenant, c'est quand même la meilleure conclusion que je puisse espérer.

— Je suis désolée », répéta piteusement Ronica. Si elle avait eu de l'argent, si elle avait eu un navire, elle aurait pu envoyer quelqu'un en Chalcède pour rechercher le mari de Rache, le racheter et le ramener. Alors…, eh bien, ils pourraient vivre tous deux en sachant leur fils mort. Mais il y aurait peut-être d'autres enfants. Ronica le savait. Ephron et elle avaient perdu leurs fils lors de la Peste sanguine, mais après, Althéa était venue au monde. Elle ne dit rien mais se fit une promesse, et adressa un vœu à Sâ. Si la chance tournait en sa faveur, elle ferait son possible pour changer aussi le sort de Rache. C'était bien le moins qu'elle puisse faire pour cette femme qui était à ses côtés depuis si longtemps.

D'abord, elle devait reprendre en main son propre sort. Il était temps qu'elle assume sa tâche périlleuse au lieu de laisser les autres agir à sa place.

« Je ne fais aucun progrès avec Sérille, dit-elle brusquement. C'est le moment ou jamais de faire fond sur ce que je sais, quoi que décide le Conseil ce soir. Demain très tôt, j'irai avec toi voir les pêcheurs sur la plage. Il faudra les attraper avant qu'ils ne partent à la pêche. Je m'entretiendrai avec Pelé Kelter et lui demanderai de parler aux familles de Trois-Navires. Je leur dirai qu'il est temps non seulement de faire la paix mais de proclamer l'autonomie de Terrilville. Nous aurons besoin de tout le monde, pas seulement des Premiers Marchands. Les immigrants de Trois-Navires, même les Nouveaux Marchands qu'on peut convaincre de vivre selon nos anciennes coutumes. Pas d'esclavage. Tous doivent participer à la reconstruction de la nouvelle Terrilville. » Elle marqua une pause pour réfléchir. « Si seulement je connaissais ne serait-ce qu'un seul Nouveau Marchand qui soit digne de confiance, marmonna-t-elle pour elle-même.

— Tous, dit Rache à mi-voix.

— Tous les Nouveaux Marchands ? demanda Ronica interloquée.

— Vous avez dit qu'ils doivent tous faire partie de cette nouvelle ville. Pourtant, il y a un groupe que vous avez oublié. »

Ronica songea un moment. « Quand je parle de Trois-Navires, j'entends tous les gens qui sont venus s'installer ici après que les Marchands ont fondé la ville. Tous ceux qui sont venus et ont adopté notre façon de vivre.

— Réfléchissez, Ronica. Vous ne nous voyez vraiment pas, alors que nous sommes là ? »

Ronica ferma les yeux. En les rouvrant, elle croisa avec franchise le regard de Rache. « J'ai honte. Tu as raison. Connais-tu quelqu'un qui pourrait représenter les esclaves ? »

Rache la dévisagea posément. « Ne nous appelez pas esclaves. Esclaves, c'est ainsi qu'ils nous nommaient pour chercher à faire de nous ce que nous n'étions pas. Entre nous, nous nous appelons les Tatoués. Cela exprime qu'ils ont marqué notre visage, mais que notre âme ne leur appartient pas.

— Vous avez un chef ?

— Pas exactement. Quand Ambre était à Terrilville, elle nous a indiqué le moyen de nous tirer d'affaire tout seuls. Dans chaque foyer, disait-elle, trouvez quelqu'un qui sera le détenteur d'informations. Tout renseignement utile, destiné à faciliter la fuite, ou à ménager un peu de temps libre, par exemple une porte à la serrure cassée, ou l'endroit où le maître garde de l'argent dont on peut s'emparer discrètement, eh bien, ce renseignement est transmis au détenteur. Puis un autre, qui fait le marché ou la lessive, ou n'importe quoi qui l'amène en ville entre en contact avec les Tatoués de diverses maisons. Il transmet les informations et rapporte d'autres nouvelles.

« Ainsi, un Tatoué sachant qu'un maître expédie une charrette de grains peut profiter de l'occasion pour envoyer des nouvelles à sa famille ou à ses amis qui travaillent sur cette ferme. Ou voler de l'argent à un maître et le cacher dans une charrette de foin pour pouvoir s'échapper. Ambre nous a persuadés de ne pas compter sur un seul chef mais d'en avoir plusieurs, comme les nœuds sur un filet de pêche. Un chef peut être capturé, torturé et nous trahir tous. Mais si les dirigeants sont dispersés, c'est comme un filet : quand on le coupe en deux, il y a encore beaucoup de nœuds dans chaque moitié.

— Ambre a fait tout ça ? Ambre la fabricante de perles ? » s'enquit Ronica. Rache confirma d'un hochement de tête. « Pourquoi ? »

L'affranchie haussa les épaules. « Certains disent qu'elle a été elle-même esclave, bien qu'elle n'ait pas de tatouage. Elle porte un anneau de liberté à l'oreille, vous savez, l'anneau que les esclaves affranchis de Chalcède doivent acheter et arborer pour prouver qu'on leur a accordé la liberté. Je lui ai demandé une fois si elle avait acquis sa liberté ou si l'anneau avait appartenu à sa mère. Elle n'a pas répondu tout de suite, puis elle a fini par dire que c'était un cadeau de son unique amour. Quand je lui ai demandé pourquoi elle nous aidait, elle a répliqué simplement qu'elle le devait. Que, pour des raisons personnelles, c'était important pour elle.

« Une fois, un homme s'est emporté contre elle. Il a dit que c'était bien facile pour elle de jouer à prendre des risques et de pousser à la rébellion. D'après lui, elle pouvait nous exposer à un grand danger et s'en sortir elle-même sans dommage. Son tatouage était peut-être effacé, mais pas les nôtres. Ambre l'a regardé dans les yeux et a répondu que oui, c'était vrai. Alors il a dit qu'il ne lui ferait pas confiance tant qu'elle n'aurait pas expliqué pourquoi elle faisait tout ça. C'était si bizarre. Elle s'est assise sur les talons, immobile et silencieuse pendant un bon moment. Puis elle a ri et a déclaré : "Je suis un prophète. J'ai été envoyée pour sauver le monde." »

Rache sourit pour elle-même. Il y eut un silence, Ronica la contemplait, consternée. Puis l'esclave inclina la tête et dit d'une voix songeuse : « Ce qui nous a fait rire. On était tous rassemblés à un lavoir, à lessiver du linge qui n'était pas à nous. Vous m'aviez envoyée en ville faire une course et je m'étais arrêtée pour bavarder. C'était une belle journée ensoleillée et, à écouter ses discours, ses projets, on avait l'impression qu'il était vraiment possible de retrouver une vie à nous. Tout le monde a cru qu'elle plaisantait quand elle a parlé de sauver le monde. Mais son rire… J'ai toujours pensé qu'elle avait ri parce qu'elle savait qu'elle ne risquait rien à nous dire la vérité, car personne ne la croirait. »

Ronica cheminait vers la salle du Conseil des Marchands. Elle était assez avertie pour ne pas attendre de la Compagne Sérille qu'elle lui fournisse un moyen de transport. Elle avait quitté tôt la maison de Davad, elle avait une longue marche à faire et elle voulait arriver parmi les premiers. Elle espérait parler en particulier aux Marchands à mesure de leur arrivée et les sonder sur les éventuelles décisions à prendre. Le trajet n'était ni facile ni sûr. Rache avait voulu l'accompagner mais Ronica avait insisté pour qu'elle restât. À quoi bon courir des risques toutes les deux ? L'esclave affranchie ne serait pas admise à la réunion du Conseil et Ronica ne voulait pas qu'elle attende dehors, à la nuit tombante. Elle espérait trouver une voiture pour rentrer quand la séance serait achevée. Le vent froid d'automne la tiraillait par ses vêtements tandis que la situation qu'elle découvrit au cours de sa marche lui tiraillait le cœur.

Son chemin ne la conduisait pas au centre de la ville, car la salle du Conseil avait été construite sur une petite hauteur qui surplombait Terrilville. Elle passa devant de nombreuses propriétés de Marchands. Les portails et les larges allées carrossables qui menaient aux demeures étaient à présent barricadés et souvent gardés par des hommes en armes. Aucune maison n'était à l'abri des bandes de vagabonds, de voleurs et de pillards. Les gardes la suivaient des yeux d'un air hostile. Personne ne la salua seulement d'un signe de tête.

Ronica arriva la première pour la réunion du Conseil. La salle avait subi autant de dégâts que la ville elle-même. Le vieux bâtiment était davantage qu'un lieu de réunion. C'était le cœur de l'unité des Marchands, un symbole. Les murs de pierre étaient à l'épreuve des flammes mais on avait réussi à mettre le feu au toit. Ronica resta un moment à le contempler, consternée. Puis elle rassembla son courage pour affronter ce qui l'attendait, et gravit les marches. Les portes avaient été défoncées. Elle scruta l'intérieur avec précaution. Seule une partie de la toiture avait brûlé mais la salle empestait la fumée et l'humidité. Une pâle lumière de fin d'après-midi filtrait par la brèche du toit et éclairait la salle vide. Ronica poussa la porte au loquet cassé et s'avança prudemment. Il faisait froid. Les décorations moisies du bal d'Été pendaient encore sur les murs et frémissaient dans le courant d'air. Les guirlandes sur les voûtes des portes n'étaient plus que des branchages dénudés, dont les feuilles pourrissaient sur le sol. Tables, chaises et estrade étaient toujours en place. Il restait même quelques plats épars qui avaient échappé au pillage. Des bouquets achevaient de moisir à côté de vases brisés. Ronica regardait autour d'elle avec une consternation croissante. Où étaient passés ceux qui avaient pour tâche de préparer la salle pour les réunions ? Qu'étaient devenus les Marchands désignés pour l'entretenir ? Avaient-ils tous rejeté leurs responsabilités pour ne se soucier que de leur petite personne ?

Elle attendit un moment dans la salle froide et obscure. Puis la pagaille, le désordre environnants finirent par entamer son calme. Dans sa jeunesse,

Ephron et elle s'étaient occupés de l'entretien de la salle pendant un trimestre. Presque tous les jeunes couples de Marchands faisaient de même. Avec un singulier pincement au cœur, elle se rappela que Davad et Dorille étaient de service avec eux. Ils venaient en avance aux réunions du Conseil pour alimenter les lampes, allumer le feu, et restaient après pour balayer et essuyer les bancs de bois avec des chiffons imprégnés d'huile. Alors, c'était une besogne simple et agréable accomplie avec d'autres jeunes couples. Le souvenir de cette époque fut la pierre de touche qui mit son courage à l'épreuve.

Elle trouva balais, chandelles et lampe à huile à leur emplacement habituel. Elle fut un peu rassérénée en découvrant que le débarras n'avait pas été pillé. Ce qui signifiait que les vols avaient été commis par des esclaves ou des Nouveaux Marchands puisque toutes les familles de Marchands savaient où étaient entreposés les ustensiles de ménage. Il lui était impossible de remettre toute la salle en état mais elle pouvait commencer à l'arranger un peu.

D'abord, il lui fallait de la lumière. Elle grimpa sur une chaise pour remplir et allumer les appliques. Leurs flammes vacillèrent dans le courant d'air et éclairèrent les feuilles et la terre tombées avec des débris du toit calciné. Elle rassembla les plats dans une cuvette qu'elle mit de côté. Puis elle retira les bannières humides, les guirlandes dénudées qu'elle roula en tas dans un coin. Le balai qu'elle prit ensuite paraissait une arme bien dérisoire pour venir à bout des monceaux de détritus qui jonchaient le sol mais elle se mit à l'œuvre de bon cœur. Cela lui faisait du bien de s'atteler à un travail physique. Elle pouvait au moins voir les résultats immédiats de ses efforts et de sa volonté. Elle se surprit à fredonner la chanson du vieux balai en poussant en cadence les détritus. Elle avait l'impression d'entendre la douce voix d'alto de Dorille reprendre le refrain monotone.

Le crissement de son balai couvrit le bruit des pas. Elle s'aperçut de la présence des autres quand deux femmes la rejoignirent avec leurs balais. Surprise, elle s'arrêta pour regarder autour d'elle. À l'entrée, des Marchands se serraient les uns contre les autres. Quelques-uns la contemplaient avec des yeux caves, les épaules voûtées, tandis que d'autres passaient devant eux. Deux hommes entrèrent les bras chargés de bois pour le feu. Des jeunes gens se groupèrent pour emporter hors de la salle les bannières qui sentaient le moisi. Soudain, tel un amas de débris qui cède à la force du courant, les gens qui étaient à l'entrée se déversèrent à l'intérieur. Certains se mirent à déplacer bancs et chaises pour les installer en vue de la réunion du Conseil. On alluma des lampes supplémentaires, et le brouhaha des conversations commença à remplir la salle. Un premier rire résonna et le bourdonnement s'interrompit un instant, comme si tout le monde était surpris par ce bruit inconnu. Puis les bavardages reprirent et il sembla à Ronica que les gens s'animaient.

Elle regarda voisins et amis qui l'entouraient. Ceux qui se rassemblaient ici étaient les descendants des colons qui avaient débarqué, jadis, sur les Rivages Maudits avec guère plus que leurs octrois de terre et la charte du Gouverneur Esclepius. Bannis, hors-la-loi, fils cadets, c'étaient leurs ancêtres. Sans grand espoir de faire ou refaire fortune à Jamaillia, ils étaient venus tenter leur chance sur les Rivages Maudits, sinistrement nommés. Leurs premières colonies avaient échoué, condamnées par l'étrangeté inquiétante que le fleuve du désert des Pluies paraissait charrier dans ses eaux. Ils avaient progressé plus avant, s'éloignant de ce qui leur avait paru une voie navigable pleine de promesses pour s'installer ici, sur la côte, dans la Baie de Terrilville.

Certains parmi leurs parents étaient restés, ils avaient bravé l'étrangeté de la vie le long de ce fleuve des Pluies qui marquait de son empreinte ceux qui peuplaient ses rives, mais il n'était pas de vrai Marchand qui oubliât qu'ils appartenaient tous à la même lignée, qu'ils étaient tous liés par la même charte. Pour la première fois depuis la nuit des émeutes, Ronica entrevit cette unité. Les visages paraissaient plus las, plus âgés et soucieux. D'aucuns portaient leurs robes de Marchand, aux couleurs de leur famille, tandis que les autres, aussi nombreux, étaient vêtus de façon ordinaire. Manifestement, elle n'était pas la seule à avoir perdu ses biens dans le pillage. À présent, ils s'affairaient à arranger la salle avec l'obstination et l'esprit pratique qui les caractérisaient. Quoi qu'il advienne, c'étaient des gens qui avaient dominé des circonstances adverses et qui les domineraient encore. Elle reprit espoir tout en reconnaissant tristement qu'ils étaient bien peu à la saluer.

On marmonnait de vagues bonjours et les menus propos que tiennent des gens occupés à la même tâche mais personne ne cherchait à engager sérieusement la conversation avec elle. Plus décourageant encore, personne ne s'enquit de Malta ni de Keffria. Elle n'avait pas escompté qu'on pleurât avec elle la mort de Davad mais elle constatait à présent que les événements qui s'étaient déroulés cette nuit-là semblaient être le sujet interdit.

Enfin, la salle remise sommairement en état, les membres du Conseil commencèrent à prendre place sur l'estrade tandis que les familles occupaient chaises et bancs. Ronica s'assit au troisième rang. Elle ne se départit pas de son impassibilité bien qu'elle soit blessée de voir que les places à côté d'elle restaient vides. En regardant derrière elle, elle fut effrayée par le nombre de sièges vacants. Où étaient-ils tous passés ? Morts, en fuite, ou trop apeurés pour sortir ? Elle promena le regard sur les membres du Conseil en robes blanches et remarqua avec consternation qu'on avait rajouté un siège sur l'estrade. Pire, au lieu d'appeler les Marchands à se préparer pour l'ouverture de la séance, on attendait son occupant.

Les murmures se fondirent en un grand silence et Ronica tourna la tête. La Compagne Sérille faisait son entrée. Le Marchand Drur l'escortait mais ne lui donnait pas le bras, elle le précédait d'un demi-pas. Elle portait une robe bleu paon constellée de perles et une cape écarlate bordée de fourrure blanche qui balayait la poussière derrière elle. Elle avait relevé haut ses cheveux, attachés par des épingles garnies de perles. Des perles, encore, autour du cou et aux oreilles luisaient d'un chaud reflet nacré. Cette opulence affichée avec une telle désinvolture scandalisa Ronica. La Compagne ignorait-elle donc que certains dans l'assemblée avaient quasiment tout perdu ? Pourquoi exhibait-elle ainsi ses trésors ?

*

* *

Sérille entendait le sang battre à ses oreilles tandis qu'elle remontait posément l'allée qui menait à l'estrade, au centre de la salle détériorée. Il y flottait une terrible odeur de pluie et de moisi. Il faisait froid. Elle se félicita d'avoir revêtu la cape choisie dans la garde-robe de Keki. Le menton haut, un sourire plaqué sur le visage, elle représentait le véritable gouvernement de Terrilville. Elle ferait respecter le Gouvernorat de Jamaillia avec plus de dignité et de noblesse que Cosgo ne l'avait jamais fait. Son calme leur donnerait du courage, tandis que la somptuosité de sa mise leur rappellerait l'éminence de sa position. C'était une leçon qu'elle avait retenue du vieux Gouverneur. Chaque fois qu'il se rendait à une séance de négociations délicates, il se présentait en grand apparat, l'allure sereine. Le faste rassure.

D'un petit geste, elle fit arrêter Drur au bas des marches. Seule, elle gravit les degrés de l'estrade. Elle s'avança vers le siège qu'ils avaient laissé libre pour elle. Elle fut légèrement contrariée qu'il n'ait pas été surélevé mais il faudrait s'en contenter. Elle resta debout en silence près de son fauteuil jusqu'à ce que les hommes sentent son déplaisir. Elle attendit qu'ils se soient tous levés avant de s'asseoir elle-même, puis elle adressa à la ronde un petit hochement de tête signifiant par là au public

– qui n'avait pourtant pas bougé à son entrée – qu'il pouvait se donner relâche.

Elle parla tout bas au Marchand Duicker, le chef du Conseil. « Vous pouvez commencer. » Elle resta assise durant la brève prière par laquelle il suppliait Sâ de leur accorder la sagesse, en ces temps incertains. Suivit un silence. Sérille le laissa se prolonger. Elle voulait être certaine d'avoir toute leur attention avant de s'adresser à eux. Mais à sa surprise, le Marchand Duicker s'éclaircit la gorge. Il embrassa du regard l'assemblée et secoua lentement la tête. « Je ne sais trop par quoi commencer, dit-il avec une brusque franchise. Nous sommes confrontés à de tels désordres et dissensions. À tant de besoins. Depuis que la Compagne Sérille a donné son accord pour cette réunion et que nous l'avons annoncée, j'ai été submergé de propositions concernant des questions à régler. Notre ville, notre Terrilville… (Ici sa voix se brisa. Il se racla à nouveau la gorge et reprit son aplomb.) Jamais notre ville n'a été aussi sérieusement assaillie à la fois de l'intérieur et de l'extérieur. Notre seule solution c'est de rester unis, comme nous l'avons toujours été, comme l'étaient nos ancêtres avant nous. En gardant cela à l'esprit, les membres du Conseil se sont réunis en privé et ont adopté quelques mesures préliminaires qu'ils souhaiteraient promulguer. Nous croyons que ces mesures serviront l'intérêt général. Nous les présentons à votre approbation. »

Sérille réprima un froncement de sourcils. Elle n'avait pas été avertie de tout ceci. Ils avaient établi un plan de relèvement sans elle ? Elle eut peine à tenir sa langue et à attendre son heure.

« À deux reprises déjà dans notre histoire, nous avons imposé un moratoire sur les créances et les saisies. Puisque nous l'avons institué lors du Grand Incendie qui a laissé tant de familles sans abri, et durant la Sécheresse de Deux Ans, il est de circonstance aujourd'hui. Les intérêts des créances et contrats continueront à courir mais aucun Marchand ne pourra confisquer les biens d'un autre Marchand, ni exiger le recouvrement d'une dette jusqu'à la levée du moratoire par le Conseil. »

Sérille observait les visages. Il y eut des murmures dans la salle mais personne n'éleva d'objection. Elle en fut surprise. Elle avait cru que le profit opportuniste était derrière la plupart des pillages. Les Marchands s'en écartaient-ils maintenant ?

« Deuxièmement, toutes les familles Marchandes doubleront leurs jours de service communal, sans possibilité de s'y soustraire en rachetant leurs obligations. Tout Marchand, tout membre de famille Marchande âgé de plus de quinze ans devra accomplir personnellement son service. Les tâches à effectuer seront tirées au sort mais nous porterons d'abord nos efforts sur le port, les quais et les rues, afin que le commerce puisse se rétablir. »

Nouveau silence, bref. Là encore, il n'y eut pas d'objection. L'attention de Sérille fut attirée par le léger mouvement d'un membre du Conseil. Elle jeta un rapide coup d'œil sur le rouleau de papier qu'il avait devant lui, où il avait noté simplement : « Approuvé à l'unanimité. » Ce silence était donc une approbation ?

Elle promena un regard incrédule sur l'assistance. Il se passait quelque chose ici, dans cette salle. Ces gens se relevaient d'eux-mêmes et en s'unissant trouvaient la force de prendre un nouveau départ. Ce qui aurait été réconfortant s'ils n'avaient pas été en train d'agir sans elle. Tandis que ses yeux erraient dans l'assemblée, elle remarqua que certains s'étaient redressés. Les parents se tenaient la main et tenaient la main de leurs enfants. Les jeunes gens et quelques femmes affichaient un air de détermination. Son regard s'arrêta sur Ronica Vestrit. Elle était assise dans les premiers rangs, vêtue de sa robe usée et du châle de son amie disparue. Ses yeux perçants étaient rivés sur Sérille et étincelaient de satisfaction.

Le Marchand Duicker continua son discours. Il demanda des jeunes volontaires pour renforcer la Garde, énumérant les limites de la zone à contrôler. À l'intérieur de ce périmètre, les commerçants étaient incités à reprendre le cours normal de leurs affaires, de façon que le négoce puisse repartir. Sérille commençait à discerner leur méthode. Ils allaient rétablir l'ordre dans une partie de la ville, tenter d'y ramener la vie en espérant que la régénération fasse tache d'huile.

Quand il eut achevé, elle crut qu'il allait s'en remettre à son avis. Mais une vingtaine de Marchands se levèrent en silence, attendant qu'on leur donne la parole.

Ronica Vestrit était parmi eux.

Sérille surprit tout le monde, y compris elle-même, en se redressant. Aussitôt, tous les regards convergèrent vers elle. Tout ce qu'elle avait prévu de dire s'était envolé. Elle ne savait qu'une chose : il fallait que, d'une façon ou d'une autre, elle réaffirme le pouvoir du Gouverneur et par là même le sien. Elle devait empêcher Ronica Vestrit de parler. Elle avait cru s'assurer le silence de cette femme plus tôt, au cours d'un entretien avec Roed Caern. En voyant comment le système de Terrilville avait recommencé à fonctionner, elle ne comptait plus guère sur Roed. Le pouvoir que les gens s'arrogeaient ici l'étonnait. Caern ne pèserait pas lourd si Ronica parvenait à se faire écouter.

Elle n'attendit pas que le Marchand Duicker lui donne la parole. Elle avait été stupide de le laisser ouvrir la séance. Elle aurait dû prendre les rênes dès le début. Elle regardait à présent autour d'elle, hochait la tête, souriait jusqu'à ce que les gens debout se rassoient. Elle s'éclaircit la gorge.

« Aujourd'hui, c'est un beau jour pour Jamaillia, déclara-t-elle. Terrilville a été qualifiée joyau de la couronne du Gouvernorat, et à juste titre. Au cœur de l'adversité, loin de sombrer dans l'anarchie et le désordre, les habitants de Terrilville se rassemblent parmi les ruines et défendent la civilisation dont ils sont issus. » Suivit une longue harangue où elle chercha à faire vibrer des accents patriotiques. À un moment, elle se saisit du parchemin qui était posé devant le Marchand Duicker et le tint devant elle. Elle en fit l'éloge, disant que Jamaillia était fondée elle aussi sur ce même sens de la responsabilité civique. Elle laissait son regard errer sur l'assemblée tandis qu'elle tentait de s'attribuer quelque mérite dans l'élaboration de ces mesures mais, en son for intérieur, elle doutait d'abuser quiconque. Elle continua de pérorer. Elle se penchait vers eux, croisait leurs regards, s'exprimait avec ferveur alors que son cœur ne cessait de trembler. Ils n'avaient besoin ni de Gouverneur ni de Gouvernorat. Ils n'avaient pas besoin d'elle.

Et dès qu'ils l'auraient compris, elle serait perdue. Tout le pouvoir qu'elle croyait avoir amassé se dissiperait, elle ne serait plus qu'une femme sans ressources dans un pays étranger, le jouet du sort. Elle ne pouvait permettre que cela se produise.

Elle commençait à avoir la gorge sèche, sa voix se mit à chevroter, et elle chercha désespérément une conclusion. En respirant profondément, elle déclara : « Vous avez pris un départ courageux, ce soir. Maintenant, la nuit descend sur notre ville, nous ne devons pas oublier que des nuages noirs nous menacent encore. Retournez dans la sécurité de vos foyers. Restez-y et attendez qu'on vous indique sur quoi doivent porter vos efforts. Au nom du Gouverneur, votre chef, je vous félicite et vous remercie pour le courage que vous avez montré. En rentrant chez vous ce soir, pensez à lui. Sans les menaces qui pèsent sur lui, il serait ici en personne ce soir. Il vous adresse ses meilleurs vœux. » Elle reprit haleine et se tourna vers le Marchand Duicker. « Peut-être devriez-vous dire une prière finale d'action de grâce à Sâ avant que nous nous dispersions. »

Il se leva, les sourcils froncés. Elle lui adressa un sourire d'encouragement et le vit perdre la bataille. Il se tourna vers l'assemblée des Marchands et inspira avant de commencer.

« Conseil, je voudrais parler avant que la séance soit ajournée. Je demande que la mort inique de Davad Restart soit examinée. » C'était Ronica Vestrit.

Le Marchand Duicker s'en étouffa. L'espace d'un instant, Sérille crut qu'elle avait perdu la partie. Mais Roed Caern se leva d'un mouvement fluide.

« Conseil, je soutiens que Ronica Vestrit n'a pas l'autorité pour s'exprimer ici. Elle n'est plus la Marchande de la famille Vestrit, encore moins de celle de Restart. Qu'elle se rasseye. À moins que cette question ne soit soulevée par un Marchand légitime, le Conseil n'est pas tenu de l'examiner. »

La vieille femme restait obstinément debout, deux taches rouges sur les pommettes. Elle maîtrisa sa colère et déclara d'une voix claire : « La Marchande de la famille ne peut pas parler en notre nom. L'attentat dont nous avons été victimes l'a forcée à se cacher avec ses enfants. En conséquence, je réclame la parole. »

Duicker réussit à reprendre son souffle. « Ronica Vestrit, avez-vous une autorisation écrite de Keffria Vestrit pour parler en qualité de Marchande de la famille ? »

Un silence. Alors : « Non, président du Conseil Duicker, je n'en ai pas », admit Ronica.

Duicker parvint à contenir son soulagement. « Alors, conformément à nos lois, je crains que nous ne puissions vous entendre. Pour chaque famille, un seul Marchand a droit de parole et de vote. Si vous obtenez cette procuration, dûment attestée, et que vous revenez à la prochaine réunion, alors peut-être pourrons-nous vous entendre. »

Ronica se laissa retomber lentement sur son siège. Mais le répit de Sérille fut de courte durée. D'autres Marchands se levèrent et Duicker leur donna la parole l'un après l'autre. Le premier demanda si le quai numéro Sept pourrait être réparé en priorité, car il offrait le meilleur amarrage pour les navires à fort tirant d'eau. D'autres agréèrent rapidement la demande et des volontaires se proposèrent tour à tour pour se charger de la tâche.

Les suggestions se succédèrent. Certaines se rapportaient aux affaires publiques, d'autres étaient d'ordre privé. Un Marchand se leva pour offrir de la place dans son entrepôt à ceux qui voudraient bien l'aider à y effectuer de sommaires réparations et à le surveiller durant la nuit. Trois bénévoles se déclarèrent sans attendre. Un autre possédait des attelages de bœufs mais n'avait plus de quoi les nourrir. Il proposait leur travail en échange de leur nourriture pour les garder en vie. Lui aussi recueillit plusieurs offres. La soirée était fort avancée mais les Marchands ne manifestaient aucun désir de rentrer chez eux. Sous les yeux de Sérille, Terrilville se ressoudait. Ses espérances de pouvoir et d'influence s'éteignaient.

Elle avait presque cessé d'écouter les débats quand un Marchand à la mine sombre se leva et demanda : « Pourquoi nous tient-on dans l'ignorance de ce qui a déclenché ce désastre ? Qu'est devenu le Gouverneur ? Savons-nous qui le menaçait ? Avons-nous pris contact avec Jamaillia pour nous expliquer ? »

Une autre voix s'éleva. « Jamaillia connaît-elle notre situation ? A-t-elle proposé d'envoyer des navires et des hommes pour nous aider à chasser les Chalcédiens ? »

Toutes les têtes se tournèrent vers la Compagne. Pire, le Marchand Duicker lui adressa un petit signe pour l'inciter à répondre. Elle rassembla précipitamment ses idées et se leva. « Pour raisons de sécurité, on ne peut pas révéler grand-chose, commença-t-elle. Il n'y a pas de moyen pratique d'envoyer des nouvelles à Jamaillia sans risquer qu'elles soient interceptées. En outre, nous ne savons pas au juste à qui nous pouvons faire confiance ici. Pour le moment, il vaut mieux ne divulguer à personne le lieu de résidence du Gouverneur. Pas même à Jamaillia. » Elle leur sourit chaleureusement, comme si elle ne doutait pas de leur compréhension.

« Je pose la question, poursuivit laborieusement le Marchand, parce que hier j'ai reçu un message par un oiseau qui venait de Trois-Noues m'avertissant que le paiement des denrées que j'ai expédiées là-bas serait différé. Il y a eu un tremblement de terre, un sérieux. Ils ignoraient encore l'étendue des dégâts quand ils m'ont envoyé l'oiseau mais ils précisaient que le *Kendri* serait certainement retardé. » L'homme haussa une épaule osseuse. « Est-on sûr que le Gouverneur est sain et sauf ? »

Un instant, la langue de Sérille n'eut plus de prise sur ses pensées. Alors Roed Caern se leva gracieusement pour réclamer la parole. « Marchand Ricter, je crois que nous ne devrions pas spéculer sur ce sujet, au risque de faire courir des bruits. S'il était arrivé quelque chose de fâcheux, nous aurions reçu des nouvelles. Pour le moment, je propose que nous ajournions toutes les questions concernant le Gouverneur. Sa sécurité est tout de même plus importante que notre curiosité. » Il avait la particularité de se tenir debout avec une épaule légèrement plus haute que l'autre. Il se tourna en parlant, évoquant un peu le charme et l'arrogance d'un chat bien griffu. Ses paroles ne contenaient aucune menace mais, d'une certaine façon, c'eût été le provoquer que de s'enquérir plus avant du Gouverneur. Un petit frisson de malaise parut se propager autour de lui. Il prit son temps pour regagner sa place comme s'il laissait l'assemblée méditer sur son intervention. Nul ne souleva plus la question du Gouverneur.

Quelques Marchands se levèrent à leur tour pour aborder des affaires mineures, se proposant de veiller à l'éclairage des rues ou autres, mais on sentait que la réunion touchait à sa fin. Sérille était partagée entre la déception et le soulagement que ce soit terminé quand un homme en robe bleu foncé se dressa tout au fond de la salle.

« Le fils de Marchand Grag Tenira, annonça-t-il lui-même quand Duicker hésita sur son nom. Et j'ai l'autorisation, écrite et attestée, de parler au nom de ma famille. Je parle au nom de Tomie Tenira.

— Faites, alors », admit Duicker.

Le fils de Marchand hésita, prit une inspiration. « Je propose que nous désignions trois Marchands pour examiner la mort de Davad Restart et la succession de ses biens. Je déclare mon intérêt dans cette affaire car il y a de l'argent dû par la propriété à la famille Tenira. »

Roed Caern se remit debout, trop vite cette fois. « Cela vaut-il la peine que nous perdions notre temps ? demanda-t-il. Toutes les dettes sont suspendues pour le moment. Cela a été approuvé au début de la réunion. D'ailleurs, en quoi le recouvrement d'une dette influe-t-il sur la nature du décès du débiteur ? »

Grag Tenira ne parut pas démonté par le raisonnement. « Un héritage n'est pas une dette, je crois. Si la propriété a été confisquée, alors nous devons renoncer à l'espoir de récupérer jamais notre dû. Mais si la propriété a un héritier, nous avons intérêt à le savoir, et à veiller que la succession ait lieu avant qu'elle ne soit… dépréciée. » « Dépréciée », ce fut le mot qu'il employa mais « pillée » se devinait dans son intonation. Sérille ne put maîtriser le rose qui lui monta aux joues. La bouche sèche, elle était incapable de parler. C'était bien pire qu'être ignorée : il l'avait pratiquement accusée de vol.

Le Marchand Duicker ne sembla pas remarquer sa détresse. Il ne sembla même pas se rendre compte que c'était à elle de répondre. Il s'adossa à son siège et dit gravement : « Un groupe de trois Marchands pour examiner la question, la requête paraît raisonnable, d'autant qu'un membre de famille Marchande a déjà exprimé sa préoccupation sur le sujet. Y a-t-il des volontaires sans lien avec l'affaire ? »

Et la question fut promptement réglée. Sérille ne reconnut même pas les noms retenus par Duicker. Il y avait une jeune femme mal fagotée qui tenait un enfant gigotant dans ses bras, un vieil homme à la face couturée de cicatrices qui s'appuyait sur une canne. Comment exercer une quelconque influence sur des gens pareils ? Elle eut l'impression de rapetisser sur son siège alors qu'un sentiment d'échec et de honte la submergeait. La honte la confondit par son intensité et entraîna le désespoir dans son sillage. D'une façon ou d'une autre, tout se tenait. C'était le pouvoir que les hommes pouvaient prendre sur elle. Elle entrevit l'expression de Ronica Vestrit. La compassion qu'elle lut dans les yeux de la vieille dame l'horrifia. Était-elle tombée si bas que même ses ennemis qui la mettaient en pièces avaient pitié d'elle ? Ses oreilles se mirent à tinter subitement et la salle s'obscurcit autour d'elle.

*
* *

Ronica était assise, menue et silencieuse. Ils feraient pour Grag Tenira ce qu'ils ne feraient pas pour elle. Ils allaient enquêter sur la mort de Davad. C'est cela l'important, se dit-elle.

Elle fut tirée de ses pensées en remarquant la pâleur subite de la Compagne. Allait-elle s'évanouir ? D'une certaine façon, elle avait pitié d'elle. Elle était étrangère, prise dans la tourmente de cette guerre civile, sans espoir de s'en dégager. En outre, elle semblait prisonnière de son rôle de Compagne. Ronica devinait qu'à une époque Sérille avait été moins simple qu'elle n'en avait l'air mais, pour une raison ou une autre, cette femme-là avait disparu. Il était tout de même difficile de plaindre quelqu'un obsédé à ce point par le pouvoir et prêt à tout pour le conserver.

Elle observait la Compagne qui se faisait toute petite et discrète et elle remarqua à peine que la réunion était terminée. Le Marchand Duicker conclut avec une dernière prière à Sâ, demandant au dieu de la force et le remerciant de leur avoir laissé la vie. Les voix qui firent écho à la sienne étaient plus fortes que dans la prière d'ouverture. C'était bon signe. Tout ce qui s'était passé ici ce soir avait été bon pour Terrilville.

La Compagne Sérille s'en alla au bras de Roed Caern. Le grand et beau fils de Marchand avait l'air furieux en l'escortant pour sortir de la salle. Plusieurs têtes se tournèrent pour les suivre des yeux. À les voir, on aurait presque dit un couple tout près de la dispute conjugale. Ronica n'aima guère l'expression angoissée qui marquait le visage de la Compagne. Caern exerçait-il une quelconque contrainte sur elle ?

Elle n'eut pas l'impudence de se précipiter sur leurs talons pour leur demander de la prendre en voiture, pourtant elle aurait donné cher pour entendre ce qu'ils se disaient en chemin. Mais, en s'enveloppant dans le châle de Dorille, elle songea avec effroi à la longue marche jusqu'à la maison de Davad. Dehors, c'était une froide nuit d'automne. La route serait rude, obscure, et plus périlleuse que par le passé. Allons, on n'y pouvait rien. Plus tôt elle partirait, plus tôt elle serait arrivée.

Dehors, une méchante petite brise lui cingla le visage. Les gens grimpaient dans les voitures et les charrettes ou rentraient chez eux en groupe, éclairés de lanternes et armés de cannes. Elle n'avait pensé à apporter ni l'une ni l'autre. Se reprochant sa négligence, elle commença à descendre les marches. En bas, une silhouette sortit de l'ombre et lui effleura le bras. Elle eut un hoquet de surprise.

« Je vous demande pardon, s'empressa de dire Grag Tenira. Je ne voulais pas vous faire peur. Je désirais simplement m'assurer que vous aviez un moyen sûr de rentrer chez vous. »

Ronica eut un rire tremblant. « Je vous remercie de votre sollicitude, Grag. Je n'ai plus de chez-moi. Ni d'autre moyen de rentrer que mes pieds. Je loge à la maison Restart, depuis que la mienne a été saccagée. Et je profite de mon séjour là-bas pour faire des recherches sur les transactions que Davad a passées avec les Nouveaux Marchands. Je suis persuadée que, si la Compagne voulait bien m'entendre, elle verrait que Davad n'était pas un traître. Pas plus que moi. »

Les mots s'échappaient et elle parvint, mais un peu tard, à maîtriser sa langue. Néanmoins, Grag l'écoutait avec gravité et hochait la tête. Quand elle se tut, il proposa : « Si la Compagne ne veut pas prêter attention à vos recherches, nous sommes plusieurs à nous y intéresser. J'ai beau douter de la loyauté de Davad Restart, je n'ai jamais mis en question la fidélité de la famille Vestrit à Terrilville, même si vous avez un peu trempé dans le trafic d'esclaves. »

Ronica ne put que baisser la tête et se mordre la langue, car c'était la vérité. Ce n'était peut-être pas de son fait, mais le navire de sa famille était devenu transport d'esclaves. Et il avait été perdu à cause de cela.

Elle prit une inspiration. « Je serais heureuse de vous montrer, à vous et à ceux qui seraient intéressés, ce que j'ai trouvé. J'ai entendu dire que le Nouveau Marchand Mingslai avait fait des propositions de trêve. Pour ce qui concerne ses relations d'affaires prolongées avec Davad, je me demande s'il ne cherchait pas à acheter les Premiers Marchands pour les rallier à sa façon de penser.

— Je serais ravi de voir les registres. Mais, ce soir, je serais encore plus ravi de vous accompagner pour rentrer, où que ce soit. Je n'ai pas de voiture mais mon cheval peut nous porter tous les deux, si vous ne voyez pas d'inconvénient à monter en croupe.

— Je vous en serais très reconnaissante. Mais pourquoi ?

— Pourquoi ? » Grag parut surpris par la question.

« Oui, pourquoi ? » Ronica adopta le ton plein de bravoure de la vieille dame qui ne s'embarrasse plus de mondanités. « Pourquoi faire un détour pour moi ? Ma fille Althéa a refusé votre main. Ma réputation à Terrilville est douteuse. Pourquoi risquer la vôtre en vous associant à moi ? Pourquoi insister pour qu'on enquête sur la mort de Davad ? Qu'est-ce qui motive vos actes, Grag Tenira ? »

Il inclina la tête. Quand il la releva, une torche éclaira ses yeux sombres et dessina son profil. Il sourit tristement et Ronica se demanda comment sa fille avait pu fermer son cœur à ce jeune homme. « Vous posez une question directe et je vais vous dire la vérité. Je me sens moi-même quelque peu responsable de la mort de Davad et de votre malheur de cette nuit-là. Non à cause de ce que j'ai fait, mais à cause de ce que je n'ai pas fait. Quant à Althéa… (Il eut un grand sourire.) Peut-être que je ne renonce pas aussi facilement. Peut-être gagnerai-je le chemin de son cœur en étant poli avec sa mère. (Il éclata de rire.) Sâ m'est témoin, j'ai tout essayé. Une recommandation venant de vous sera peut-être la clé qui m'ouvrira son cœur. Venez. Mon cheval est par là. »

7

LE NAVIRE DRAGON

Il resta un moment lové, oublieux de tout, reposant dans un isolement feutré, comme dans le sein maternel. Hiémain n'avait conscience que de son corps. Il y œuvrait comme il avait jadis œuvré à son vitrail. La seule différence, c'était qu'il s'agissait plus d'une restauration que d'une création. Il trouvait dans son travail un plaisir serein, qui faisait vaguement écho à des souvenirs d'enfance, quand il empilait des cubes. Les tâches qui se présentaient à lui étaient simples, évidentes, et la besogne répétitive ; il ne faisait qu'ordonner à son corps d'accomplir plus rapidement ce qu'il aurait fini par effectuer de lui-même. La concentration et la volonté de son esprit accéléraient le travail acharné de son corps. Le reste de sa vie s'était effacé dans un silence absolu. Il ne songeait qu'à réparer l'animal qu'il habitait. C'était un peu comme se trouver dans une petite chambre douillette tandis qu'au-dehors se déchaîne une violente tempête.

Assez ! grommela le dragon.

Hiémain se recroquevilla davantage devant son irritation. « Je n'ai pas fini », plaida-t-il.

Non. Le reste se fera tout seul, si tu nourris ton corps et que tu l'encourages de temps en temps. Je n'ai que trop tardé à cause de toi. Tu es assez fort maintenant pour que nous affrontions tous ce que nous sommes. Et c'est ce que nous allons faire.

Ce fut comme si on l'avait attrapé et projeté en l'air. Tel un chat affolé, il battit des bras et griffa dans tous les sens, cherchant à se raccrocher à quelque chose, n'importe quoi. Il trouva Vivacia.

Hiémain !

Son exclamation ne fut pas un cri de joie articulé mais une brusque vibration à l'instant où elle reprenait contact. Ils étaient réunis et dans cette réunion ils étaient à nouveau complets. Elle pouvait le sentir ; éprouver ses émotions, percevoir les odeurs avec son nez, goûter avec sa bouche, sentir par sa peau. Elle connaissait sa douleur et souffrait atrocement pour lui. Elle connaissait ses pensées et…

Quand on tombe en rêve, on se réveille toujours avant le choc. Pas cette fois-ci. Le réveil de Hiémain fut le choc. L'amour, la dévotion qu'elle lui portait se heurtèrent à la connaissance angoissée qu'il avait de la nature de Vivacia. Il lui renvoyait, dans ses pensées, le reflet d'un visage de cadavre. Dès qu'elle se vit dans ce miroir, elle ne put en détacher les yeux. Il était prisonnier avec elle dans cette contemplation, il se sentit tiré de plus en plus profond dans le désespoir de Vivacia. Il plongea avec elle dans l'abîme.

Elle n'était pas Vivacia, pas vraiment. Elle n'avait jamais été que la vie dérobée d'un dragon. Sa pseudo-vie était accrochée aux restes de la mort d'un dragon. En réalité, elle n'avait pas le droit d'exister. Les ouvriers du désert des Pluies avaient éventré le cocon du dragon en pleine métamorphose. On avait jeté le germe de sa vie, il avait péri en se tordant sur la dalle froide, tandis que les fils de mémoire et de connaissance qui l'avaient enrobé étaient arrachés et découpés en planches pour construire des vivenefs.

La vie lutte pour continuer, à tout prix. Un ouragan abat un arbre dans la forêt ; des rameaux jaillissent de son tronc. Une graine minuscule parmi les cailloux, et le sable va saisir une gouttelette de rosée et faire germer une provocante pousse verte. Immergées dans l'eau salée, bombardées des souvenirs et des émotions des humains qui montaient la vivenef, les fibres de la mémoire dans son bordage avaient cherché à s'aligner dans un semblant d'ordre. Elles avaient accepté le nom qu'on avait donné au navire ; elles s'étaient appliquées à saisir la signification de ce qu'elles vivaient à présent. Vivacia avait fini par s'éveiller. Mais le fier navire et sa superbe figure de proue ne faisaient pas véritablement partie de la famille Vestrit. Non. Sa vie à elle était une vie volée. Elle n'était qu'une demi-créature, moins que cela, un être improvisé, bricolé à partir de volontés humaines et de souvenirs de dragon enseveli, un être asexué, immortel et, en fin de compte, insignifiant. Un esclave. On avait utilisé les souvenirs volés d'un dragon pour créer un grand esclave de bois.

Le hurlement déchirant qui s'échappa de Vivacia arracha Hiémain à l'inconscience. Il roula sur lui-même, tomba par terre, atterrit lourdement sur les genoux, à côté de la couchette. Etta qui était à son chevet se réveilla en sursaut. « Hiémain ! s'écria-t-elle horrifiée en le voyant se relever.

Attends ! Non, tu n'es pas bien. Couche-toi. Reviens ! » Il sortit en titubant, suivi par ses cris, et se dirigea vers le gaillard d'avant. Il entendit des bruits provenant de la chambre du capitaine, Kennit qui hurlait qu'on lui apporte sa béquille et de la lumière. « Etta, tonnerre ! Où es-tu quand j'ai besoin de toi ? », mais Hiémain ne s'y arrêta pas davantage. Seulement couvert d'un drap, il boitait et l'air de la nuit brûlait sa peau qui se cicatrisait. Des matelots de quart ahuris s'interpellaient. L'un attrapa une lanterne et le suivit. Hiémain ne fit pas attention à lui. Il gravit les degrés qui menaient au gaillard d'avant en deux foulées qui déchirèrent sa peau, et il se précipita en avant jusqu'à se pendre pratiquement par-dessus la lisse.

« Vivacia ! s'écria-t-il. Je t'en prie. Ce n'est pas ta faute, jamais. Vivacia ! »

La figure de proue se lacérait. Les grands doigts de bois s'entortillaient dans les boucles noires et tentaient de les arracher. Elle se labourait les joues de ses ongles, s'enfonçait les doigts dans les yeux. « Pas moi ! » cria-t-elle au ciel nocturne. « Jamais moi ! ô, Sâ tout-puissant, je ne suis qu'un bouffon obscène, une abomination à tes yeux. Laisse-moi partir, alors ! Laisse-moi être morte ! »

Gankis avait suivi Hiémain. « Qu'est-ce qui ne va pas, mon garçon ? De quoi souffre le navire ? » demanda le vieux pirate, mais Hiémain n'avait d'yeux que pour la vivenef. La lumière jaune de la lanterne révélait une vision d'horreur. Les ongles de Vivacia avaient beau creuser des sillons sur les joues parfaites, la chair fibreuse se refermait aussitôt. Les cheveux qu'elle s'arrachait flottaient dans ses mains, étaient absorbés et sa crinière restait aussi épaisse et brillante qu'avant. Hiémain contemplait, épouvanté, ce cycle de destruction et de renaissance. « Vivacia ! » répéta-t-il, et il s'élança de tout son être en elle, cherchant à la réconforter, à la calmer.

Le dragon l'y attendait. Il le repoussa aussi facilement qu'il s'enroula autour de Vivacia et l'étreignit. C'était l'esprit qui provoquait le désir de mourir du navire. *Non. Pas après toutes ces années de répression, tous ces siècles de silence et d'immobilité. Je ne veux pas être mort. Si c'est l'unique vie que nous pouvons avoir, alors nous la vivrons. Reste tranquille, petite esclave. Partage cette vie avec moi, ou que c'en soit fini de toi !*

Hiémain était pétrifié. En ce lieu qu'il ne pouvait atteindre qu'en esprit, un conflit terrible se déroulait. Le dragon se battait pour vivre alors que le navire luttait pour les faire mourir tous les deux. Il avait l'impression que son être infime était un chiffon que deux chiens se disputaient entre eux. Il était écartelé, déchiré dans leur poigne alors que l'un et l'autre revendiquaient sa loyauté et emportaient son esprit. Vivacia le retenait dans son amour et son désespoir. Elle le connaissait si bien ; il la connaissait si bien, comment son cœur pouvait-il être différent de celui du navire ? Elle le tira à elle ; ils vacillèrent, sur le point de sauter volontairement dans la mort. L'oubli total les tenait, leur faisait signe. C'était, le persuadait-elle, la seule solution. Que leur restait-il ? Cet éternel sentiment d'injustice, ce terrible fardeau d'une vie volée ; allait-il choisir cela ?

« Hiémain ! » dit Kennit d'une voix entrecoupée, en se hissant sur l'échelle vers le gaillard d'avant.

Hiémain se retourna mollement pour le regarder. La chemise de nuit à demi rentrée dans les culottes se gonflait autour du pirate dans la brise du soir. Son pied unique était nu. Dans un petit coin de sa tête, Hiémain remarqua qu'il n'avait jamais vu Kennit aussi débraillé. Il y avait une peur panique dans le regard du capitaine, toujours si froid et sardonique. *Il nous sent*, pensa Hiémain. *Il commence à se lier à nous. Il sent qu'il se passe quelque chose, et ça l'effraie.*

Etta passa la béquille au capitaine. Il s'en saisit et traversa le pont en se balançant pour rejoindre Hiémain. Il lui empoigna l'épaule et cette étreinte était l'étreinte de la vie, qui le retenait de sauter dans la mort. « Qu'est-ce que tu fais, mon garçon ? » demanda-t-il, furieux. Puis sa voix s'altéra : il regardait, horrifié, au-delà de Hiémain. « Dieu des Poissons, qu'as-tu fait à mon navire ! »

Le garçon se retourna vers la figure de proue. Vivacia s'était contorsionnée pour contempler la foule des matelots inquiets qui s'amassait sur le pont. Un homme poussa un cri perçant quand les yeux de la vivenef se mirent à chatoyer d'une lueur verte. La couleur tourbillonnait tandis que les pupilles étaient plus noires que la nuit. Elle n'avait plus visage humain. Ses mèches noires qui flottaient dans la brise ressemblaient davantage à un nid grouillant de serpents. Les dents qu'elle leur montrait dans une parodie de sourire étaient trop blanches. « Si je ne peux pas vaincre, dit-elle en exprimant les pensées du dragon, alors personne ne vaincra. »

Lentement, elle se détourna. Elle leva ses bras écartés comme pour embrasser la mer. Puis toujours avec la même lenteur elle les baissa pour étreindre la coque du navire derrière elle.

Hiémain ! Hiémain ! Au secours ! Vivacia ne suppliait que dans l'esprit du garçon ; elle n'avait plus la maîtrise de la bouche ni de la voix de la figure de proue. *Meurs avec moi !* supplia-t-elle. Il faillit lui obéir. Il faillit la suivre dans l'abîme. Mais, au dernier moment, il en fut incapable.

« Je veux vivre ! s'entendit-il crier dans la nuit. Je t'en prie, je t'en prie, laisse-nous vivre ! » Il crut un instant que ses paroles avaient ébranlé la résolution de Vivacia.

Un silence étrange suivit son exclamation. Même la brise nocturne parut retenir son souffle. Il prit conscience que, quelque part, un matelot bredouillait une prière enfantine, puis un autre bruit, plus faible, lui parvint aux oreilles. C'était un craquettement continu, comme le bruit de la glace qui se fendille sur un lac quand on s'aventure trop loin.

« Elle est partie, souffla Etta. Vivacia est partie. »

En effet. Même à la pâle clarté de la lanterne, le changement était évident. Les couleurs, l'apparence de la vie avaient quitté la figure de proue. Aussi gris qu'une pierre tombale était devenu le bois de son dos et de ses cheveux. Nul souffle de vie ne l'animait. Les boucles sculptées étaient figées, insensibles à la caresse de la brise. La peau était aussi délavée qu'une vieille palissade. Hiémain la chercha à tâtons dans son esprit. Il saisit une trace pâlissante de son désespoir, telle une odeur qui s'évapore dans l'air. Puis même cela disparut, comme si on avait claqué une porte entre eux.

« Le dragon ? » marmonna-t-il pour lui-même. Mais s'il était toujours à l'intérieur de son esprit, il s'était trop bien caché pour être perçu par les pauvres sens de Hiémain.

Il respira à fond puis soupira. Seul dans sa tête, à nouveau ; depuis combien de temps n'avait-il eu en lui ses seules pensées ? Après un instant, il prit conscience de son corps. L'air frais irritait ses brûlures. Ses genoux flageolaient, et il se serait effondré sur le pont si Etta ne l'avait soutenu de son bras passé autour de lui. Il s'affaissa contre elle. Le contact sur sa peau toute neuve réveilla la douleur mais il était trop faible pour avoir même un mouvement de recul.

Etta regardait d'un air affligé au-delà de lui, vers Kennit. Hiémain suivit la direction de son regard. Jamais il n'avait vu un homme aussi accablé de chagrin. Le pirate se penchait loin au-dessus de la lisse de proue, les yeux rivés au profil de Vivacia, les traits figés de souffrance. Des rides que Hiémain n'avait jamais remarquées paraissaient gravées sur sa figure. Le noir de ses cheveux brillants et de sa moustache tranchait sur son teint cireux. Kennit était plus diminué par le trépas de Vivacia que par la perte de sa jambe. L'homme vieillissait à vue d'œil.

Il tourna la tête et croisa le regard de Hiémain. « Elle est morte ? demanda-t-il, rigide. Une vivenef peut mourir ? » Ses yeux imploraient une réponse négative.

« Je ne sais pas, reconnut Hiémain avec réticence. Je ne la sens plus. Plus du tout. » Le vide en lui était trop terrifiant pour qu'il le jauge. Pire qu'une dent tombée, plus mutilant que son doigt manquant. Son absence, c'était une crevasse terrible, béante. Et il avait pu une fois souhaiter cela ? Il fallait qu'il ait été fou !

Kennit se retourna brusquement vers la figure de proue. « Vivacia ? » appela-t-il sur un ton interrogateur. Puis il hurla : « Vivacia ! » du cri furieux, désolé d'un amant éconduit. « Tu ne peux pas me laisser maintenant ! Tu ne peux pas avoir disparu ! »

Même la légère brise s'apaisa. Sur le pont, le silence était absolu. L'équipage paraissait aussi abattu par le chagrin de son capitaine que par le trépas de la vivenef. Etta rompit le silence.

« Viens, dit-elle à Kennit. Il n'y a plus rien à faire ici. Hiémain et toi devriez descendre pour parler. Il a besoin de manger et de boire. Il ne devrait pas être debout. Ensemble, vous pourrez réfléchir sur ce qu'il faut faire maintenant. »

Hiémain comprit ses intentions. L'attitude du capitaine ébranlait l'équipage. Il valait mieux qu'il disparaisse de leur vue jusqu'à ce qu'il se soit ressaisi. « Je vous en prie », croassa Hiémain en joignant sa prière à celle d'Etta. Il fallait qu'il s'éloigne de cette figure de proue affreuse, immobile, grise. La regarder, c'était pire que contempler un cadavre en décomposition.

Kennit leur jeta un regard égaré, comme s'ils étaient des étrangers. Ses yeux se ternirent soudain, alors qu'il reprenait son sang-froid. « Très bien. Fais-le descendre et occupe-toi de lui. » Sa voix était dénuée de toute émotion. Il reporta son attention sur l'équipage. « Retournez à vos postes », marmonna-t-il. Ils ne réagirent pas immédiatement. Quelques physionomies exprimaient de la compassion mais la plupart des hommes le dévisageaient vaguement comme s'ils ne le connaissaient pas. « Et leste ! » dit-il d'une voix cassante. Il n'avait pas haussé le ton mais l'intonation les poussa à se ruer pour obéir. L'instant d'après, le gaillard d'avant était déserté, ne restaient que Hiémain, Etta et Kennit.

Elle attendit le pirate qui avançait gauchement, en déplaçant sa béquille qu'il finit par ajuster sous son bras. Il s'éloigna de la lisse en sautillant et se précipita vers l'échelle.

« Allez l'aider, chuchota Hiémain. Je peux me débrouiller. » Elle acquiesça d'un simple hochement de tête. Elle le laissa pour s'occuper de Kennit. L'unijambiste accepta son assistance sans protester, ce qui ne lui ressemblait pas plus que sa récente manifestation d'émotion. En voyant avec quelle tendresse Etta l'aidait à descendre, Hiémain ressentit d'une façon plus aiguë encore son propre isolement. « Vivacia ? » s'enquit-il à mi-voix dans la nuit. Le vent soupira en l'effleurant, lui rappelant sa peau brûlée et sa nudité. Mais il avait été dépouillé de Vivacia comme de sa propre peau, ne restait plus qu'une souffrance d'une autre nature. La nudité de son corps n'était rien en comparaison de sa solitude dans la nuit. Durant un instant de vertige, il saisit l'immensité de la mer et de l'univers autour de lui. Il n'était qu'un atome de vie sur ce pont de bois ballotté par les vagues. Avant, il avait toujours perçu la taille de Vivacia, sa force qui le protégeaient du monde dans son ensemble. Il ne s'était pas senti aussi petit et abandonné depuis que tout enfant il avait quitté la maison.

« Sâ », murmura-t-il, sachant qu'il devait être capable d'atteindre son dieu pour être consolé. Sâ avait toujours été là pour lui, bien longtemps avant qu'il n'ait embarqué et se soit lié au navire. Autrefois, il avait été persuadé d'être destiné à la prêtrise. Maintenant, alors qu'il se tendait pour atteindre à l'effroi sacré, il comprit qu'en prononçant ce mot, il ne faisait que prier pour que Vivacia lui soit rendue. Il eut honte. Son navire avait-il donc remplacé son dieu ? Croyait-il vraiment qu'il ne pourrait vivre sans elle ? Il s'agenouilla sur le pont enténébré, mais ce n'était pas pour prier. Ses mains glissèrent sur le bois à l'aveuglette. Là. Les taches devaient se trouver là, où son sang s'était mêlé aux bordés et les avait unis dans un lien qu'il ne partageait avec personne d'autre. Mais quand sa main mutilée découvrit l'empreinte sanglante, ce fut par la vue, non par le toucher. Car il ne sentait rien d'autre sous sa paume que la fine texture du bois-sorcier. Il ne percevait rien du tout.

« Hiémain ? »

Etta était revenue le chercher. Debout sur l'échelle, elle regardait fixement le garçon à croupetons sur le pont. « Je viens », répondit-il, et il se releva d'un bond.

*
* *

« Tu veux encore du vin ? » demanda-t-elle à Hiémain.

Le gamin secoua la tête sans mot dire. D'un gamin, assurément, il avait l'apparence, enroulé dans un drap propre tiré du lit de Kennit. Etta le lui avait tendu quand elle l'avait entraîné, titubant, dans la cabine. Sa peau qui se desquamait ne tolérait pas le contact des vêtements. Maintenant, il était perché incommodément sur une chaise de l'autre côté de la table où était assis Kennit. Etta voyait bien qu'il ne pouvait trouver aucune position susceptible de le soulager. Il avait mangé un peu mais n'en semblait pas revigoré pour autant. Aux endroits rongés par le venin, la peau était écarlate et luisante. Avec les plaques rouges et pelées sur sa tête tondue, il lui évoquait un chien galeux. Mais le pire, c'était son regard morne. Ses yeux reflétaient le chagrin et la solitude qui habitaient ceux de Kennit.

En face de Hiémain, le pirate était échevelé, la chemise à demi boutonnée. Lui si soucieux de son apparence, il semblait l'avoir complètement oubliée. Etta pouvait à peine supporter de regarder l'homme qu'elle avait aimé. Depuis qu'elle le connaissait, il avait d'abord été un simple client, puis l'homme qu'elle avait désiré. Quand il l'avait emmenée, elle avait pensé que rien ne pourrait lui donner plus de joie. La nuit où il lui avait dit qu'il l'aimait, sa vie en avait été transformée. Elle l'avait vu grandir, passer de capitaine d'un seul vaisseau à commandant d'une flotte de navires pirates. Bien plus, les gens l'acclamaient à présent comme le roi des Îles des Pirates. Elle avait cru l'avoir perdu durant la tempête, quand il avait plié à sa volonté la mer et le serpent, car elle ne pouvait être digne d'un homme choisi par Sâ pour accomplir un grand destin. Elle avait pleuré sa grandeur, pensa-t-elle, honteuse. Il s'était élevé et elle en avait été jalouse, elle avait redouté qu'il lui fût enlevé.

Mais cela, c'était mille fois pire

Ni bataille, ni blessure, ni tempête ne lui avaient fait perdre courage. Jamais, jusqu'à cette nuit, elle ne l'avait vu hésitant ou égaré. Même à présent, il se tenait droit, il buvait sec son eau-de-vie, les épaules carrées, la main ferme. Cependant, quelque chose avait disparu en lui. Elle en avait été témoin, elle avait vu cette chose s'écouler avec la vie du navire. Il était de bois, comme l'était devenue Vivacia. Elle craignait de le toucher de peur de découvrir que sa chair était aussi dure et solide que le pont.

Il se racla la gorge. Hiémain lui lança un regard comme apeuré.

« Alors. » Le mot était aussi tranchant qu'une lame. « Tu crois qu'elle est morte. Comment ? Qu'est-ce qui l'a tuée ? »

Ce fut au tour de Hiémain de s'éclaircir la gorge, avec un petit chevrotement. « C'est moi. C'est-à-dire. C'est ce que j'ai appris qui l'a tuée. Ou ça l'a entraînée si loin au tréfonds d'elle-même qu'elle n'a pas pu revenir jusqu'à nous. » Il déglutit, il luttait sans doute contre les larmes. « Peut-être a-t-elle simplement compris qu'elle avait toujours été morte. Peut-être était-ce seulement parce que je la croyais vivante qu'elle restait en vie. »

Kennit reposa brutalement son verre sur la table avec un bruit sec. « Ne dis pas n'importe quoi, gronda-t-il, hargneux.

— Pardon, commandant. J'essaie d'expliquer. » Le garçon se frotta les yeux d'une main tremblante. « C'est long, c'est embrouillé. Mes souvenirs se mélangent avec mes rêves. Je m'en suis toujours douté, je crois. Dès que j'ai été en contact avec le serpent, tous mes soupçons sont brusquement venus s'ajouter à ce qu'il savait. Et j'ai su. » Hiémain leva les yeux, croisa le regard de Kennit et blêmit devant la fureur aveugle qui se lisait sur le visage du pirate. Il poursuivit précipitamment. « Quand j'ai découvert le serpent prisonnier dans l'île des Autres, j'ai d'abord cru que c'était un animal pris au piège. Rien de plus. Il était malheureux, j'ai décidé de le délivrer, comme je l'aurais fait pour n'importe quelle bête. Aucune créature de Sâ ne devrait subir un sort si cruel. Pendant que j'essayais de le délivrer, j'ai eu l'impression qu'il était plus intelligent qu'un ours ou un chat. Il savait ce que je faisais. J'ai réussi à retirer plusieurs barreaux et il s'est échappé. Mais en passant près de moi, il m'a frôlé. Cela m'a brûlé. Au même moment, je l'*ai reconnu*. C'est comme si un pont s'était créé entre nous, comme le lien que je partage avec le navire. J'ai connu ses pensées et il a connu les miennes. » Il respira à fond et se pencha sur la table. Dans ses yeux se lisait le désir désespéré d'être cru.

« Kennit, les serpents sont des œufs de dragon. Pour je ne sais quelle raison, ils ont été emprisonnés dans leur forme marine, incapables de retourner à leurs lieux de métamorphose pour devenir des dragons à part entière. Je n'ai pas pu tout saisir. J'ai vu des images, j'ai pensé à travers lui mais c'est difficile d'exprimer tout cela avec des mots. Quand je suis retourné à bord de la *Vivacia*, je savais que la vivenef était destinée à devenir un dragon. J'ignore comment. Il y a des étapes entre un serpent et un dragon, une période durant laquelle le serpent est enrobé d'une sorte de peau dure. Je crois que c'est ça, la nature du bois-sorcier :

l'enveloppe d'un dragon avant sa métamorphose. Pour je ne sais quelle raison, les Marchands du désert des Pluies l'ont transformé en navire. Ils ont tué le dragon, ont découpé son enveloppe en planches pour construire une vivenef. »

Kennit tendit le bras vers le flacon d'eau-de-vie. Il saisit le goulot comme s'il voulait l'étrangler. « N'importe quoi ! Ce que tu dis ne peut pas être vrai ! » Il leva le flacon et, l'espace d'un instant effrayant, Etta crut qu'il allait faire sauter la cervelle du garçon. Elle devina à l'expression de Hiémain qu'il redoutait la même chose. Mais il ne broncha pas. Il resta en silence à attendre le coup, presque comme s'il accueillait volontiers la mort. Mais Kennit se contenta de se verser de l'eau-de-vie qui déborda un peu sur la nappe blanche. Sans s'en préoccuper, il leva le verre et l'avala d'un trait.

Sa colère est trop violente, pensa soudain Etta. *Il y a quelque chose d'autre là-dessous. Quelque chose de plus profond et de plus douloureux que la perte de Vivacia.*

Hiémain continua, le souffle entrecoupé. « Je peux seulement vous dire ce que je crois, commandant. Si ce n'était pas vrai, je ne pense pas que Vivacia l'aurait cru au point d'en mourir. Une partie d'elle a toujours su. Un dragon dormait en elle depuis toujours. C'est notre contact avec le serpent qui l'a réveillé. Le dragon a été furieux de découvrir ce qu'il était devenu. Quand j'étais inconscient, il a exigé que je l'aide à partager la vie du navire. Je… » Il hésita. Il passa quelque chose sous silence quand il poursuivit : « Le dragon m'a réveillé aujourd'hui. Il m'a réveillé et m'a forcé à entrer en contact avec Vivacia. Je m'étais empêché de communiquer avec elle car je ne voulais pas qu'elle apprenne ce que je savais, c'est-à-dire qu'elle n'avait jamais été vraiment vivante. Elle était la coquille morte d'un dragon oublié que, d'une façon ou d'une autre, ma famille a accaparé pour servir ses propres fins. »

Kennit inspira sèchement par les narines. Il se laissa aller en arrière sur son siège et fit taire le garçon d'un geste impérieux. « Et c'est ça, le secret des vivenefs ? railla-t-il. Impossible. Quiconque a connu une vivenef refuserait de croire à ces absurdités. Un dragon à l'intérieur d'elle ! Un navire en peau de dragon ! Tu as les idées brouillées, mon garçon. Ta maladie t'a détraqué la cervelle. »

Mais Etta, elle, le croyait. La présence du navire lui avait limé les nerfs depuis qu'elle avait mis le pied sur le pont. Maintenant, tout s'éclairait. Comme un instrument qu'on a accordé, l'hypothèse était en harmonie avec ses intuitions. C'était vrai. Il y avait toujours eu un dragon à l'intérieur de Vivacia.

D'ailleurs, Kennit le savait. Etta l'avait déjà surpris à mentir ; elle l'avait entendu lui mentir à elle. Mais elle ne l'avait jamais vu se mentir à lui-même. Il n'était pas très doué pour ça. Il était trahi par la trémulation de sa main alors qu'il se versait une nouvelle rasade d'eau-de-vie.

En reposant son verre, il déclara abruptement : « Pour ce que je dois faire, il me faut une vivenef. Il faut que je la ramène à la vie.

— Je ne crois pas que ce soit en votre pouvoir », répondit doucement Hiémain.

Kennit grommela : « Tu perds bien vite ta foi en moi. Il n'y a pas si longtemps, ne croyais-tu pas que j'étais l'Élu de Sâ ? Il y a quelques semaines à peine, n'as-tu pas parlé en mon nom, en proclamant que j'étais destiné à être leur roi, s'ils savaient se montrer dignes de moi ? Ah ! Une foi si petite, si fragile, qui casse à la première épreuve. Écoutemoi, Hiémain Vestrit. J'ai arpenté le rivage de l'île des Autres, et leur prédiction a confirmé mon destin. D'un mot j'ai apaisé la tempête. J'ai commandé à un serpent de mer et il s'est plié à ma volonté. Pas plus tard qu'hier, je t'ai rappelé aux portes de la mort, misérable ingrat ! Et te voilà ici, à te moquer de moi ! Tu dis que je ne peux pas redonner la vie à mon navire ! Comment oses-tu ? Tu tentes de saper mon règne ? Celui que j'ai traité comme mon fils chercherait-il à me piquer comme un scorpion aujourd'hui ? »

Etta demeurait à sa place, à l'extérieur du cercle de clarté de la lanterne suspendue au-dessus de la table, et elle observait les deux hommes. Les émotions défilaient sur le visage de Hiémain. Elle fut impressionnée de pouvoir les déchiffrer aussi nettement. Quand avait-elle ainsi baissé sa garde, au point de connaître aussi bien quelqu'un ? Pire, elle avait mal pour lui. Lui, comme elle, était déchiré entre l'amour pour l'homme qu'ils avaient suivi si longtemps et la crainte de sa puissance. Elle retint son souffle, espérant que Hiémain trouverait les mots justes. *Ne l'irrite pas*, supplia-t-elle en silence. *Si tu l'irrites, il ne t'entendra pas.*

Hiémain respira à fond. Des larmes tremblaient dans ses yeux. « En vérité, vous m'avez traité mieux que ne l'a jamais fait mon père. Quand vous êtes arrivé à bord de la *Vivacia*, je m'attendais à mourir de votre main. Au contraire, vous m'avez sommé, tous les jours, de trouver ma vie et de la vivre. Kennit, vous êtes plus qu'un capitaine pour moi. Je crois vraiment, sans conteste, que vous êtes l'instrument de la volonté de Sâ. Nous le sommes tous, bien sûr, mais je crois qu'il vous a réservé un destin plus grand qu'à la plupart d'entre nous. Néanmoins, quand vous parlez de rappeler Vivacia à la vie... Je ne doute pas de vous, mon capitaine. Je doute plutôt qu'elle ait jamais été vivante, au sens où vous et moi sommes vivants. Vivacia était une contrefaçon, une créature composée des souvenirs de mes ancêtres. Le dragon a été réel, autrefois. Mais si Vivacia n'a jamais été réelle, et que le dragon est mort quand on l'a créée, elle, qui allez-vous rappeler à la vie ? »

Plus rapide qu'une langue de serpent, l'hésitation passa sur le visage de Kennit. Hiémain l'avait-il surprise ?

Le jeune homme se tut. Sa question restait en suspens entre eux. Incrédule, Etta le vit lever légèrement la main. Très lentement, il la tendit à travers la table, comme s'il voulait toucher la main du pirate dans un mouvement de... quoi ? Compassion ? *Oh, Hiémain, ne fais pas cette erreur !*

Si Kennit remarqua la main tendue, il ne le manifesta pas. Les paroles de Hiémain ne semblaient pas l'avoir touché du tout. Il dévisageait le garçon et Etta comprit clairement qu'il parvenait à une décision. Il leva lentement le flacon d'eau-de-vie et se versa une autre rasade. Puis il allongea le bras et prit le verre vide de Hiémain. Il lui servit une généreuse mesure et reposa le verre devant lui. « Bois, ordonna-t-il avec brusquerie. Ça t'infusera peut-être un peu de feu dans les veines. Et ne me dis pas que je ne peux pas faire cela. Dis-moi plutôt comment tu vas m'y aider. » Il avala l'alcool d'une lampée. « Car elle était vivante, Hiémain. Nous le savons tous. Alors, quelle qu'ait été la vie qui l'animait, c'est cette vie-là qu'on va rappeler. »

Hiémain approcha lentement sa main du verre. Il le leva puis le reposa. « Et si cette vie-là n'existe plus, commandant ? Si elle a simplement disparu ? »

Kennit se mit à rire, un rire qui glaça Etta. Ainsi un homme peut-il rire sous la torture, quand les hurlements ne suffisent plus à exprimer sa souffrance. « Tu doutes de moi, Hiémain. C'est parce que tu ne sais pas ce que moi je sais. Ce n'est pas la première vivenef que j'ai connue. Elles ne meurent pas si facilement. Là, tu peux m'en croire. Maintenant, avale cette eau-de-vie, voilà, c'est un bon petit gars. Etta ! Où es-tu ? Qu'est-ce qui t'a pris d'avoir mis sur la table une bouteille presque vide ? Va m'en chercher une autre, et plus vite que ça ! »

*

*   *

Le garçon ne tenait pas l'alcool. Kennit le fit sans peine rouler sous la table. La putain le dorlotera, ça l'occupera. « Emmène-le dans sa cabine », dit-il. Elle le remit sur pied sous le regard plein d'indulgence du pirate. Hiémain tituba à ses côtés à l'aveuglette, en tendant une main tâtonnante devant lui dans la coursive. Kennit les suivit des yeux. Assuré qu'il avait maintenant un peu de temps à lui, il fourra fermement la béquille sous son bras et se leva d'un bond. D'une démarche pesante et prudente, il se dirigea vers le pont. Il était peut-être légèrement ivre lui-même.

La nuit était belle, pourtant. Les étoiles étaient lointaines, une gaze de nuages en voilait l'éclat. La mer avait un peu grossi mais la coque svelte de la *Vivacia* fendait la lame avec une grâce rythmée. Le vent était régulier et avait fraîchi, avec même un léger sifflement quand il coupait les voiles. Kennit tendit l'oreille en fronçant les sourcils mais le son s'évanouit.

Il fit lentement le tour du pont. Le second était à la barre ; il salua son capitaine d'un hochement de tête sans mot dire. C'était aussi bien. Il devait y avoir une vigie dans la mâture, mais elle était invisible dans l'obscurité, hors de portée des lanternes sourdes du navire. Kennit se déplaçait lentement, le frappement de sa béquille en contrepoint de son pas feutré. Son navire. La *Vivacia*, c'était sa vivenef, et il la ramènerait à la vie. Et alors, elle saurait qu'il était son maître, elle lui appartiendrait comme jamais elle n'avait appartenu à Hiémain. Sa propre vivenef, c'est ce qu'il méritait, depuis toujours. Morbleu, c'était juste, il la méritait depuis toujours, sa vivenef ! Rien ne pourrait la lui enlever. Rien.

Il en était venu à haïr la courte échelle qui menait du franc-tillac au gaillard d'avant surélevé. Il réussit à grimper, et point trop maladroitement, ma foi, puis s'assit un moment, pour reprendre son souffle, tout en affectant de scruter la nuit. Enfin, il tira à lui sa béquille, se releva et s'approcha de la lisse de proue. Il embrassa la mer du regard. À l'horizon des îles formaient de petits monticules noirs.

Il jeta un seul coup d'œil à la figure de proue grise. Puis il porta plus loin son regard, sur l'eau.

« Bonne nuit, ma douce dame de mer, la salua-t-il. Une belle nuit, et un bon vent qui nous pousse. Que demander de plus ? »

Il tendit l'oreille à son silence, comme si elle lui avait répondu. « Oui. C'est bien. Je suis aussi soulagé que toi de voir Hiémain sur pied. Et, bien sûr, j'ai chargé Etta de le veiller. Ce qui nous laisse une ou deux minutes à nous tout seuls, ma princesse. Maintenant, qu'est-ce qui te ferait plaisir, ce soir ? Je me rappelle un charmant vieux conte des terres du Sud. Tu aimerais l'entendre ? »

Seuls le vent et la mer lui répondirent. Le désespoir et la colère guerroyaient en lui mais, bien loin de les exprimer, il souriait cordialement. « Très bien, alors. C'est un vieux conte, qui date d'avant Jamaillia. On dit qu'en réalité c'est une légende des Rivages Maudits, contée dans les terres du Sud qui se la sont appropriée. » Il s'éclaircit la gorge. Paupières mi-closes, il parla avec les mots de sa mère, avec les inflexions rythmées du conteur. Comme elle contait, il y avait si longtemps, avant qu'Igrot ne lui coupât la langue, tranchant ses paroles à jamais.

« Il était une fois, en des temps très anciens, une jeune fille d'esprit délié mais de maigre fortune. Ses parents étaient âgés et à leur mort, elle hériterait du peu qu'ils possédaient. Elle aurait pu peut-être s'en contenter mais les vieux, qui radotaient un peu, décidèrent d'arranger son mariage. Ils lui choisirent pour fiancé un fermier qui avait une honnête fortune mais point du tout d'esprit. La fille comprit sur-le-champ qu'elle ne trouverait jamais le bonheur avec lui, qu'elle ne pourrait même le souffrir. Alors Edrilla, car tel était son nom, quitta ses parents, son foyer et…

— Erlida était son nom, nigaud ! » Vivacia se tordit lentement pour le regarder. Le mouvement fit passer dans le dos de Kennit une secousse glacée. Elle se tournait en ondulant, le corps affranchi des entraves humaines. Ses cheveux étaient subitement devenus d'un noir de jais, moirés de lueurs argentées. Les yeux dorés qui croisèrent les siens reflétaient les pâles clartés des lanternes et lui renvoyaient la lumière. Quand elle lui sourit, sa bouche s'ouvrit trop largement et les dents qu'elle lui montra paraissaient à la fois plus blanches et plus petites qu'avant. Ses lèvres étaient trop rouges. La vie qui se mouvait en elle à présent chatoyait avec les reflets glacés d'une peau de serpent. Sa voix était rauque, indolente. « Si tu tiens absolument à m'assommer avec une histoire vieille comme le monde, au moins conte-la comme il faut. »

Le souffle resta coincé dans sa gorge. Il allait répondre mais se ravisa. *Tais-toi. Fais-la parler. Laisse-la se trahir d'abord.* Le regard de la créature sur lui était comme une lame sur son cou mais il se refusa à manifester sa peur. Il se força à soutenir ce regard sans sourciller.

« Erlida, insista-t-elle. Et ce n'était pas à un fermier qu'on l'avait donnée mais à un potier qui vivait au bord de la rivière et qui passait sa journée à malaxer de la glaise humide. Il faisait des pots grossiers, maladroits, tout juste bons à servir de seaux à ordures ou de vases de nuit. » Elle se détourna pour regarder fixement la mer noire.

« Ainsi dit la légende. Et je le sais bien, moi. J'ai connu Erlida. »

Kennit laissa le silence se prolonger, se tendre, plus ténu qu'une filandre. « Comment cela ? demanda-t-il enfin d'une voix enrouée. Comment aurais-tu pu connaître Erlida ? »

La figure de proue eut un grognement de mépris. « Parce que nous, nous ne sommes pas aussi stupides que les humains, qui oublient tout ce qui leur arrive avant leur naissance. La mémoire de ma mère, et celle de la mère de ma mère, et celle de la mère de sa mère, elles sont toutes à moi. Elles étaient filées en écheveaux à partir du sable de mémoire et de la salive de ceux qui ont aidé à m'enfermer dans mon cocon. Elles ont été conservées pour moi, c'était mon héritage, que je devais récupérer quand je m'éveillerais en dragon. Je possède en moi les souvenirs d'une centaine de vies. Cependant, me voilà, moi, enfermée dans la mort, je ne suis rien qu'un songe mélancolique.

— Je ne comprends pas, hasarda Kennit quand il fut évident qu'elle avait fini de parler.

— C'est parce que tu es idiot », rétorqua-t-elle d'un ton aigre.

Personne, il se l'était juré une fois, ne lui parlerait plus jamais ainsi. Ensuite, les mains purifiées de tout sang, il avait tenu sa promesse. Toujours. Il continuerait à la tenir, même aujourd'hui. Il se redressa. « Idiot. Libre à toi de me croire idiot, libre à toi de me traiter d'idiot. Du moins suis-je réel, moi. Pas toi. » Il glissa la béquille sous son bras et s'apprêta en tanguant à s'éloigner.

Elle se retourna vers lui, les commissures de ses lèvres retroussées dans un rictus sardonique. « Ah, c'est qu'il a un petit dard, l'insecte ! Reste, alors. Parle-moi, pirate. Tu crois que je ne suis pas réelle. Mais je suis réelle. Suffisamment réelle pour ouvrir mes coutures à la mer, quand ça me chante. Il se peut que tu aies envie d'y réfléchir. »

Kennit cracha par-dessus bord. « Fanfaronnade et vantardise. Je suis censé trouver cela admirable ou effrayant ? Vivacia était plus brave et plus forte que toi, navire, qui que tu sois. Tu te réfugies dans la première force de la brute : ce que tu peux détruire. Détruis-nous tous, alors, et finissons-en. Je ne peux pas t'en empêcher, comme tu le sais. Quand tu seras une épave coulée par le fond, je te souhaite bien du plaisir ! » Il se détourna résolument. Il fallait qu'il s'en aille, maintenant. *Fais demi-tour et va-t'en, sinon elle ne te respectera pas.* Il avait presque atteint l'extrémité du gaillard d'avant quand le navire tout entier eut un soubresaut. Il y eut un cri sauvage de la vigie, dans la mâture, et un concert de murmures provenant des matelots en bas, dans leurs hamacs. Le second de retour à la barre cria une question d'une voix furieuse. La béquille de Kennit ricocha sur le pont et dérapa sous lui. Il tomba de tout son long, ses coudes heurtèrent violemment le bordage. La chute chassa l'air de ses poumons.

Alors qu'il gisait, haletant, sur le pont, le navire se redressa de lui-même. En un instant, tout fut comme avant, excepté les voix inquiètes des matelots qui montaient. La figure de proue laissa échapper un rire doux, mélodieux, moqueur. Une voix plus ténue parla à l'oreille de Kennit. Le petit charme de bois-sorcier attaché à son poignet déclara brusquement : « Ne t'en va pas, imbécile.

Ne tourne jamais le dos à un dragon. Sinon, il va penser que tu es assez idiot pour mériter la destruction. »

Kennit reprit péniblement son souffle. « Et je devrais te croire », grommela-t-il. Il parvint à s'asseoir. « Tu es un peu dragon, toi aussi, si ce qu'il dit est vrai.

— Il y a dragon et dragon. Celui-ci n'a pas du tout envie de passer l'éternité attaché à un tas d'ossements. Retourne-toi. Défie-le. Provoque-le.

— La ferme, siffla-t-il.

— Qu'as-tu dit ? » demanda le navire d'une voix onctueuse, venimeuse.

Il se remit debout à grand-peine. Après avoir réajusté sa béquille, il s'avança en se balançant jusqu'à la lisse de proue. « J'ai dit "La ferme !" » répéta-t-il. Il empoigna le garde-corps et se pencha. Il laissa toute sa peur s'épanouir en colère. « Sois du bois, si tu n'as pas l'esprit d'être Vivacia.

— Vivacia ? Cette chose molle, cette esclave, cette consentante, tremblante, servile création de l'homme ? Plutôt me taire à jamais. »

Kennit saisit son avantage. « Alors tu n'es pas elle ? Il n'y a pas un atome de toi qui s'exprimait en elle ? »

La figure de proue dressa la tête. Si elle avait été serpent, Kennit l'aurait crue prête à attaquer. Il ne recula pas. Il ne montrerait pas sa peur. Du reste, il ne pensait pas qu'elle pouvait vraiment l'atteindre. Elle ouvrit la bouche mais aucun son n'en sortit. Ses yeux roulaient de colère.

« Si elle n'est pas toi, elle a autant que toi le droit d'être la vie de ce navire. Et si elle est toi… eh bien, alors… Tu te moques, tu médis de toi-même. Dans tous les cas, peu m'importe. Ma proposition à la vivenef tient toujours. Je me soucie peu de savoir qui des deux l'acceptera. »

Voilà. Il avait joué son va-tout. Soit il l'emportait, soit il était perdu. Entre ces deux extrêmes, rien. Aussi bien n'y avait-il jamais rien eu.

Tout à coup, elle exhala un souffle qui tenait du sifflement et du soupir. « Quelle proposition ? » demanda-t-elle.

Kennit eut un sourire en coin. « Quelle proposition ? Tu veux dire que tu l'ignores ? Oh, là, là ! Je croyais que tu étais tapi sous la peau de Vivacia. Il paraît qu'en fait tu viens seulement de t'éveiller. » Il l'observa attentivement tout en se moquant gentiment. Il ne fallait pas l'amener jusqu'à la colère mais il ne désirait pas non plus apparaître trop impatient de marchander avec elle. Les yeux de la figure de proue s'étrécirent, et Kennit changea de tactique. « Faire de la piraterie avec moi. Être ma reine des mers. Si tu es vraiment un dragon, alors montre-moi ta nature. Partons en chasse, et faisons nôtres toutes ces îles. »

Le regard avait beau être hautain, les yeux s'élargirent brièvement, trahissant l'intérêt.

« Qu'est-ce que j'y gagnerais ? »

La question fit sourire le pirate.

« Qu'est-ce que tu veux ? »

Elle le guettait. Il se tenait droit et croisa son regard étrange avec un petit sourire. Elle le toisa des pieds à la tête comme s'il n'était qu'une putain nue dans une sordide maison de passe. Elle s'attarda sur son moignon mais il ne se laissa pas démonter. Il l'attendait au tournant.

« Je veux ce que je veux, et quand je veux. Quand le moment sera venu pour moi, je te dirai ce que c'est. » Elle lui lança ces mots comme un défi.

« Oh, dis donc ! » Il tira sur sa moustache comme s'il était amusé. En réalité, ces paroles lui coulaient le long de l'échine comme de l'eau glacée. « Tu crois vraiment que je vais accepter ces conditions ? »

Ce fut à son tour de rire, un gloussement rauque qui rappela à Kennit le feulement modulé d'un tigre en chasse. Ce qui n'était pas pour le rassurer. Non plus que les paroles qui suivirent. « Bien sûr que tu vas les accepter, ces conditions. Car quel choix as-tu ? Bien que tu rechignes à l'admettre, je peux te détruire, toi et ton équipage, quand ça me chante. Tu devrais t'estimer heureux de savoir que ça m'amuse de faire un peu de piraterie avec toi. Qui trop embrasse mal étreint. »

Kennit refusa de se laisser intimider. « Détruis-moi, et tu te détruiras aussi. Ou crois-tu qu'il sera plus amusant de couler par le fond et de reposer dans la vase ? Fais de la piraterie avec moi et mon équipage te donnera des ailes de toile. Avec nous, tu peux voler à travers les vagues. Tu peux te remettre à chasser, dragon. Si les vieilles légendes disent vrai, ça devrait faire plus que t'amuser. »

Elle gloussa encore. « Alors, tu acceptes mes conditions ? »

Kennit se raidit. « Alors, je vais prendre une nuit de réflexion.

— Alors, tu acceptes », dit-elle dans la nuit.

Il ne daigna pas répondre. Il empoigna sa béquille et traversa prudemment le pont. Arrivé à l'échelle, il se baissa, vint maladroitement à bout des degrés. Il adressa un bref salut aux deux matelots devant lesquels il passa. S'ils avaient surpris la conversation du capitaine avec le navire, ils furent assez avisés de n'en rien laisser voir.

En traversant le franc-tillac, il s'autorisa enfin à jouir un instant de son triomphe. Il avait réussi. Il avait rappelé la vivenef à la vie, et elle le servirait de nouveau. Il rejeta violemment sa part du marché. Que pouvait-elle éventuellement vouloir pour elle-même ? Elle n'avait pas besoin de s'accoupler ni de manger ni même de dormir. Que pouvait-elle exiger de lui qu'il ne puisse lui octroyer facilement ? C'était un bon accord.

« Plus sage que tu ne le crois, dit sa propre voix en miniature. Un pacte de grandeur, même.

— Vraiment ? » marmonna Kennit. Pas même devant son porte-bonheur il ne se risquerait à trahir sa jubilation. « Je me le demande. Et d'autant plus que tu y donnes ton aval.

— Fais-moi confiance, déclara le charme. T'ai-je jamais fait prendre un mauvais cap ?

— Te faire confiance, et faire confiance à un dragon », rétorqua tout bas Kennit. Il jeta un coup d'œil autour de lui pour s'assurer que personne ne l'observait ni ne l'écoutait. Il porta son poignet à hauteur de ses yeux. Dans le clair de lune, il ne distinguait guère des traits minuscules de l'amulette que l'étincellement de ses yeux. « Hiémain a-t-il vu juste ? Es-tu le tout petit reste d'un dragon mort-né ? »

Un instant de silence, plus éloquent que des paroles. « Et si c'était le cas ? demanda le charme d'une voix suave. Est-ce que je ne porte pas quand même ton visage ? Pose-toi la question. Caches-tu le dragon ou est-ce le dragon qui te cache ? »

Le cœur de Kennit bondit dans sa poitrine. Un caprice du vent fit gémir tout bas le gréement. Les cheveux de Kennit se dressèrent sur sa tête.

« Tu dis n'importe quoi », marmotta-t-il. Il baissa la main et empoigna fermement sa béquille. En se déplaçant sur le navire vers sa couchette, vers le repos, il fit mine de ne pas entendre l'imperceptible ricanement de l'objet attaché à son poignet.

*
*   *

Sa voix était rouillée. Elle avait déjà chanté pour elle-même, dans l'espace confiné et affolant de sa grotte. Sa voix avait résonné, aiguë et fêlée, lançant son défi aux parois de pierre et aux barreaux de fer qui la retenaient.

Mais aujourd'hui c'était différent : elle élevait la voix dans la nuit et entonnait un antique chant de semonce. « Venez, disait le chant à qui voulait l'entendre. Venez, car le temps du ralliement est proche. Venez partager les souvenirs, venez cheminer ensemble vers le lieu des origines. Venez. »

C'était un refrain simple, qui se voulait joyeux. Il était destiné à être entonné en chœur. À une seule voix, il semblait chétif, pitoyable. Quand elle monta vers le Manque pour s'égosiller sous le ciel étoilé, il parut plus frêle encore. Elle reprit haleine, et força la voix, avec défi. Elle n'aurait su dire qui elle appelait. Nulle trace d'odeur de serpent dans l'eau, seulement l'affolant parfum du navire. Quelque chose dans ce navire qu'elle suivait suggérait une parenté. Elle n'arrivait pas à concevoir qu'elle pût avoir des liens de parenté avec un navire et, pourtant, comment nier les toxines attirantes qui suintaient de la coque ? Elle reprit son souffle pour chanter de nouveau.

« Venez retrouver votre famille, prêtez votre force aux plus faibles. Ensemble, ensemble, retournons à nos origines et à notre fin. Rassemblez-vous, créatures de la mer nées sur le rivage, pour retourner au rivage. Apportez vos rêves de ciel et d'ailes ; venez partager les souvenirs de vos vies. Notre heure est venue, notre heure est venue. »

Les dernières notes flûtées s'éteignirent, emportées par le vent. Celle-Qui-Se-Souvient attendit une réponse. Rien ne vint. Alors que, désolée, elle replongeait sous les vagues, il lui sembla que les toxines qui traînaient, intangibles, dans le sillage du navire acquéraient davantage de substance et de saveur.

Je me trompe et je me tourmente moi-même, se reprocha-t-elle. Peut-être était-elle vraiment folle. Peut-être n'avait-elle recouvré la liberté que pour assister à la fin de sa race. L'affliction l'enveloppa, chercha à l'enfoncer. Mais elle reprit sa place derrière le navire pour le suivre là où il devait la mener.

8

LE SEIGNEUR DES TROIS RÈGNES

La seconde proie de Tintaglia fut un ours. Elle se mesura à lui, prédateur contre prédateur, le battement de ses ailes contre les coups de ses immenses pattes griffues. Elle l'emporta, bien sûr, et l'éventra pour se repaître de son foie et de son cœur. La lutte assouvit quelque chose dans son âme. C'était la preuve qu'elle n'était plus une créature impuissante, implorante, prisonnière dans le cercueil de son propre corps. Elle avait laissé les hommes qui avaient par bêtise coupé les corps de ses frères et sœurs. Ce n'était pas leur faute si elle avait été emprisonnée. C'était par ignorance, principalement, qu'ils avaient massacré sa famille. Enfin, deux d'entre eux avaient été prêts à tout sacrifier pour la libérer. Il ne lui appartenait pas de décider si le sauvetage contrebalançait le meurtre. Elle les avait laissés, pour toujours. Si suave qu'elle eût été, la vengeance n'aurait pas sauvé les éventuels survivants. Son premier devoir était envers eux.

Elle avait dormi un moment en travers de sa victime. La lumière dorée du soleil d'automne l'avait baignée tout au long de l'après-midi. En se réveillant, elle était parée à continuer. Durant son sommeil, elle avait vu clairement ce qu'elle allait faire ensuite. S'il y avait des survivants de sa race, ils seraient sur leurs anciens terrains de chasse. Elle commencerait par là ses recherches.

Alors elle s'était élevée, abandonnant la carcasse de l'ours, dont la chair fétide bourdonnait déjà de centaines de mouches bleues scintillantes. Elle avait éprouvé ses ailes, ressenti les forces nouvelles qu'elle avait prises de son gibier. Il aurait été bien plus naturel pour elle d'émerger au début du printemps, elle aurait profité de tout l'été pour grandir et se développer avant l'arrivée de l'hiver. Elle savait qu'il lui faudrait chasser et se nourrir aussi souvent que possible durant cette période de moisson où les jours raccourcissaient, acquérir de la vigueur pour affronter l'hiver. Eh bien, c'est ce qu'elle ferait, car sa survie passait avant tout, et en même temps elle rechercherait ses semblables. Elle s'élança de la colline ensoleillée où l'ours avait trouvé la mort, et s'éleva dans le ciel d'un battement d'ailes régulier.

Elle monta là où le vent était plus fort puis se laissa porter par les courants, en décrivant de lentes spirales au-dessus des terres. Elle cherchait des traces. Les berges fangeuses et les bas-fonds auraient dû montrer des passées, des marques d'ébats. Mais rien. Elle vola au-dessus de hautes saillies rocheuses, propices aux bains de soleil et à l'accouplement, mais elles étaient toutes vierges des griffades par lesquelles les dragons délimitaient leur territoire et des ravages qui auraient dû témoigner de leur passage. Ses yeux plus perçants que ceux du faucon n'aperçurent aucun dragon chevauchant les courants d'air au-dessus du fleuve. Au loin, l'azur était vide de dragons jusqu'aux confins de l'horizon. Son odorat au moins aussi développé que sa vue ne lui apportait aucune odeur musquée de mâle, pas même un ancien fumet de marquage. Dans cette large vallée fluviale, elle était seule. Les Seigneurs des Trois Règnes étaient des dragons : ils avaient régné sur le ciel, la mer et en bas, sur la terre. Personne ne les avait égalés en magnificence et en intelligence. Comment pouvaient-ils avoir tous disparu ? C'était incompréhensible. Quelque part, il devait y avoir des survivants. Elle les trouverait.

Elle décrivit un grand cercle indolent en scrutant la terre à la recherche de traces. Tout s'était effacé. Au cours de ces longues années, le fleuve s'était déplacé dans son vaste lit. Des inondations et des tremblements de terre avaient refaçonné la terre à d'innombrables reprises. Grâce à ses souvenirs ancestraux, elle se rappelait que de nombreux changements s'étaient déjà produits dans la topographie de cette région. Mais les changements qu'elle constatait aujourd'hui paraissaient plus radicaux. Elle comprit que toute la région s'était enfoncée. Le fleuve semblait plus large, moins profond, ses limites moins précises. Là où autrefois le puissant fleuve des Serpents se précipitait dans la mer, le fleuve du désert des Pluies sinuait paresseusement parmi les marais et les tourbières.

La cité des hommes, Trois-Noues, était construite aux alentours des ruines ensevelies de l'antique Clochetinte. Les Anciens avaient choisi ce site à proximité des lieux de nidification des dragons.

Jadis, il y avait ici de larges bas-fonds, dans le méandre du fleuve des Serpents. Ici, la pierre de mémoire avait brillé comme le sable noir argenté d'une plage étincelante. Durant les automnes d'autrefois, les serpents sortaient du fleuve pour se vautrer sur les rives abritées. Assistés des dragons adultes, ils formaient leurs cocons avec de longues traînées de salive mêlées au riche sable de mémoire. Chaque automne, les cocons jonchaient la plage comme d'immenses coques de graines en attente du printemps. Les dragons et les Anciens montaient la garde tout l'hiver près des enveloppes durcies qui protégeaient les créatures destinées à se métamorphoser. La lumière de l'été et la chaleur venaient enfin effleurer les cocons et réveiller les créatures qui dormaient à l'intérieur.

Disparu, tout avait disparu. La plage, et les Anciens, et les dragons gardiens, tous disparus. Mais, se dit-elle farouchement, Clochetinte n'est pas la seule plage de nidification. Il y en a d'autres, en amont du fleuve des Serpents.

L'espoir le disputait au doute alors qu'elle virait de l'aile et remontait le fleuve. Il se pouvait qu'elle ne reconnaisse plus la configuration du pays mais les Anciens avaient bâti des cités près des plages aux cocons. Il devait bien subsister quelque chose de ces ruches tentaculaires aux édifices de pierre et aux rues pavées. Elle pourrait au moins explorer l'endroit où sa race avait éclos. Peut-être, osait-elle espérer, les alliés des dragons vivaient-ils encore dans certaines de ces antiques cités ? Si elle ne découvrait aucun membre de son espèce, elle trouverait peut-être quelqu'un qui lui apprendrait ce qu'ils étaient devenus.

Le soleil était implacable dans le ciel bleu. Le lointain orbe jaune promettait la chaleur mais les brumes perpétuelles du fleuve les trempaient et les glaçaient. Malta avait l'impression d'avoir la chair à vif. Les lambeaux de ses vêtements indiquaient clairement que les brouillards étaient aussi caustiques que l'eau du fleuve. Elle était criblée de piqûres d'insectes qui la démangeaient continuellement mais sa peau était si irritée que se gratter la faisait saigner. L'impitoyable miroitement de l'eau l'éblouissait. En se palpant le visage, elle sentait ses yeux bouffis, réduits à des fentes, et sur son front les bourrelets et les excroissances charnues de sa cicatrice. Elle n'arrivait pas à s'installer confortablement dans le petit canot, car les bancs de nage en bois n'étaient pas assez larges pour qu'on puisse s'y étendre. Elle devait se contenter de se caler dans une position à demi allongée en se couvrant les yeux de son bras.

La soif, surtout, la torturait. Avoir la gorge sèche et être entourée d'eau non potable, c'était de loin le pire des supplices. La première fois qu'elle avait vu Keki prendre de l'eau au creux de sa main et la porter à sa bouche, Malta s'était précipitée sur elle, en lui criant d'arrêter. Elle l'avait empêchée de boire cette fois-là mais, à en juger par le silence de la Compagne et par ses lèvres boursouflées et écarlates, Malta en déduisait qu'elle avait cédé à la tentation, et à plusieurs reprises.

Allongée dans le petit canot qui se balançait, poussé par le fleuve, Malta se demandait pourquoi elle s'en inquiétait. Aucune réponse ne lui venait à l'esprit et, pourtant, à l'idée que cette femme buvait l'eau qui finirait par la tuer, elle enrageait. De sous le bras qui l'abritait, elle observait la Compagne. La belle robe de soie verte qui l'aurait autrefois fait mourir d'envie paraissait plus loqueteuse encore que les vêtements de Malta. La coiffure alambiquée n'était plus qu'un enchevêtrement de boucles autour du front et dans le dos. Elle avait les yeux clos, et ses lèvres se gonflaient au rythme de sa respiration. Était-elle déjà en train de mourir ? Combien d'eau fallait-il avaler pour mourir ? Malta se surprit à se demander si elle n'allait pas mourir de toute façon. Elle était sotte peut-être, ne valait-il pas mieux boire, étancher sa soif, et ainsi mourir plus vite ?

« Peut-être qu'il va pleuvoir », croassa le Gouverneur, plein d'espoir.

Malta remua les lèvres et décida de répondre. « La pluie, ça tombe des nuages. Et des nuages, il n'y en a pas. »

Il garda le silence mais elle perçut l'exaspération qui irradiait de lui comme la chaleur d'un foyer. Elle n'avait pas l'énergie de se retourner pour lui faire face. Pourquoi même lui avoir parlé ? Ses pensées vagabondes la ramenèrent à la veille. Elle avait senti quelque chose l'effleurer, tenace et pourtant aussi impalpable qu'une toile d'araignée sur son visage, dans le noir. Elle avait regardé autour d'elle sans rien voir. Alors elle avait levé les yeux vers le ciel et aperçu le dragon. Elle en était certaine. Elle avait vu un dragon bleu et, quand il avait incliné les ailes, le soleil avait argenté ses écailles. Elle avait poussé des cris, elle l'avait supplié de leur venir en aide. Ses cris avaient tiré le Gouverneur et sa Compagne de leur somnolence. Mais, quand elle avait pointé le doigt pour qu'ils regardent eux aussi, ils avaient affirmé ne rien voir. Peut-être un merle, tout petit au loin, mais c'était tout. Le Gouverneur s'était moqué d'elle, en lui disant que seuls les enfants et les paysans ignorants croyaient encore aux légendes de dragons.

Elle avait été si furieuse qu'elle ne lui avait plus adressé la parole, pas même quand à la nuit tombée il n'avait cessé de se plaindre de l'obscurité, du froid et de l'humidité. Il avait l'art de la rendre responsable de tous les désagréments, ou d'en accuser les Marchands de Terrilville ou du désert des Pluies. Elle commençait à en avoir assez de ses pleurnicheries. C'était plus exaspérant que le bourdonnement des petits moustiques qui les attaquaient au crépuscule et se repaissaient de leur sang.

Quand enfin l'aube avait pointé, Malta avait tâché de se convaincre qu'avec elle pointait aussi l'espoir. La planche qu'elle avait utilisée pour pagayer n'avait duré que jusqu'au milieu de la matinée. Les efforts qu'elle avait déployés pour faire dévier l'embarcation du courant avaient été à la fois épuisants et infructueux. La planche, rongée par l'eau, s'était désagrégée dans ses mains. Maintenant, ils étaient assis dans le canot, aussi démunis que des enfants, tandis que le fleuve les emportait toujours plus loin de Trois-Noues. Comme un gamin insupportable et désœuvré, le Gouverneur cherchait sans cesse querelle.

« Pourquoi n'est-on pas venu à notre secours ? » demanda-t-il soudain.

Elle lui répondit par-dessus son épaule. « Pourquoi nous chercherait-on ici ? fit-elle sèchement.

— Mais vous avez crié quand on a dépassé Trois-Noues. On a tous crié.

— Crier et être entendu, ce n'est pas la même chose.

— Qu'allons-nous devenir ? » Keki avait parlé si bas, d'une voix si étouffée que Malta eut du mal à saisir ses paroles. La Compagne avait ouvert les yeux et la regardait. Malta se demanda si ses yeux à elle étaient aussi injectés de sang.

« Je ne sais pas. » Elle remuait la bouche en essayant d'humecter sa langue. « Si nous avons de la chance, nous pouvons être entraînés d'un côté et pris dans un bas-fond ou un bras mort. Si nous avons beaucoup de chance, nous pouvons rencontrer une vivenef qui remonte le fleuve. Mais j'en doute. J'ai entendu dire qu'elles étaient toutes parties pour chasser les navires chalcédiens de Terrilville. Le fleuve finira bien par nous emmener jusqu'à la mer. Peut-être croiserons-nous d'autres vaisseaux là-bas, qui nous porteront secours. Si notre canot tient jusque-là. » *Et si on vit assez longtemps*, ajouta-t-elle en son for intérieur.

« Nous allons probablement mourir, rétorqua le Gouverneur d'un ton solennel. Ma mort prématurée sera une immense tragédie. Elle sera suivie de beaucoup, beaucoup d'autres. Car, après ma disparition, il n'y aura plus personne pour maintenir la paix entre mes nobles. Personne ne s'assiéra sur le Trône de Perle après moi, car je meurs dans la fleur de ma jeunesse, sans héritier. Tous vont pleurer mon trépas. Chalcède ne craindra plus de provoquer Jamaillia. Les pirates vont faire leurs incursions et incendier impunément. Tout mon vaste et bel empire va tomber en ruine. Et tout ça à cause d'une sotte, d'une rustaude, trop ignorante pour comprendre qu'on lui offrait une chance d'améliorer sa condition. »

Malta se redressa si vivement que le petit canot se mit à tanguer follement. Sans se soucier des gémissements affolés de Keki, elle se tourna et fit face à Cosgo. Il était à l'avant, les genoux ramassés sous le menton, les bras serrés autour des jambes. Il avait l'air d'un méchant gamin de dix ans. Sa peau pâle, protégée si longtemps des éléments, était doublement ravagée par l'eau et le vent. Au bal à Terrilville, ses traits délicats et son teint blême avaient paru exotiques et romanesques. Maintenant, on aurait simplement dit un enfant souffreteux. Elle résista à grand-peine à l'envie subite et violente de le pousser par-dessus bord.

« Sans moi, vous seriez déjà mort, déclara-t-elle sans ambages. Vous étiez enfermé dans une pièce qui se remplissait de boue et d'eau. Vous avez déjà oublié ?

— Et comment je m'y suis retrouvé, dans cette pièce ? Grâce aux machinations de vos concitoyens. Ils m'ont agressé, m'ont enlevé et, pour autant que je le sache, ils ont déjà envoyé leurs demandes de rançon. » Il s'interrompit net, toussa, puis articula avec difficulté : « Je n'aurais jamais dû venir dans votre ville minable. J'y ai trouvé quoi ? Non point les monts et merveilles auxquels Sérille m'avait donné à croire, mais un sale petit port plein de marchands cupides, avec leurs filles prétentieuses et sans manières. Mais regardez-vous ! Un instant de beauté, c'est tout ce que vous aurez jamais connu ! Toute femme est belle au moins un mois dans sa vie. Eh bien, pour vous, il est passé, ce bref épanouissement, avec votre peau sèche et cette croûte sur le front. Vous auriez dû saisir l'occasion de m'amuser un peu. Alors j'aurais pu vous emmener à la Cour, par pitié pour vous, et vous auriez été au moins en mesure d'entrevoir ce que c'est que vivre dans le raffinement. Mais non, vous vous êtes refusée à moi, et j'ai été forcé de m'attarder à votre sauterie de manants et de servir de cible à des brigands et des voleurs. Jamaillia va vaciller et s'écrouler sans moi. Et tout ça parce que vous vous faites une idée exagérée de votre petite personne. » Il se reprit à tousser et tira la langue dans une vaine tentative pour humecter ses lèvres sèches. « On va mourir sur ce fleuve. » Il renifla. Une larme perla au coin de son œil et coula le long de son nez.

Malta ressentit tout à coup une haine sans mélange, plus pure que toutes les émotions éprouvées dans sa vie. « J'espère bien que vous y passerez le premier, que je puisse vous regarder mourir, croassa-t-elle.

— Traîtresse ! » Cosgo leva un doigt tremblant qu'il pointa sur elle. « Seule une traîtresse oserait me parler ainsi. Je suis le Gouverneur de Jamaillia. Je vous condamne à être écorchée vive et brûlée. Je jure que, si j'en réchappe, je veillerai à ce que ma sentence soit exécutée. » Il jeta un coup d'œil à Keki. « Compagne, sois témoin de mes paroles. Si je meurs et que tu survis, il est de ton devoir de faire connaître ma volonté. Tu veilleras à ce que cette scélérate soit châtiée ! »

Malta le foudroya du regard sans répondre. Elle essayait en vain de produire de la salive pour humecter sa gorge. Cela l'exaspérait d'être incapable de riposter mais elle n'avait pas le choix. Elle lui tourna le dos.

*
*   *

Tintaglia se reput d'un marcassin étourdi. Elle l'avait repéré qui fouillait la terre à la lisière d'un bosquet de chênes. À sa vue, à son fumet, la faim avait grondé dans son ventre. Le cochon sauvage ahuri s'était redressé, l'avait regardée fondre sur lui avec curiosité. Au dernier moment, il avait brandi ses dagues, comme si cela avait pu la faire fuir ! Elle l'avait dévoré en quelques bouchées, ne laissant guère que des feuilles maculées de sang et des rognures comme preuves qu'il eût jamais existé. Puis elle s'était envolée.

Elle était presque effrayée par sa propre voracité. Pendant le reste de l'après-midi, elle vola bas, en chassant, et tua deux fois encore, un daim et un autre sanglier. Ils assouvirent sa faim mais pas au-delà. Le grondement de son ventre la distrayait de ses intentions arrêtées. À un moment, elle leva les yeux pour parcourir l'étendue de terre et elle s'aperçut soudain qu'elle n'avait pas fait attention à la direction qu'elle avait prise dans son vol. Le fleuve était hors de vue.

Elle se força à oublier son estomac. Vivement, elle s'éleva au-dessus de la vallée marécageuse jusqu'à retrouver le fil étranglé du fleuve. Ici, les arbres empiétaient sur l'eau et les rives fangeuses s'étendaient largement sous le dais de la forêt. Rien qui soit engageant par là. Elle remonta en amont mais, cette fois, elle se dirigea correctement, volant très vite et cherchant sans cesse une marque familière ou une trace laissée par les Anciens. Lentement, le fleuve s'élargit de nouveau, et la forêt recula. Bientôt, il reprit possession des berges herbeuses, et Tintaglia suivit ses ondulations dans les collines basses. La terre alentour était plus ferme, davantage forêt que marais. Puis, avec une soudaineté stupéfiante, elle reconnut où elle se trouvait. À l'horizon, dans un méandre du fleuve, elle entrevit la tour-carte de Kelsingra, qui miroitait dans le soleil couchant. Son cœur bondit. La tour était toujours là, et les yeux du dragon reconnurent les bâtiments familiers qui l'environnaient. Mais l'instant d'après, son cœur se serra. Elle ne percevait aucune odeur de fumée : ni cheminée, ni fonderie, ni forge.

Elle vola vers la cité. Plus elle approchait, plus la mort devenait évidente. La route n'était pas seulement vide de la circulation qui l'avait animée jadis ; à un endroit, un glissement de terrain l'avait complètement cisaillée. Tintaglia sentait vibrer dans la pierre les souvenirs emmurés des marchands, des soldats, des nomades qui l'avaient traversée jadis. L'herbe et la mousse n'en étaient pas venues à bout. La route brillait toujours, noire, droite et plane en se dirigeant avec netteté vers la cité. Personne au monde, sauf elle, ne savait plus qu'elle avait été une grande artère.

Tintaglia décrivit des cercles autour de la cité désertée et contempla sa destruction. Les Anciens avaient bâti leur ville afin qu'elle durât des siècles, tenant allégrement pour établi qu'ils flâneraient toujours dans ses rues et occuperaient ses agréables demeures. Aujourd'hui, le vide raillait ces illusions de mortels. Un jour, par le passé, un cataclysme avait coupé la cité en deux. Une énorme crevasse la divisait et le fleuve s'était emparé de la partie affaissée. Tintaglia entrevit dans le gouffre les décombres des bâtiments. Elle cligna les yeux, se forçant à voir la cité comme elle était et non à travers le souvenir qu'en conservait la pierre. Ainsi les Anciens avaient-ils bâti, taillant la pierre de mémoire et l'apportant ici pour ériger leur belle cité sur les prairies, au bord du fleuve. Ils avaient lié la pierre en y faisant pénétrer leurs idées sur ce qu'elle devait être. La cité se dressait, fidèle et silencieuse.

Tintaglia accéda à la ville comme les dragons l'avaient toujours fait, et elle faillit se tuer. Ses souvenirs ancestraux lui disaient que les dragons atterrissaient sur le fleuve. Ce qui rendait leur arrivée spectaculaire. La descente dans l'azur et le plongeon dans l'eau fraîche faisaient jaillir de gigantesques éclaboussures plumeuses et tanguer les navires accostés dans leur poste d'amarrage. L'eau amortissait l'atterrissage, le dragon émergeait des froides profondeurs sur le rivage de galets, accueilli par les hourras et les saluts du peuple rassemblé.

Le fleuve était beaucoup moins profond que dans ses souvenirs. Au lieu de plonger complètement, Tintaglia tomba à plat à la surface. L'eau lui arrivait à peine à l'épaule et elle eut de la chance de ne pas se briser les membres. Seuls ses muscles puissants avaient amorti sa chute et lui avaient évité de se blesser. Elle se cassa deux griffes à la patte antérieure et se meurtrit douloureusement les ailes en se rattrapant et en pataugeant pour sortir du fleuve, accueillie non plus par les vivats et les chants mais par le murmure du vent parmi les bâtiments abandonnés.

Elle eut l'impression de déambuler dans un rêve. La pierre de mémoire était presque résistante à l'envahissement de la vie organique. Aussi longtemps qu'elle se souviendrait de ce qu'elle était censée être, elle rejetterait les racines vrillées des plantes. La faune qui aurait pu s'approprier la cité pour nicher ou gîter était écartée par les souvenirs des habitants enchâssés dans la pierre. Même après toutes ces années, la nature hésitait encore à reprendre ses droits. La mousse avait commencé à s'établir dans les fines lézardes entre les pavés et aux angles des marches. Les corneilles et les freux, toujours dédaigneux de la prétendue domination des hommes, avaient bâclé quelques nids qui pointaient aux saillies des fenêtres ou s'inséraient dans les beffrois. Des algues tachaient les rebords des fontaines qui retenaient encore de l'eau de pluie dans leurs bassins ornementés. Des dômes s'étaient affaissés. Les murs de certains édifices, effondrés lors d'un lointain tremblement de terre, laissaient pénétrer la lumière d'automne et éparpillaient des décombres en travers de la rue. La nature finit toujours par triompher. La cité des Anciens serait engloutie par la vie sauvage et il n'y aurait plus personne pour se souvenir du temps où hommes et dragons cohabitaient.

Tintaglia fut surprise de s'en trouver navrée. Les hommes tels qu'ils étaient à présent ne l'attiraient guère. Il y avait eu une époque, lui murmuraient les ancêtres au fond de son cerveau, où l'essence des dragons s'était mêlée à la nature des hommes, et les Anciens avaient procédé de ce mélange fortuit. Grands et minces, avec des yeux de dragon et une peau dorée, cette antique race avait vécu en symbiose avec les dragons et s'en enorgueillissait. Tintaglia parcourut lentement les rues assez vastes pour qu'elle pût y passer à l'aise. Elle parvint aux bâtiments officiels, et grimpa les marches larges et basses qui avaient été élevées pour permettre à ses semblables d'avoir un accès aisé aux salles de réunion des Anciens. Les murs noirs de l'édifice luisaient encore, les bas-reliefs extérieurs s'ornaient de personnages d'un blanc éblouissant. Cariandre la Féconde labourait éternellement ses champs derrière son attelage de bœufs puissants tandis que sur le mur adjacent Sessicaire déployait ses ailes et trompetait silencieusement.

Tintaglia passa entre les impavides lions de pierre qui montaient la garde à l'entrée. Une grande porte s'était effondrée. Alors que le dragon franchissait une seconde porte en bois monumentale, un coup involontaire de sa queue la fit s'affaisser en mille fragments épars. Le bois n'avait pas la mémoire de la pierre.

À l'intérieur, les piétements en chêne des tables avaient cédé, réduits en monceaux de sciure écrasés sous les plateaux de pierre qu'ils avaient soutenus. Les fenêtres étaient couvertes d'une épaisse couche de poussière ; le soleil filtrait à peine. Des lambeaux usés jusqu'à la corde de riches tapisseries pendaient aux murs, telles des toiles d'araignée effilochées. Les souvenirs s'étaient amassés ici, denses, et faisaient entendre leurs clameurs mais elle se concentrait résolument sur le présent. Le silence, la poussière, le vent murmuraient lugubrement à travers une fenêtre cassée. Peut-être quelque part dans le bâtiment subsistait-il des écrits ? Mais les mots effacés sur un parchemin en miettes ne lui seraient d'aucun réconfort. Il n'y avait rien pour elle ici.

Elle resta un moment encore à regarder autour d'elle puis elle se lança sur ses pattes postérieures et étira le cou pour rugir de colère et de déception, glapissant sa trahison aux fantômes affolants qui hantaient l'endroit. L'explosion de sa voix secoua l'air stagnant de la salle. Sa queue cingla et éparpilla les débris de bureaux et de bancs, souleva un plateau de table en marbre qui alla se fracasser dans un coin. Au milieu de la salle, une tapisserie lâcha prise et tomba en une cascade de fils. Une nuée inquiétante de mites se mit à tourbillonner. Tintaglia fouetta de la tête au bout de son cou sinueux en trompetant de fureur.

Puis la crise s'apaisa aussi soudainement qu'elle s'était déclenchée. Le dragon reposa ses pattes antérieures sur les fraîches dalles noires. Il se tut et tendit l'oreille aux derniers échos de sa voix qui s'éteignaient et mouraient. *S'éteindre et mourir. C'est ce qu'ils ont fait, tous, et je suis le dernier écho insensé, qui rebondit sur ces pierres, et nulle oreille pour m'entendre.*

Tintaglia quitta la salle et rôda au hasard dans les rues désertes de la cité morte. Le jour tombait. Elle avait volé à tire-d'aile jusqu'ici, pour seulement y découvrir la mort. La vaillante mémoire de la pierre en avait fait un lieu croupissant. La cité avait péri depuis des siècles et pourtant la vie n'avait pas réussi à reprendre ses droits. Les veines de mousse qui se faufilaient à grand-peine dans les fissures des rues étaient pitoyables. Caractéristique des hommes, pensa Tintaglia avec dédain. Ce qu'ils ne peuvent plus utiliser, ils en interdisent l'usage aux autres animaux. L'amertume de sa réflexion l'étonna. Croyait-elle alors que les Anciens ne différaient guère de ces hommes qui l'avaient laissée emprisonnée tant d'années durant ?

Elle fut distraite de ses pensées par la vue d'un puits à margelle de pierre et les vestiges d'un treuil. Une agréable impatience la saisit. Elle chercha à se rappeler un ancien souvenir. Ah, oui ! Ici, il y a longtemps, ses semblables avaient bu, non pas de l'eau, mais la coulée d'argent liquide de la magie qui veinait la pierre de mémoire. Même pour un dragon, c'était un alcool puissant. En boire, sans le diluer, c'était atteindre à l'unité avec l'univers. Le souvenir était tentant. Monta en elle un violent désir d'éprouver cette sensation. Elle flaira le rebord du puits, en scruta les profondeurs. En remuant la tête, elle crut apercevoir tout au fond un faible miroitement d'argent mais elle n'en était pas certaine. Les étoiles ne brillaient-elles pas même en plein jour tout au fond du plus profond des puits ? Peut-être n'était-ce que cela. En tout cas, c'était hors de portée de ses dents ou de ses griffes. Ce n'était pas ici qu'elle boirait son content de magie liquide. Aucun dragon n'y boirait plus jamais. Un tourment de plus pour elle que ce souvenir d'un plaisir auquel elle n'avait pas goûté et qui définissait le supplice de sa solitude. À gestes mesurés, elle brisa les restes rouillés du treuil et les lança par l'orifice étroit, où ils dégringolèrent dans un bruit de ferraille.

Malta avait fermé les yeux sur le scintillement du fleuve. Quand elle finit par les ouvrir, le jour tombait. À cette petite grâce s'ajoutait la fraîcheur de la nuit. Le premier moustique se mit à bourdonner ravi près de son oreille. Elle voulut lever la main pour l'écraser mais ses muscles étaient roidis comme si elle s'était rouillée en dormant. Avec un gémissement de souffrance, elle redressa la tête. Keki n'était qu'un tas de loques fripées, mi-assise, mi-allongée au fond du canot.

Comme morte.

Malta fut saisie d'horreur. Elle ne pouvait pas être coincée dans ce canot avec une morte. Impossible. Puis sa sottise lui apparut. Un terrible sourire lui crispa le visage. Que feraient-ils si Keki était morte ? Ils la feraient passer par-dessus bord, dans l'eau acide ? Elle en serait incapable, comme elle serait incapable de rester ainsi à contempler un cadavre en attendant de mourir elle-même. Elle pouvait à peine remuer la langue mais elle réussit à croasser : « Keki ? »

La Compagne bougea la main sur les planches humides. Ce n'était qu'un tressaillement des doigts mais, au moins, elle était encore vivante. Elle paraissait affreusement mal en point. Malta avait envie de la laisser là mais, sans savoir pourquoi, cela lui fut impossible. Tous les muscles de son corps protestèrent quand elle plia les genoux et se baissa au fond du canot. Mais elle n'eut pas la force de soulever Keki pour l'installer plus confor-

tablement. Elle ne put que la pousser légèrement.
Elle resserra autour du corps les lambeaux de soie
verte. Elle lui tapota le visage.

« Aidez-moi à vivre. » La prière de la Compagne
était un chuchotement pitoyable. Elle n'avait
même pas ouvert les yeux.

« J'essaierai. » Malta douta d'avoir émis le moindre son mais Keki parut sentir les mots.

« Aidez-moi maintenant », répéta Keki. Les
efforts qu'elle faisait pour parler lui fendaient les
lèvres. Elle respira dans un sanglot. « Je vous en
prie, aidez-moi à vivre maintenant et je vous aide-
rai plus tard. Je vous le promets. »

C'était l'engagement d'un enfant battu, qui pro-
met d'être obéissant si on cesse de lui faire mal.
Malta lui tapota l'épaule. Gauchement, elle lui souleva la tête et la reposa à un endroit où le traversin
du canot n'appuyait pas trop rudement sur sa joue.
Elle se blottit contre le dos de la Compagne pour
partager sa chaleur. C'était tout ce qu'elle pouvait
faire.

Elle força sur les muscles raidis de son cou pour
tourner la tête vers le Gouverneur. Le grand monar-
que de Jamaillia lui lança un regard méchant
depuis le banc de nage où il se tenait accroupi.
Son front enflé au-dessus de ses yeux bouffis déformait ses traits.

Malta se détourna. Elle tâcha de se préparer
pour la nuit en tirant ses bras dans ses manches,
en remontant le col de sa robe aussi haut que
possible et en ramenant les pieds sous ses jupes.
Blottie contre Keki au fond du canot, elle feignit
de croire qu'elle avait plus chaud. Elle ferma les
yeux et s'assoupit.

« Qu'essseça ? »

Malta fit comme si elle n'avait pas entendu. Elle n'allait pas se laisser entraîner dans une nouvelle querelle. Elle n'en avait plus la force.

« Qu'essseça ? » répéta le Gouverneur sur un ton insistant.

Elle ouvrit les yeux, leva légèrement la tête. Puis elle s'assit toute droite, en faisant tanguer dangereusement le canot. Quelque chose venait au-devant d'eux. Elle scruta la nuit, tâchant d'identifier la forme. Seule une vivenef pouvait remonter le fleuve du désert des Pluies. Tout autre vaisseau se désagrégeait sous l'action des eaux acides. Mais cette forme était plus basse qu'une vivenef et semblait n'avoir qu'une seule voile carrée. Des lanternes sourdes l'éclairaient à peine mais Malta eut l'impression d'apercevoir du mouvement à chaque bord. La haute proue mal profilée dansait tandis que le navire remontait le fleuve. Malta se leva en faisant craquer ses articulations ; toute droite, pieds joints, incrédule, tardant à admettre l'évidence, elle contemplait le vaisseau qui avançait. Elle s'accroupit. Il faisait nuit, leur canot était petit. Il était possible que le navire les dépasse sans les voir.

« Qu'est-ce que c'est ? demanda laborieusement le Gouverneur.

— Chut. C'est une galère chalcédienne. » Malta fixait le vaisseau, les yeux écarquillés. Son cœur tambourinait contre ses côtes. Que venait faire une galère chalcédienne sur le fleuve des Pluies ? Que venait-elle faire sinon espionner ou attaquer ? Pourtant, c'était le seul navire qu'ils aient vu. C'était le salut ou la mort violente. Alors qu'elle hésitait sur le parti à prendre, le Gouverneur agit.

« Au secours ! Au secours ! Par là ! Par là ! » Il se releva légèrement à l'arrière, s'agrippa au plat-bord d'une main et agita l'autre frénétiquement.

« Ils ne sont peut-être pas amis ! protesta Malta.

— Bien sûr que si ! Ce sont mes alliés, les mercenaires que j'ai embauchés pour débarrasser les eaux de Jamaillia des pirates. Regardez ! Ils battent pavillon jamaillien. Ce sont mes mercenaires, qui pourchassent les pirates. Hé ! Par là ! À l'aide !

— Ils pourchassent les pirates en amont du fleuve ? rétorqua Malta, sarcastique. Ce sont des bandits ! »

Ils ne relevèrent pas sa remarque. Keki aussi s'était réveillée. Elle s'était hissée en position assise à l'avant, agitait faiblement le bras et émettait des miaulements inarticulés. Malta entendit, à travers leurs cris, l'exclamation de surprise de la vigie sur la galère. En quelques instants, une série de lanternes apparurent à l'avant du navire, projetant sur eux l'ombre déformée d'une proue à tête de monstre. Soudain une silhouette les montra du doigt. Deux autres la rejoignirent. Des cris sur le pont trahissaient l'émoi général. Le navire dévia de sa route pour piquer droit sur eux.

À ce qu'il leur sembla, il mit une éternité à les atteindre. Une ligne leur fut lancée que Malta attrapa au vol. Elle se raidit pendant qu'on tirait leur canot à couple. Les lanternes suspendues sur le bord de la galère l'éblouirent. Elle resta coite, la ligne à la main, tandis que le Gouverneur puis Keki étaient hissés à bord. Quand arriva son tour, elle découvrit en touchant le pont que ses jambes ne la portaient plus. Elle s'effondra sur le bordage. Des voix chalcédiennes les pressaient de questions mais elle se contentait de secouer la tête. Grâce à son père, elle possédait de vagues notions de la langue mais elle avait la bouche trop sèche pour parler. Ils avaient donné de l'eau au Gouverneur et à Keki, et celle-ci balbutiait des remerciements. Quand on lui présenta l'outre d'eau, Malta oublia tout le reste. Ils la lui reprirent avant qu'elle ait étanché sa soif. On lui lança une couverture. Elle s'en enveloppa les épaules et s'assit en tremblant misérablement, se demandant quel sort les attendait.

Le Gouverneur était parvenu à se remettre péniblement debout. Il parlait couramment le chalcédien, quoique d'une voix rendue rocailleuse par sa gorge en piteux état. Malta entendit vaguement l'imbécile se présenter et remercier. Les matelots écoutaient son discours avec des sourires hilares. Elle n'avait pas besoin de comprendre les mots : leurs gestes et leur ton trahissaient leur scepticisme. Cosgo finit par se fâcher, ce qui eut pour résultat de redoubler leur hilarité.

Alors Keki reprit le dessus. Elle parlait plus lentement mais, là aussi, Malta en apprit davantage par son intonation que par les quelques mots qu'elle parvenait à saisir. Peu importaient ses habits sales et déchirés, son teint gâté, ses lèvres craquelées. Dans un chalcédien parfait, la Compagne les réprimandait, les accablait de reproches, employant les pronoms nobles au lieu des formes vulgaires. En outre, Malta savait qu'aucune Chalcédienne n'aurait osé s'exprimer ainsi, à moins d'avoir une confiance absolue dans la position de l'homme qui la protégeait du courroux des marins. Keki désignait tour à tour le pavillon de Jamaillia qui pendait mollement au mât et le Gouverneur.

Malta vit l'attitude des hommes passer du dédain à l'hésitation. Le matelot qui l'aida à se relever prit garde de ne toucher que ses mains et ses bras. Tout autre comportement était une offense mortelle au frère ou à l'époux. Malta serra la couverture autour de ses épaules et suivit en chancelant le Gouverneur et sa Compagne.

Elle ne fut pas autrement impressionnée par le navire. Un pont surélevé courait sur toute la longueur entre les bancs de nage. À l'avant et à l'arrière, il y avait des structures au-dessus du pont conçues pour le combat plutôt que destinées à servir d'abri. Ils furent escortés à l'arrière et introduits dans une cabine. Les marins les laissèrent là.

Il fallut un moment à Malta pour ajuster sa vision. La cabine brillamment éclairée parut splendide à ses yeux éblouis. De riches fourrures couvraient le lit et un épais tapis réchauffa ses pieds nus. Un petit brasero brûlait dans un coin, donnant fumée et chaleur qui lui piquèrent la peau. Un homme assis à une table de cartes achevait de tracer une ligne et inscrivit une note. Il leva lentement les yeux pour les examiner. Le Gouverneur, hardiment ou étourdiment, s'avança et se laissa tomber sur un siège à côté de la table. Il parla sur un ton qui n'était ni impérieux ni quémandeur. Elle saisit le mot « vin ». Keki s'affaissa aux pieds de Cosgo. Malta resta près de la porte.

Elle observait le déroulement des événements comme si elle assistait à une pièce de théâtre. Le cœur serré, elle comprit que son sort était entre les mains de Cosgo. Elle ne se fiait pas à son sens de l'honneur ni à son intelligence ; cependant, elle était prisonnière des circonstances. Elle ne parlait pas suffisamment la langue pour s'exprimer et elle connaissait parfaitement le statut inférieur de la femme chez les Chalcédiens. Si elle tentait de se déclarer indépendante du Gouverneur, elle se priverait elle-même de la protection qu'il pouvait lui offrir. Elle resta silencieuse, tremblant de faim et de fatigue, et observa la scène qui allait décider de son sort.

Le mousse apporta du vin et un plateau de gâteaux secs. Elle dut se résigner à voir le capitaine se verser un verre puis servir son hôte. Ils burent ensemble. Ils parlèrent, surtout le Gouverneur, qui ponctuait ses paroles de fréquentes gorgées de vin. On lui apporta un bol fumant. Tout en mangeant, il tendait à Keki un biscuit ou un morceau de pain comme il l'aurait fait à un chien sous la table. La femme prenait les rogatons et les grignotait lentement, sans manifester qu'elle en désirait davantage. Elle était à bout de forces mais paraissait s'appliquer à suivre la conversation. Pour la première fois, Malta éprouva à son égard un sentiment d'admiration. Peut-être était-elle plus coriace qu'elle n'en avait l'air. Après les rigueurs de ces derniers jours, ses yeux étaient réduits à des fentes dans son visage tuméfié, mais son regard s'éclairait d'une lueur d'intelligence.

Leur repas achevé, les hommes restèrent à table. Un jeune garçon entra, chargé d'une boîte en laque. Il en sortit deux pipes en terre et des pots d'herbes à fumer. Le Gouverneur se redressa avec une exclamation de plaisir. L'impatience brillait dans ses yeux tandis que le capitaine bourrait une pipe et la lui tendait. Il se pencha vers la flamme que le Chalcédien lui offrait. Le mélange des herbes stupéfiantes s'alluma, et Cosgo tira une longue bouffée. Il garda la position, retint son souffle, un sourire béat sur la figure. Puis il se laissa aller en arrière et exhala la fumée avec un soupir de contentement.

Bientôt, des volutes de fumée flottèrent dans la chambre. Les hommes causèrent longuement, rirent souvent. Malta avait du mal à garder les yeux ouverts. Elle tâchait de fixer son attention sur le capitaine et de jauger ses réactions aux paroles du Gouverneur mais elle avait grand-peine à se concentrer. La table et les hommes à l'extrémité de la chambre reculaient dans une chaude distance. Leurs voix n'étaient plus qu'un murmure apaisant. Elle retrouva sa vigilance quand le capitaine se leva. Il tendit une main vers la porte, invitant Cosgo à le précéder. Celui-ci se leva à son tour avec raideur. La nourriture et le vin paraissaient lui avoir redonné un peu de forces. Keki voulut suivre son maître mais s'effondra à nouveau sur le sol. Le Gouverneur émit un reniflement de dédain et dit quelque chose de désobligeant au capitaine. Puis son regard se porta sur Malta.

« Aidez-la, sotte ! » ordonna-t-il avec mépris. Les hommes quittèrent la cabine sans se retourner pour voir si les deux femmes les suivaient.

Malta prit à la dérobée un biscuit sur la table qu'elle fourra dans sa bouche. Elle le mâcha et l'avala précipitamment. Elle ne comprit pas où elle trouva la force d'aider Keki à se relever et à marcher. La Compagne trébuchait sans cesse en s'accrochant à Malta, et elles avançaient en titubant. Les hommes avaient parcouru le navire dans toute sa longueur et elles durent presser le pas derrière eux. Malta n'aima pas les regards que certains matelots posaient sur elle. Ils paraissaient se moquer de son apparence tout en les lorgnant, Keki et elle.

Elles firent halte derrière le Gouverneur. Un homme débarrassait en hâte ses affaires d'une tente grossière à armature de bois dressée sur le pont, sous le château arrière squelettique. Dès qu'il eut ôté son attirail, le capitaine fit signe au Gouverneur de pénétrer sous la tente. Celui-ci inclina gracieusement la tête et entra dans la chambre de fortune.

Alors que Malta aidait Keki, l'homme qui avait déménagé ses affaires posa une main sur son bras. Elle le regarda, interdite, se demandant ce qu'il lui voulait ; avec un large sourire, il adressa une question par-dessus sa tête au Gouverneur. Cosgo répondit par un éclat de rire puis secoua la tête. Il ajouta quelque chose avec un haussement d'épaules. Malta saisit les mots « plus tard ». Puis il roula des yeux comme s'il s'étonnait de la question. L'homme fit mine d'être déçu et, comme par inadvertance, caressa le bras de Malta, effleura la courbe de sa hanche. Elle eut un hoquet de stupéfaction. Le capitaine donna une bourrade amicale à l'homme et elle conclut que ce devait être le second. D'abord troublée par ce qui venait de se passer, elle décida de ne pas s'en inquiéter. Elle aida Keki vers l'unique lit de camp mais, arrivée à côté, la Compagne se laissa tomber mollement sur le pont. Malta la tira vainement par le bras.

« Non, marmotta Keki. Laissez-moi là. Allez à la porte. » Malta la regarda, consternée, et la femme rassembla toutes ses forces pour lui ordonner :

« Ne posez pas de questions maintenant. Faites ce que je vous dis. »

Malta hésita puis surprit le regard du capitaine posé sur elle. Elle se leva gauchement et traversa en boitant la chambre pour se poster près de la porte. Comme une servante, comprit-elle soudain. La colère la dévorait sans lui donner de force. Elle laissa ses yeux errer dans la petite pièce. Les parois étaient faites de peaux. Il n'y avait qu'un lit de camp et une étroite table où brillait une lanterne. C'était tout. Provisoire, à l'évidence. Vraiment ? Un instant après, le capitaine souhaitait une bonne nuit au Gouverneur. Dès que le rabat retomba derrière l'homme, Malta s'affaissa par terre. Elle avait toujours faim et soif mais se contenterait pour le moment de dormir. Elle s'enveloppa dans sa couverture.

« Levez-vous, conseilla le Gouverneur. Quand le mousse va revenir apporter à manger à Keki, il s'attendra que sa servante prenne le plateau. Ne m'humiliez pas en refusant de le faire. Il va aussi apporter de l'eau chaude. Quand vous m'aurez donné mon bain, vous pourrez vous occuper d'elle.

— Plutôt me jeter par-dessus bord », déclara Malta. Et elle ne bougea pas.

« Alors restez ici. » La nourriture et le vin lui avaient fait retrouver son arrogance. Avec un mépris total de Malta, il commença à ôter ses vêtements sales. Outrée, elle détourna le regard mais ne put éviter d'entendre ses paroles. « Vous n'aurez pas à vous jeter par-dessus bord. Les matelots s'en chargeront sûrement, quand ils en auront fini avec vous. C'est ce qu'a demandé le second, quand vous êtes arrivée. "Est-ce que celle qui a la cicatrice est disponible ?" Je lui ai répondu que vous étiez la servante de ma compagne mais que peut-être, plus tard, elle vous laisserait un peu de temps. » Un sourire suffisant retroussa les commissures de ses lèvres. D'une voix mielleuse, il poursuivit : « Ne l'oubliez pas, Malta. Sur ce navire, c'est comme si vous étiez en Chalcède. Si vous n'êtes pas à moi, alors vous n'appartenez à personne. Et, en Chalcède, la femme de personne est la femme de tout le monde. »

Malta l'avait déjà entendu dire mais n'en avait pas saisi toutes les implications. Elle serra les mâchoires. La voix enrouée de Keki la fit se retourner. « Le Gouverneur Magnadon exprime la vérité, ma fille. Levez-vous. Si vous voulez vous épargner, soyez une servante. » Elle soupira et ajouta énigmatiquement : « Rappelez-vous la promesse que je vous ai faite, et écoutez-moi. Il faut vivre, si tant est que l'un de nous s'en sorte. Son statut nous protégera si nous le protégeons. »

Le Gouverneur écarta ses vêtements d'un coup de pied. Son corps pâle choqua Malta. Elle avait déjà vu des débardeurs et des paysans la poitrine dénudée mais elle n'avait jamais posé les yeux sur un homme complètement nu. Malgré elle, son regard fut attiré par les parties génitales. Elle savait qu'on appelait ça « virilité » ; elle s'était attendue à autre chose qu'à ce pédoncule rose écourté dans un nid de poils bouclés. Le membre pendillant ressemblait à un ver malsain ; les hommes étaient-ils tous faits ainsi ? Elle était dégoûtée. Comment une femme pouvait-elle supporter le contact d'une chose aussi répugnante ? Elle détourna vivement les yeux. Il ne parut pas remarquer son dégoût. Au contraire, il se plaignit : « Où est l'eau de mon bain ? Malta, allez voir ce qui se passe. »

On frappa au pilier de bois avant qu'elle ait eu le temps de protester. Elle se remit précipitamment debout, se méprisant pour avoir capitulé. Le rabat se souleva et le mousse chargé de deux seaux d'eau entra en poussant du pied un baquet en bois. Il déposa ses fardeaux et regarda, éberlué, le Gouverneur comme si lui non plus n'avait jamais vu un homme nu. Elle se demanda s'il était surpris par la pâleur ou par la mollesse et la minceur du corps. Même Selden avait une poitrine plus musclée. Derrière le mousse arriva un matelot qui portait un plateau. Il jeta un coup d'œil autour de lui puis tendit le plateau à Malta tout en indiquant d'un geste qu'il était destiné à Keki. Le mousse et le marin sortirent.

« Donnez-lui à manger, lança le Gouverneur hargneux, alors qu'elle regardait fixement le plateau chargé de biscuit de mer, d'un brouet clair et d'eau. Puis venez ici et versez-moi l'eau de mon bain. » Il enjamba le baquet peu profond et s'accroupit. Il resta là, assis sur les talons, à attendre. Elle lui lança un regard noir. Elle était coincée, elle le savait.

Elle traversa la pièce et posa sans douceur le plateau par terre, à côté de Keki. La femme tendit la main, prit un morceau du dur biscuit de mer, qu'elle abandonna aussitôt, reposa la tête sur ses bras et ferma les yeux. « Je suis tellement fatiguée », murmura-t-elle d'une voix rauque. Pour la première fois, Malta remarqua que du sang frais perlait à la commissure des lèvres de la Compagne. Elle s'agenouilla près d'elle.

« Vous avez bu beaucoup d'eau du fleuve ? » demanda-t-elle. Mais Keki se borna à soupirer profondément, sans bouger. Timidement, Malta lui effleura la main. La Compagne ne réagit pas.

« Ne vous en faites pas pour elle. Venez ici et versez-moi de l'eau. »

Malta couvait la nourriture des yeux. Sans se retourner, elle porta le bol de bouillon à sa bouche et en but la moitié avec avidité. Du liquide et de la chaleur, tout ensemble. Merveilleux. Elle brisa un morceau de biscuit et le mit dans sa bouche. C'était dur, et sec, et coriace, mais ça se mangeait. Elle le rongea.

« Obéissez tout de suite. Ou j'appelle le matelot qui vous désire. »

Elle resta où elle était. Elle avala le morceau de biscuit. Elle prit le flacon d'eau et le vida à demi. Elle serait digne. Elle laisserait l'autre moitié à Keki. Elle jeta un coup d'œil au Gouverneur. Il était accroupi, nu, dans son baquet. Ses cheveux ébouriffés et son visage brûlé par le vent donnaient l'impression que sa tête n'appartenait pas à son corps livide. « Si vous saviez, dit-elle sur un ton désinvolte, vous avez tout à fait l'air un poulet plumé dans une poêle à frire. »

La figure gercée de Cosgo se marbra de taches rouges. « Comment osez-vous vous moquer de moi ? demanda-t-il, furieux. Je suis le Gouverneur de Jamaillia et…

— Et moi, je suis la fille d'un Marchand de Terrilville, et je serai un jour Marchande. (Elle secoua la tête.) Je crois somme toute que ma tante

Althéa avait raison. Nous ne devons pas allégeance à Jamaillia. Je ne me sens absolument aucune obligation à l'égard d'un gringalet qui ne sait même pas se laver tout seul.

— Vous ? Vous vous croyez Marchande de Terrilville, ma petite fille. Mais en réalité, vous savez ce que vous êtes ? Morte. Morte pour ceux qui vous ont connue. Vous chercheront-ils sur ce fleuve ? Non. Ils vous pleureront une semaine ou deux puis ils vous oublieront. Comme si vous n'aviez jamais existé. Ils ne sauront jamais ce que vous êtes devenue. J'ai parlé au capitaine. Il vire de bord, en aval. Ils exploraient en amont mais, maintenant qu'ils m'ont secouru, ils ont changé leurs projets, bien sûr. Nous allons rejoindre leurs compatriotes à l'embouchure du fleuve et faire route tout droit vers Jamaillia. Vous ne reverrez jamais Terrilville. Alors, c'est votre vie maintenant, et vous n'aurez pas mieux. À vous de choisir, Malta Vestrit, autrefois de Terrilville. Servante, et vous vivrez. Souillon finie, et vous mourrez, jetée d'une galère de guerre. »

Le biscuit se coinça subitement dans la gorge de Malta. Elle vit, à son sourire froid, qu'il disait la vérité. Son passé lui avait été arraché. C'était sa vie désormais. Elle se leva lentement et traversa la pièce. Elle baissa les yeux sur l'homme qui allait la commander, toujours accroupi à ses pieds dans une posture incongrue. Il désigna les seaux d'un geste dédaigneux. Elle se demanda ce qu'elle allait faire. Tout lui parut soudain si lointain. Elle était si lasse, si désespérée. Elle ne voulait pas être une servante mais elle n'avait pas envie non plus qu'on abuse d'elle et qu'on la jette en pâture à de sales matelots jamailliens. Elle voulait vivre. Elle ferait ce qu'il faudrait pour ça.

Elle souleva un seau fumant. Elle s'avança vers le baquet et versa lentement sur lui un filet d'eau jusqu'à ce qu'il soupire de plaisir dans la chaleur. Une bouffée de vapeur la fit sourire. Les imbéciles avaient fait chauffer l'eau du fleuve pour le bain. Elle aurait dû le deviner. Un bâtiment de cette taille ne pouvait loger de grandes provisions d'eau douce. Ils l'économisaient. Les Chalcédiens savaient évidemment qu'ils ne pouvaient boire l'eau du fleuve mais ils n'avaient pas compris qu'il ne fallait pas l'utiliser pour se laver, car ils ne devaient probablement pas prendre de bain. Ils ignoraient ce qui en résulterait pour lui. Demain, il serait couvert de cloques.

Elle lui demanda avec un sourire suave : « Je vous verse aussi le second seau ? »

9

BATAILLE

Althéa jeta un regard sur le pont ; tout se passait bien. Le vent était régulier, Haff était à la barre. Le ciel était d'un bleu clair et limpide. Par le milieu du navire, six matelots s'entraînaient à répéter une série d'attaques et de parades avec des bâtons. Bien qu'ils n'y mettent pas beaucoup d'entrain, Brashen semblait satisfait de la forme et de la précision de leurs évolutions. Lavoy les houspillait et les corrigeait à grands cris. Elle secoua la tête. Elle ne prétendait pas s'y connaître en combat mais ces enchaînements bien huilés la déconcertaient. Une bataille n'était certainement pas aussi disciplinée que cet échange bien réglé de coups, auquel s'exerçaient les hommes, ni aussi calme et tranquille que le tir des archers qui avait précédé. À quoi cela pouvait-il servir ? Néanmoins, elle tenait sa langue et, quand ce fut son tour, elle s'entraîna avec les autres en tâchant d'y mettre du cœur. Elle commençait à devenir un bon archer avec le petit arc qui lui avait été attribué. Pourtant, il était difficile de croire que tout cela pourrait être utile en cas de véritable combat.

Elle n'avait pas fait part de ses doutes à Brashen. Ces derniers temps, ses sentiments à son égard étaient plus vifs. Elle ne voulait pas risquer de se laisser tenter par des tête-à-tête avec lui. S'il était capable de se maîtriser, elle aussi. C'était une question de respect, tout simplement. Elle écoutait le fracas cadencé des épées de bois alors que Clef arpentait le pont en fredonnant une chanson de marin. À défaut d'autre chose, l'exercice empêchait l'équipage de faire des bêtises. Le *Parangon* transportait davantage qu'un équipage, car Brashen avait enrôlé autant d'hommes pour le combat que pour la manœuvre du navire, et des recrues supplémentaires qui compenseraient les pertes. Les esclaves clandestins étaient venus grossir encore leur nombre. Les logements bondés engendraient les querelles quand on ne gardait pas les hommes occupés.

Assurée que rien ne réclamait son attention immédiate, elle bondit vers le mât. Elle se força à grimper à toute allure ; parfois, elle se sentait ankylosée à cause du manque d'espace. Une ascension leste vers le nid de pie lui dégourdissait un peu les jambes.

Ambre l'entendit arriver. Elle paraissait toujours avoir une conscience surnaturelle de la présence d'autrui. Althéa surprit le sourire résigné de bienvenue que son amie lui adressa quand elle se hissa sur le bord du nid de pie et s'assit à côté d'elle, jambes pendantes. « Comment te sens-tu ? »

Ambre sourit tristement. « Très bien. Cesse de t'inquiéter. C'est passé. Je te l'ai dit, cette maladie va et vient. Ce n'est pas grave.

— Mm… » Althéa n'était pas convaincue. Elle s'interrogeait encore sur ce qui s'était passé la nuit où elle avait trouvé Ambre sans connaissance sur le pont. Celle-ci avait prétendu qu'elle s'était tout simplement évanouie et que les bleus sur sa figure étaient dus à sa chute. Pourquoi donc mentirait-elle ? Si Lavoy l'avait assommée, elle ou Parangon s'en seraient plaints depuis lors.

Althéa scruta son visage. Dernièrement, le charpentier avait supplié qu'on lui confie le poste de la vigie et le lieutenant avait accepté à contrecœur. Si Ambre s'évanouissait là-haut et tombait sur le pont, elle ne s'en tirerait pas avec quelques bleus sur la figure. Pourtant, ce poste élevé et solitaire semblait lui convenir car, si le vent lui avait brûlé la peau à la faire peler, le teint en dessous était hâlé et resplendissant de santé, ce qui assombrissait ses yeux et accentuait la nuance fauve de ses cheveux. Althéa ne l'avait jamais vue aussi éclatante de vitalité.

« Il n'y a rien à voir », marmotta Ambre, mal à l'aise, et Althéa s'aperçut soudain qu'elle la dévisageait. Elle feignit d'avoir mal compris. Elle parcourut l'horizon des yeux, prétendument à la recherche de voiles.

« Dans ces îles, on ne sait jamais. C'est une des raisons pour lesquelles les pirates apprécient ces eaux. Un navire peut s'y tenir à l'affût et attendre sa proie. Avec toutes ces petites criques et ces anses, il peut se cacher n'importe où.

— Comme là-bas, par exemple. » Ambre leva le bras et pointa dans une direction. Althéa suivit le geste du regard, fixa l'horizon d'un œil critique puis demanda : « Tu as vu quelque chose ?

— J'ai cru, pendant un instant. La pointe d'un mât qui bougeait derrière les arbres, là-bas. »

Althéa plissa les paupières. « Il n'y a rien, conclut-elle en se détendant. Peut-être as-tu vu un oiseau qui volait de branche en branche. Tu sais bien que l'œil est attiré par le mouvement. »

La mer devant elle s'étendait en une perspective éblouissante de verts et de bleus. Les îles aux à-pics rocheux jaillissaient et déployaient sur leurs falaises abruptes une végétation luxuriante. Des torrents et des cascades dévalaient leurs pentes escarpées. L'eau ruisselante étincelait au soleil et se fracassait dans le ressac. C'était tout ce qu'on pouvait apercevoir du pont. Mais ici, au sommet du mât, on distinguait nettement les contours de la terre et de la mer. La couleur des flots variait selon la profondeur et la quantité d'eau douce qui surnageait. Les nuances de bleu indiquaient à Althéa que le chenal était assez profond pour le *Parangon* mais plutôt étroit. Ambre était censée observer ces variations et avertir le timonier de la présence des bas-fonds. Des bancs de sable instables représentaient un des dangers légendaires des Îles des Pirates. À l'ouest, une multitude d'îlots saillants pouvaient aussi bien être considérés comme tels ou comme les pics montagneux d'une côte submergée. L'eau douce courait perpétuellement dans cette direction, charriant sable et alluvions qui reformaient des bancs de sable et des bas-fonds. Les tempêtes qui battaient régulièrement la région balayaient et refaçonnaient ces obstacles à la navigation. Porter ces îles sur la carte était un labeur inutile. Les voies navigables s'ensablaient, devenaient infranchissables pour être emportées à la tempête suivante. Les risques du cabotage qui ralentissait les vaisseaux marchands lourdement chargés étaient les alliés des pirates.

Leurs petits navires à faible tirant d'eau pour la plupart étaient mus par des courants rapides autant que par les voiles, et manœuvrés par des hommes qui connaissaient les eaux comme leur poche. Durant tout le temps qu'Althéa avait passé à parcourir les Rivages Maudits, elle ne s'était jamais aventurée aussi loin dans les Îles des Pirates. Son père les évitait comme il évitait toute fortune de mer. « Le profit qu'on tire du danger ne fait que te payer les intérêts en ennuis », répétait-il. Althéa sourit.

« À quoi penses-tu ? demanda Ambre à mi-voix.

— À mon père. »

Ambre hocha la tête. « C'est bien que tu puisses penser à lui en souriant, maintenant. »

Althéa acquiesça dans un murmure mais n'ajouta rien. Pendant un moment, elles restèrent sur le mât sans parler. Le nid de pie amplifiait le doux roulis du navire. Du plus loin qu'elle s'en souvienne, elle avait toujours trouvé ce mouvement grisant. Mais la paix fut de courte durée. La question la démangeait. Sans regarder son amie, elle demanda : « Tu es sûre que Lavoy ne t'a rien fait ? »

Ambre soupira. « Pourquoi te mentirais-je ?

— Je ne sais pas. Pourquoi répondre à ma question par une autre question ? »

Ambre lui fit face carrément. « Pourquoi ne peux-tu admettre que je me sentais mal et que je me suis évanouie ? S'il s'était agi d'autre chose, crois-tu que Parangon se serait tu, tout ce temps ? »

Althéa ne répondit pas immédiatement. Enfin, elle déclara : « Je ne sais pas. J'ai l'impression que Parangon est en train de changer. Cela m'agaçait quand il boudait ou qu'il faisait ses comédies. On aurait dit un gosse mal aimé. Pourtant, il y avait des moments où il semblait désireux de plaire. Il déclarait vouloir faire ses preuves. Mais, dernièrement, quand il lui arrive de m'adresser la parole, il dit des choses saisissantes. Il mentionne les pirates, il ne parle que de sang, de violence et de meurtre. Il a assisté à des tortures. Il te débite ça d'une telle façon qu'on a l'impression d'avoir affaire à un petit vantard qui ment délibérément pour choquer. Je ne sais même pas ce que je dois croire, dans tout ça. Est-ce qu'il pense m'impressionner par la quantité d'horreurs dont il a été témoin ? Quand je le provoque, il admet que ces choses sont affreuses. Mais il raconte ces histoires avec une jubilation morbide. On dirait qu'il cache en lui un homme violent et cruel, qui se délecte des atrocités dont il est capable. Je ne sais pas d'où lui vient toute cette perversité. » Elle détourna les yeux et ajouta à mi-voix : « Et je n'aime pas qu'il passe autant de temps avec Lavoy.

— Il serait plus exact de dire que Lavoy passe autant de temps avec lui. Ce n'est quand même pas Parangon qui vient le chercher. C'est le second qui va le voir. Et en vérité, Lavoy réveille ce qu'il y a de pire en Parangon. Il l'encourage dans ses rêves de violence. Ils rivalisent de cruauté en se racontant leurs histoires, comme si être témoin d'atrocités était une preuve de virilité. » La voix d'Ambre devint presque inaudible : « Il fait ça pour servir ses intérêts personnels, j'en ai peur. »

Althéa se sentit mal à l'aise. Elle avait subitement l'impression qu'elle allait regretter de laisser la conversation prendre ce tour. « On n'y peut pas grand-chose.

— Vraiment ? fit Ambre en lui coulant un regard oblique. Brashen pourrait l'interdire. »

Althéa secoua la tête avec regret. « Il ne peut pas sans saper l'autorité de Lavoy sur le navire. Les hommes l'interpréteront comme un reproche et…

— Et alors ? D'après mon expérience, quand un homme à un poste de commandement devient perverti, il vaut mieux s'en débarrasser le plus vite possible. Althéa, réfléchis. Parangon n'est pas très subtil. Il dit ce qui lui passe par la tête. Les matelots, eux, sont plus prudents. Mais si Lavoy influence le navire, tu crois qu'il ne fait pas la même chose avec l'équipage, surtout avec les Tatoués ? Il a pris beaucoup trop d'ascendant sur eux. À certains égards, ils sont comme Parangon. Ils ont été malmenés par la vie et l'expérience les a rendus capables de cruauté froide. Lavoy mise là-dessus. Regarde comme il les encourage à se moquer de Clapot et à le tourmenter. » Elle détourna les yeux vers la mer. « Lavoy est dangereux. On devrait se débarrasser de lui.

— Mais il… », commença Althéa. Elle fut interrompue par Ambre qui se leva d'un bond.

« Navire en vue ! » cria-t-elle en pointant le doigt. En dessous, sur le pont, la deuxième vigie reprit le cri et indiqua la même direction pour le timonier. Althéa le voyait maintenant, un mât qui se déplaçait derrière une mince rangée d'arbres sur une longue langue de terre, tout près de l'endroit qu'Ambre avait signalé plus tôt. Le navire s'était probablement caché là pour attendre l'approche du *Parangon* avant de passer à l'attaque.

« Des pirates ! » confirma Althéa. Et elle hurla « PIRATES ! » pour alerter l'équipage en bas.

Comme s'ils s'étaient rendu compte qu'on les avait repérés, ils déployèrent soudain le pavillon, rouge à l'emblème noir. Althéa compta six petites embarcations qu'on s'apprêtait à amener. Ce serait donc leur tactique ; les canots harcèleraient Parangon et l'aborderaient si possible tandis que le navire essaierait de le forcer dans les bas-fonds. Si les hommes des canots parvenaient à envahir le pont de Parangon, ils pourraient le faire échouer et le piller à leur aise. Le cœur d'Althéa battait à tout rompre. Ils en avaient parlé, ils s'y étaient préparés ; elle n'en demeurait pas moins saisie. Durant un bref instant, la peur l'étreignit avec tant de violence qu'elle ne put respirer. Les hommes dans ces canots feraient tout pour la tuer. Elle s'étrangla en avalant de l'air, ferma les yeux puis les rouvrit tout grands. Ce n'était pas le moment de trembler pour sa vie. Le navire comptait sur elle.

Brashen était apparu sur le pont au premier appel. « Mettez tout dessus ! lui cria Althéa d'en haut. Ils veulent nous tomber dessus comme une meute de loups, mais on peut les distancer. Six canots et le navire. Attention ! Bas-fonds devant ! » Elle se tourna vers Ambre. « Descends voir Parangon. Dis-lui qu'il doit nous aider à garder le meilleur chenal. Si les pirates s'approchent trop, arme-le. Il peut très bien réussir à écarter une embarcation. Je prends ton poste ici. Le capitaine s'occupe du pont. »

Ambre n'attendit pas son reste. Elle disparut, en glissant le long des filins comme si elle n'avait fait que cela toute sa vie. Parangon arrivait à hauteur de la pointe de terre et les canots filaient pour l'intercepter. Six hommes dans chaque embarcation tiraient les avirons tandis que d'autres empoignaient armes et grappins en guettant le moment propice. Le pont de Parangon grouillait. Des hommes se précipitaient pour torcher de la toile tandis que d'autres faisaient passer les armes et prenaient position le long des garde-corps. L'affolement qu'Althéa constatait n'avait rien à voir avec la bonne coordination qu'elle avait espérée.

Soudain elle sentit l'impatience monter en elle. La surexcitation l'étourdit, noya sa peur. Après toute cette attente, l'occasion se présentait enfin. Elle allait se battre, elle allait tuer. Tout le monde verrait ce dont elle était capable ; ils la respecteraient après ça. « Oh, Parangon », murmura-t-elle pour elle-même en comprenant soudain la source de ses émotions. « Oh, navire, tu n'as plus rien à prouver à personne. Ne te laisse pas envahir par ça. »

S'il perçut ses pensées, il ne le manifesta pas. Elle se félicita de pouvoir dissimuler sa peur sous la bravade du navire. Tandis qu'elle annonçait d'en haut à Brashen la position des canots qui approchaient, afin qu'il puisse les éviter, Parangon réclamait le sang à grands cris. Ambre ne l'avait pas encore armé. Il vociférait, proférait ses menaces et s'agitait violemment, battant des bras aveuglément en cherchant une proie qui soit à sa portée. Comme le constata Althéa depuis son perchoir, deux des canots mollirent en voyant et en entendant la figure de proue déchaînée. Les autres continuèrent sans se démonter. Elle les distinguait nettement, à présent. Ils avaient autour du front des foulards rouges marqués d'un sceau noir. La plupart étaient tatoués. Ils hurlaient à pleins poumons leurs propres injures au navire et brandissaient leurs épées.

Althéa ne discernait pas très clairement, en revanche, ce qui se passait sur le pont. Le gréement et la toile lui bouchaient la vue mais elle entendait Brashen brailler des ordres et des jurons. Elle continua à crier la position des canots. Elle reprit courage en constatant que deux d'entre eux battaient déjà en retraite. Peut-être Parangon parviendrait-il à se faufiler entre eux. Brashen donnait des ordres pour les prendre de vitesse mais la figure de proue se penchait de façon désordonnée et contrariait les efforts du timonier. De son perchoir, Althéa entendit Ambre élever clairement la voix, une seule fois. « C'est moi qui décide ! » déclara-t-elle à quelqu'un sur un ton péremptoire.

*
*   *

Brashen sentit son cœur se serrer. L'entraînement de l'équipage semblait avoir été totalement inefficace. Il chercha Lavoy des yeux. Le second était censé commander les archers. Il aurait dû aussi maîtriser l'affolement sur le pont mais il était invisible. Pas le temps de le chercher : il fallait que l'équipage soit opérationnel, maintenant. Les hommes couraient dans tous les sens comme des enfants indisciplinés jouant à un jeu violent. Devant ce premier défi, la plupart étaient redevenus les mauvais drôles que Brashen avait recrutés à Terrilville. Il se rappela avec chagrin son plan bien ordonné : une équipe pour défendre le navire, une seconde prête à attaquer, tandis qu'une troisième veillait à la manœuvre. Les archers auraient dû être alignés le long du garde-corps. Ce n'était pas le cas. Il estima qu'environ la moitié des hommes se souvenaient de ce qu'ils devaient faire. Certains bayaient aux corneilles ou se penchaient par-dessus la lisse en criant et en faisant des paris comme s'ils assistaient à une course de chevaux. D'autres hurlaient des injures aux pirates et agitaient leurs armes dans leur direction. Il vit deux hommes se disputer une épée comme des gamins. Le navire était pire qu'eux tous, il se vautrait au lieu de répondre au timon. Les pirates approchaient de minute en minute.

Il renonça à la distance qu'un capitaine doit observer avec son équipage. Haff à la barre semblait le seul concentré sur sa tâche. Brashen parcourut rapidement le pont. Un coup de pied bien allongé sépara un groupe de gobe-mouches. « À vos postes, ordonna-t-il sèchement. Parangon ! Redresse-toi ! » brailla-t-il. En cinq pas, il rejoignit les hommes qui trifouillaient les armes. Il saisit au collet les deux qui se chamaillaient, leur cogna la tête l'un contre l'autre, puis leur donna des lames moins tentantes. Il garda pour lui l'épée qu'ils s'étaient disputée. Il jeta un coup d'œil circulaire. « Jek ! Vous êtes chargée de distribuer les armes. Une chacun, et si quelqu'un ne prend pas celle qui lui est attribuée, il se débrouillera sans. Les autres, en ligne ! » Il ordonna à trois matelots qui traînassaient de grimper dans la mâture, de guetter et de lui crier ce qu'ils voyaient. Ils bondirent de bon cœur, ravis d'abandonner leurs armes à ceux qui étaient plus désireux d'en découdre.

Brashen se reprochait de n'avoir pas prévu ce chaos. Alors qu'Althéa et les autres lui indiquaient les positions des canots, il hurlait ses ordres au timonier et aux hommes qui manœuvraient le gréement. Il estima qu'on serait en mesure d'échapper aux embarcations, mais de justesse. Quant au vaisseau derrière eux, eh bien, c'était le même vent qui gonflait ses voiles. Parangon était en tête et il devait être capable d'y rester. C'était une vivenef, mille sabords ! Elle devait être capable de distancer n'importe qui si elle avait les devants. Pourtant, malgré tout cela, Parangon traînait à réagir, comme s'il résistait aux efforts déployés par l'équipage pour lui donner de la vitesse. L'angoisse déroula ses anneaux à l'intérieur de Brashen. Si Parangon ne se bougeait pas, les canots le rattraperaient.

En quelques minutes, le capitaine maîtrisa l'équipage sur le pont. Alors que la pagaille diminuait, il chercha à nouveau Lavoy des yeux. Où donc était l'homme dont il était en train de faire le travail ?

Il le repéra qui se dirigeait vers le gaillard d'avant. Plus inquiétante encore que le désordre de tout à l'heure, c'était l'équipe disciplinée qui entourait Lavoy. Composé surtout des esclaves affranchis qu'ils avaient fait sortir clandestinement de Terrilville, ce groupe flanquait le second comme une escorte personnelle. Ils portaient des arcs et des épées. Ils s'alignèrent sur le gaillard d'avant, que Lavoy arpentait d'un pas déterminé. Brashen sentit monter en lui une colère irrationnelle. La manière dont les hommes évoluaient autour de Lavoy était éloquente : ils formaient son équipage d'élite. C'était à lui qu'ils obéissaient, non au capitaine.

En traversant le pont, il sentit sa veste bridée par quelque chose. Il pivota, agacé, pour se libérer et découvrit un Clef empourpré qui l'agrippait. Ses grands yeux bleus écarquillés, le gamin tenait un long couteau dans sa main droite. Il trembla sous le regard sévère du capitaine mais ne lâcha pas prise. « J'su'veille vot'dos, cap'tain'», déclara-t-il. D'un mouvement de tête dédaigneux, il indiqua Lavoy et ses hommes qui l'entouraient. « Attendez, conseilla Clef en baissant la voix. Guettez-les une minut'.

— Lâche-moi », ordonna Brashen, irrité. Le garçon obéit mais le suivit comme son ombre quand il se dirigea vers le gaillard d'avant.

« Venez-y ! Je vais tous vous tuer ! Approchez ! » criait un Parangon jubilant aux pirates. Brashen n'aurait pas reconnu sa voix, plus grave et plus rauque, si elle n'avait été aussi puissante. L'espace d'un instant, il éprouva la soif de sang du navire ; la farouche et juvénile volonté de faire ses preuves se corsait du désir d'adulte d'écraser qui s'opposerait à lui. Il en fut glacé et plus glacé encore en entendant le rire sauvage de Lavoy. Était-il en train d'attiser inconsciemment les émotions violentes de Parangon ?

Le second continua d'aiguillonner le navire. « Et comment, mon gars ! Je te dirai où cogner, et tu les assommes. Remets-lui son bâton, femme ! Qu'il montre un peu à ces brutes de quoi c'est capable, une vivenef de Terrilville !

— C'est moi qui décide ! » La voix d'Ambre n'était pas aiguë mais elle portait. « Le capitaine m'a confié cette charge. C'est moi qui décide quand le navire a besoin d'une arme. On nous a donné l'ordre de fuir, pas de combattre. » Il crut percevoir une pointe d'effroi dans sa voix mais la colère froide la masquait bien. D'un ton calme, grave, elle exhorta Parangon : « Il n'est pas trop tard. On peut encore les distancer. Personne n'est obligé de mourir.

— Passe-moi mon bâton ! ordonna Parangon avec une note stridente sur le dernier mot. Je vais les tuer, ces salauds ! Je vais tous les tuer ! »

Brashen observait la scène sur le gaillard d'avant. Ambre debout, cramponnée des deux mains à la perche de Parangon, Lavoy agressif mais, malgré ses paroles et les hommes dans son dos, n'osant pas porter la main sur le bâton. Ambre regarda par-dessus lui vers la figure de proue.

« Parangon, implora-t-elle. Tu veux vraiment revoir du sang sur tes ponts ?

— Donnez-le-lui, insista Lavoy. N'essayez pas de cacher tout un navire sous vos jupes, femme ! Laissez-le se battre s'il en a envie ! Nous ne sommes pas forcés de nous enfuir. »

La réponse de Parangon fut interrompue par un bruit nouveau. Derrière Brashen, un grappin atterrit sur le pont avec un son mat, cliqueta et accrocha la lisse avant de retomber à l'eau. Des cris d'enthousiasme résonnèrent en dessous et un autre grappin fut lancé.

« Abordage ! cria Haff. Par tribord arrière ! »

D'une voix d'acier, Brashen ordonna en se précipitant sur le gaillard d'avant : « Lavoy, à l'arrière ! Repoussez les abordeurs ! Archers, à la lisse, et tenez les canots en respect ! Parangon, réponds au timon, ne te vautre pas. Tu es un navire ou un radeau ? Je veux qu'on sorte d'ici. »

Il y eut un imperceptible silence avant que Lavoy n'acquiesce : « Bien, commandant ! » Il se dirigea vers l'arrière, suivi de ses hommes. Brashen ne put voir le coup d'œil qu'échangèrent le second et Ambre mais il remarqua les lèvres pincées et blanches du charpentier. Ses mains étaient crispées sur l'arme qu'elle avait fabriquée pour le navire. Qu'aurait-elle fait si Lavoy avait voulu s'en emparer ? Brashen classa l'incident dans sa mémoire pour s'en occuper plus tard. Il s'avança vers la lisse et se pencha pour crier à la figure de proue : « Parangon, cesse de t'agiter comme ça et avance. Je préfère laisser cette vermine derrière moi que la combattre.

— Je ne m'enfuirai pas ! » s'exclama sauvagement Parangon. Sa voix se cassa sur les mots, comme celle d'un adolescent. « Seuls les lâches s'enfuient ! Il n'y a aucune gloire à fuir un combat !

— Trop tard pour fuir ! claironna Clef, surexcité, derrière lui. Y nous ont eus, commandant ! »

Consterné, Brashen fit volte-face et balaya le pont du regard. Cinq ou six hommes avaient déjà abordé en deux endroits. C'étaient des combattants expérimentés et ils tenaient leur formation, en laissant l'espace libre derrière eux pour leurs camarades qui grouillaient sur les filins des grappins. Pour l'instant, ils ne cherchaient qu'à défendre le petit avantage qu'ils avaient pris et ils le défendaient fort bien. Les novices de Brashen attaquaient en masse, se bousculant les uns les autres. Un autre grappin atterrit sur le pont, glissa et s'accrocha. Dès qu'il fut fixé solidement, Brashen vit une main se tendre vers la rambarde. Ses hommes étaient si occupés à se battre qu'ils ne remarquèrent même pas la nouvelle menace. Seul Clef s'écarta de lui d'un bond pour charger sur le franc-tillac et affronter les pirates qui montaient à l'assaut. Brashen fut horrifié.

« Tout le monde ! Repoussez les abordeurs ! rugit-il, et il se tourna vers Parangon. On n'est pas encore prêts. Navire ! Ils vont nous prendre si tu ne nous sors pas de là. Raisonnez-le ! » cria-t-il à Ambre.

Il bondit pour rejoindre Clef mais, à son grand désarroi, il s'aperçut qu'Althéa l'avait devancé. Alors que le gamin dardait son arme vers l'homme qui escaladait la lisse, elle essayait vainement de décrocher le grappin. Les trois pattes étaient fichées dans le garde-corps et le poids des hommes grouillant sur les filins faisait mordre plus profondément le métal dans le bois. Une longueur de chaîne fixée directement derrière le crochet empêchait les défenseurs de sectionner le grappin. Avant que Brashen ait pu les rejoindre, Clef poussa un hurlement sauvage et s'élança, ivre de fureur, en brandissant son couteau. La lame se planta dans la gorge d'un pirate goguenard qui venait juste de passer un bras par-dessus la lisse. Rouge sombre, le sang jaillit de la barbe, gicla sur Clef et Althéa avant d'éclabousser le pont. La voix de basse de Parangon apprit au capitaine que le navire l'avait senti. L'homme agonisant bascula en arrière. Brashen entendit le bruit de sa chute, quand il s'écrasa lourdement sur le canot en dessous. Des cris lui indiquèrent que le choc avait fait des dégâts.

Il écarta Althéa d'un coup d'épaule. « À l'abri ! ordonna-t-il. En arrière ! » Il balança une jambe par-dessus la lisse, coinça l'autre dessous pour se maintenir fermement à califourchon. Il plongea brusquement en avant avec son épée et lacéra la figure d'un pirate qui s'accrochait toujours au filin. La chance les avait favorisés : la chute du premier pirate avait submergé l'embarcation et renversé l'homme qui raidissait la ligne. Alors que le second pirate lâchait prise et tombait, Brashen saisit l'occasion. Il bondit en arrière sur le pont et d'une secousse détacha le grappin. Avec un cri de triomphe, il le lança à la mer. Il fit volte-face, radieux, s'attendant à voir Althéa et Clef partager sa victoire. Mais le visage de l'une était crispé de colère. Quant à l'autre, il regardait, ahuri, le couteau dans ses mains et le sang qui les couvrait. Un cri à l'arrière lui fit tourner la tête. Le combat avait pris mauvaise tournure, là-bas. Il se pencha et secoua Clef par l'épaule. « Tu réfléchiras plus tard, fiston ! Allez, viens ! »

Ces paroles tirèrent le garçon de sa transe et il suivit Brashen qui chargeait sur le pont. Il lui sembla qu'au même moment le navire prenait soudain de la vitesse. En plongeant au cœur de la bataille, il fut brièvement soulagé qu'Althéa ne l'ait pas suivi. Trois de ses hommes étaient couchés sur le pont, se roulaient et cognaient sur un pirate comme s'il s'agissait d'une bagarre de taverne. Il les enjamba d'un bond pour croiser le fer avec un tatoué au crâne chauve et luisant. Brashen laissa l'homme parer son coup afin de se fendre et d'atteindre sa vraie cible : le pirate qui venait de balancer une jambe par-dessus le garde-corps. Alors qu'il retombait en arrière, en se tenant la poitrine, Brashen paya pour son audace. Le chauve lui porta un coup de poignard qu'il réussit presque à esquiver en se jetant sur le côté. Il sentit la lame mordre dans sa chemise et le tissu se fendre. Une ligne de feu le long de ses côtes le transperça de douleur. Il entendit le cri d'horreur de Clef, et le gamin plongea tête baissée. Il larda de coups de couteau les pieds et les mollets de l'homme qui, surpris, bondit en arrière pour éviter le garçon. Brashen se remit brusquement debout et des deux mains allongea sa lame. La pointe du poignard rencontra la poitrine du chauve et s'y enfonça profondément. L'homme heurta la lisse, bascula en arrière et passa par-dessus en hurlant.

Brashen et Clef avaient brisé le cercle magique des assaillants. Ses hommes se ruèrent en avant, transformant le combat en rixe. Ce genre de bagarre, ils comprenaient ; ils s'entassaient pêle-mêle sur les pirates qui restaient, les bourraient de coups de pied, les piétinaient. Brashen se retira de la mêlée et jeta un coup d'œil sur le pont. Dans la mâture, les hommes criaient que le navire pirate battait en retraite alors que Parangon avait trouvé sa vitesse. Un bref regard à tribord lui apprit que Lavoy et ses hommes paraissaient s'être occupés de leur contingent d'attaquants. Deux de ses matelots étaient à terre mais bougeaient encore. Il restait trois pirates sur le pont mais leurs compagnons dans le canot leur hurlaient de sauter, d'abandonner.

Des cris à la proue l'avertirent qu'il y avait un autre détachement d'abordage. Il était obligé de compter sur Lavoy pour en finir à l'arrière. Il fonça avec Clef toujours sur ses talons. Six hommes avaient atteint le pont. Pour la première fois, Brashen vit clairement le sceau noir sur leurs mouchoirs de tête rouges. C'était un oiseau aux ailes déployées. Un corbeau ? L'emblème de Kennit ? Ils tenaient leurs épées en garde, défendant le grappin derrière eux. Pourtant, d'en bas montaient les appels de leurs camarades. « Lâchez ! Le

cap'taine nous fait signe de rentrer ! » Le détachement d'abordage hésitait, répugnant manifestement à perdre ce qu'il avait enlevé.

Althéa les menaçait avec une épée. Brashen jura
tout bas ; au moins elle avait eu le bon sens de ne
pas engager la lutte. Ambre était tout près, tenant
un poignard avec adresse, sinon avec agressivité.
Clapot, lui seul, couvrait les arrières d'Althéa armé
d'un bâton. Lavoy l'avait décrété trop bête pour
manier une arme blanche. Le grand escogriffe souriait avec enthousiasme, faisait claquer le bout de
son gourdin sur le pont et ses yeux élargis par la
fièvre du combat paraissaient impressionner au
moins un des aborbeurs.

« On peut encore le prendre, ce navire ! » gronda
un pirate sur le pont. L'épée toujours en garde, il
cria aux hommes dans le canot : « Allez, vous
autres ! Ils ont mis des femmes pour nous vider.
À dix, on peut prendre le navire ! » Il était grand.
Son tatouage d'esclave sur la figure avait été recouvert par un oiseau aux ailes déployées.

« Allez-vous-en ! » La voix d'Ambre perça dans le
vent et son ton en imposait singulièrement. « Vous
n'aurez pas le dessus. Vos amis vous ont abandonnés. Vous allez mourir en essayant de prendre un
navire que vous ne pourrez jamais tenir. Fuyez
pendant qu'il en est encore temps. Même si vous
nous tuez, vous ne pouvez diriger une vivenef contre
son gré. Elle vous fera périr.

— Vous mentez. Kennit a bien pris une vivenef,
et il est toujours vivant ! » riposta un des hommes.

La figure de proue éclata d'un rire sauvage. Les
aborbeurs ne pouvaient la voir d'où ils étaient
mais ils l'entendaient, ils sentaient le pont tanguer

alors qu'elle agitait frénétiquement les bras dans tous les sens. « Prenez-moi ! Oh, allez-y ! Venez à bord, mes petits poissons. Venez, vous trouverez la mort sur moi. »

La folie du navire déferla dans l'air comme une lame, comme une odeur impossible à chasser. Elle les toucha tous de ses mains froides et moites. Althéa blêmit, Ambre était décomposée. Le sourire débile disparut de la figure de Clapot, comme un fard qui fond, et laissa place dans ses yeux à la démence.

« J'file », annonça un pirate. En une seconde, il avait enjambé la lisse et glissé le long du filin. Un autre le suivit sans un mot. « Restez avec moi ! » brailla le chef. Mais ses hommes ne l'écoutaient plus. Ils volaient par-dessus bord comme des chats affolés. « Que la peste vous crève ! Tous ! » déclara le dernier. Il se tourna vers le filin mais Althéa avança brusquement sur lui et engagea le fer. En dessous, les hommes lui hurlaient de se dépêcher, ils allaient déborder. Sur le pont, elle annonça tout à coup : « Celui-là, on le garde, on va lui demander ce qu'il sait sur Kennit ! Ambre, dégage le grappin. Clapot, aide-moi à le tenir. »

« Tenir », pour Clapot, se traduisit par un puissant moulinet de son bâton qui frôla dangereusement le crâne d'Ambre avant de s'abattre violemment sur la tête du pirate. L'homme tatoué s'effondra et Clapot se mit à danser comme un endiablé une gigue triomphante. « J'l'ai eu, hé, j'en ai eu un ! »

*
* *

À l'abri. Les mots étaient des barbillons plantés dans la tête d'Althéa. Tout en accomplissant ses tâches courantes afin de restaurer ordre et calme sur le pont, elle remâchait, ulcérée, les mots qui lui restaient sur le cœur. En dépit de tout, Brashen continuait à la considérer comme une femme vulnérable qu'il faut protéger du danger. *À l'abri*, lui avait-il dit, et il avait pris son poste à elle, d'une secousse il avait détaché le grappin qui lui avait résisté à elle, parce qu'elle était moins forte. Il l'avait humiliée en lui démontrant qu'on ne pouvait pas compter sur elle, malgré tous ses efforts. Incompétente. Clef avait été témoin.

Non qu'elle désirât se battre et tuer. Sâ le savait, elle tremblait encore de tous ses membres après ce premier affrontement. Depuis le moment où les pirates avaient commencé à escalader le bord, elle avait été saisie d'angoisse. Pourtant, elle avait continué à agir. Elle n'était pas restée figée sur place ; elle n'avait pas piaillé, elle ne s'était pas enfuie. Elle avait fait de son mieux pour remplir son devoir. Mais cela n'avait pas suffi. Elle voulait que Brashen la tienne pour un marin accompli et un officier. Il avait montré clairement que ce n'était pas le cas.

Elle grimpa dans la mâture pour surveiller la poursuite et aussi pour jouir d'un moment de silence et de solitude. Seul Kyle avait su provoquer en elle pareille colère. Elle avait peine à croire que Brashen l'ait blessée de la même façon. Durant un instant, elle pressa le front sur une ligne qui vibrait et ferma les yeux. Elle avait cru que Brashen la respectait ; bien plus, qu'il avait de l'affection pour elle. Et maintenant, voilà. C'était d'autant plus amer qu'elle avait prudemment gardé ses distances, qu'elle s'était écartée quand elle désirait être proche de lui, pour se prouver à elle-même qu'elle était forte et indépendante. Elle avait affecté de croire que, s'ils observaient un certain éloignement, c'était pour préserver la discipline sur le navire. Se pouvait-il qu'il ne la considère que comme une distraction, un divertissement à repousser tant qu'ils étaient en route ? Tout lui était refusé. Il lui était interdit de se montrer en tant que femme qui le désirait et en tant que compagnon de bord qui méritait son respect. Qu'était-elle, alors, pour lui ? Un bagage ? Une responsabilité superflue ? Lors de l'attaque, il ne l'avait pas traitée en camarade capable de lui prêter main-forte, mais comme quelqu'un qu'il se devait de protéger tout en essayant de défendre son navire.

Elle descendit lentement du mât puis se laissa tomber sur le pont. En son for intérieur, elle sentait vaguement qu'elle était injuste. Mais elle était dans une telle disposition d'esprit, bouleversée par l'attaque des pirates, qu'elle s'en moquait. Son face-à-face avec des hommes armés qui l'auraient volontiers taillée en pièces l'avait transformée. Terrilville, la sécurité, la générosité, tout cela était à des lieues derrière elle. C'était une nouvelle vie. Si elle voulait survivre dans ce monde, elle avait besoin de se sentir compétente et forte, non pas protégée et vulnérable. Le discours dans sa tête se tut subitement quand elle se trouva confrontée à la vérité : voilà pourquoi elle était tellement enragée contre Brashen. Par son attitude, il l'avait forcée à reconnaître sa propre faiblesse. Telle la bave de serpent, les paroles avaient rongé sa confiance en soi. Son courage bricolé, sa volonté têtue de se battre et d'agir comme si elle était physiquement l'égale de l'homme s'étaient dissous. Même à la fin, c'était Clapot qui avait abattu le dernier homme, à sa place. Clapot, le presque demeuré, était plus précieux qu'elle au combat, simplement parce qu'il était grand et qu'il avait des biceps.

Jek s'approcha comme un rôdeur, les joues encore empourprées par la fièvre du combat. Elle arborait un large sourire satisfait. « Le cap'taine veut vous voir, au sujet du prisonnier. »

C'était dur de lever les yeux vers le visage plein d'assurance de Jek. À cette minute, Althéa aurait tout donné, ou presque, pour être aussi grande et aussi forte que cette femme. « Le prisonnier ? Je croyais qu'on en avait plusieurs. »

Jek secoua la tête. « Quand Clapot a balancé son bâton, il ne rigolait pas. L'homme ne s'est pas réveillé. Les yeux lui sont sortis de la tête, il a commencé à gigoter. Et puis il est mort. Dommage, je crois qu'il était le chef du détachement d'abordage. C'est sans doute lui qui aurait pu nous en apprendre le plus. Les hommes que Lavoy gardait ont essayé de sauter par-dessus bord. Deux y sont arrivés, et un autre est resté sur le pont pour le compte. Mais il y a un survivant. Le capitaine a l'intention de l'interroger et il veut que vous soyez là.

— J'y vais tout de suite. Comment ça s'est passé pour vous, pendant l'abordage ? »

Jek eut un large sourire. « Le capitaine m'a chargée de faire passer les armes. Je crois qu'il a vu que je ne perdais pas la tête, contrairement à d'autres. Mais je n'ai pas eu beaucoup l'occasion de me servir de ma lame.

— Peut-être la prochaine fois », rétorqua Althéa sèchement. La grande femme lui lança un regard déconcerté, comme si elle avait essuyé une réprimande, mais Althéa se borna à demander : « Où sont-ils ? Dans la chambre du capitaine ?

— Non. Sur le gaillard d'avant.

— Près de la figure de proue ? À quoi pense-t-il ? »

Jek n'avait pas la réponse ; Althéa n'en attendait pas, du reste. Elle s'éloigna précipitamment pour constater par elle-même. En s'approchant, elle fut contrariée de voir Brashen, Ambre et Lavoy déjà rassemblés autour du prisonnier. Elle se sentit blessée. Brashen avait-il fait chercher les autres avant de l'appeler, elle ? Elle tâcha de réprimer sa colère et sa jalousie, qui semblaient pourtant s'être bien ancrées en elle. Elle ne souffla pas mot en montant sur le gaillard d'avant.

Le seul prisonnier rescapé était un jeune homme. Il avait été rossé et étranglé lors de sa capture mais, à part quelques bleus et enflures, il ne paraissait pas trop mal en point. Plusieurs tatouages d'esclave s'étalaient sur sa joue. Il avait une épaisse toison de cheveux bruns rebelles que son mouchoir rouge ne réussissait pas à discipliner. Dans ses yeux noisette, on lisait à la fois l'effroi et le défi. Il était assis sur le pont, les poignets ligotés derrière le dos, les chevilles enchaînées. Brashen le dominait, Lavoy à son épaule. Ambre, les lèvres pincées, se tenait à l'écart du groupe. Elle ne cachait pas sa réprobation. Une poignée de matelots traînaient sur le franc-tillac pour assister à l'interrogatoire. Clef était parmi eux. Althéa lui décocha un regard noir mais les grands yeux du gamin étaient fixés sur le prisonnier. Seuls deux

Tatoués de l'équipage étaient présents. Le visage impénétrable, le regard froid.

« Parle-nous de Kennit. » La voix de Brashen était posée mais, à son intonation, on devinait qu'il répétait sa question.

Le pirate regardait droit devant lui, impassible. Il ne pipa pas.

« Laissez-moi tenter le coup, capitaine », supplia Lavoy, et Brashen ne s'y opposa pas. Le robuste second s'accroupit à côté de l'homme, le saisit aux cheveux et le força à croiser son regard.

« C'est par là, mon joli coco », grogna Lavoy. Il montrait les dents dans un sourire carnassier. « Tu te rends utile en nous parlant. Ou tu passes par-dessus bord. Alors, tu choisis quoi ? »

Le pirate avala un peu d'air. « Que je parle ou non, je passerai par-dessus bord. » Il y avait presque un sanglot dans ses paroles et il parut soudain plus jeune à Althéa.

Mais sa réponse excita la cruauté de Lavoy plutôt que sa pitié.

« Alors, parle. Personne ne le saura et peut-être que je t'assommerai avant de te laisser couler. Où il est, ce Kennit ? C'est tout ce qu'on veut savoir. Tu portes son emblème. Tu dois savoir où il crèche. »

Althéa décocha à Brashen un coup d'œil incrédule. Elle voulait en savoir beaucoup plus. Y avait-il des survivants de l'équipage de Vivacia ? Comment allait la vivenef ? Y avait-il un espoir de la reprendre en payant une rançon ? Mais le capitaine ne disait pas un mot. Le prisonnier secoua la tête. Lavoy le gifla, sans violence, mais la claque suffit à le faire basculer. Avant qu'il ait pu se redresser, Lavoy le tira par les cheveux pour le rasseoir. « Je t'ai pas entendu, ricana-t-il.

— Vous allez… », commença Ambre, furieuse. Mais Brashen l'interrompit brutalement avec un « Suffit ! ». Il s'approcha du prisonnier. « Parle. Dis-nous ce qu'on veut savoir, et peut-être qu'on te laissera la vie. »

Le pirate prit une respiration hachée. « Je préfère mourir plutôt que trahir Kennit », répondit-il sur un ton de défi. D'une secousse, il se dégagea de l'étreinte de Lavoy.

« S'il préfère mourir, intervint brusquement Parangon, je peux lui donner un coup de main. » Sa voix éclata, empreinte d'une telle malignité que les cheveux d'Althéa se dressèrent sur sa nuque. « Lance-le-moi, Lavoy. Il parlera avant que je le jette à la mer.

— Suffit ! » Althéa s'entendit répéter le mot de Brashen.

Elle s'approcha du prisonnier et s'accroupit pour être au niveau de ses yeux. « Je ne te demande pas d'être déloyal envers Kennit, dit-elle doucement.

— Qu'est-ce que vous croyez…, commença Lavoy, outré, mais Brashen l'interrompit.

— Lavoy, reculez. C'est le droit d'Althéa.

— Son droit ? » Le second était à la fois incrédule et furieux.

« Taisez-vous ou quittez le pont », répliqua Brashen d'une voix sans timbre.

Lavoy ferma le bec, les joues cramoisies.

Althéa ne leur accorda pas un regard. Elle considéra le prisonnier jusqu'à ce qu'il lève la tête et croise ses yeux. « Parle-moi de la vivenef que Kennit a prise. Vivacia. »

D'abord, l'homme se borna à la regarder puis ses narines se pincèrent et le pourtour de ses lèvres blanchit. « Je sais qui vous êtes, cracha-t-il. Vous ressemblez au jeune prêtre. Vous pourriez être jumeaux. » Il tourna la tête et cracha sur le pont. « Vous êtes une sale Havre. Je vous dirai rien.

— Je suis une Vestrit, pas une sale Havre, rétorqua Althéa, indignée. Et la *Vivacia* est notre navire familial. Tu parles de mon neveu, Hiémain. Alors, il est vivant ?

— Hiémain. C'est ça. » Les yeux de l'homme étincelèrent avec férocité. « J'espère bien qu'il est mort. Il mérite la mort, et pas une mort rapide. Oh, il jouait au petit saint. Il nous apportait un seau d'eau salée et un chiffon, il rampait dans la cale puante comme s'il était des nôtres. Mais tout ça, c'était de la comédie. Depuis le début, il était le fils du capitaine. Il y en avait qui disaient qu'on devrait lui être reconnaissants, qu'il a fait ce qu'il a pu pour nous et que, si on s'est libérés, c'est grâce à lui. Mais moi je crois qu'il a été un sale espion, tout le temps. Sinon, comment il aurait pu nous regarder et nous laisser enchaînés en bas si longtemps ? Dites-moi voir.

— Tu étais esclave à bord de la *Vivacia* », releva Althéa à mi-voix. Ce fut tout. Pas de questions, pas de discussion. L'homme parlait et lui en révélait beaucoup, à son insu.

« J'étais esclave sur votre navire. Oui. » Il secoua la tête pour repousser ses cheveux de ses yeux. « Vous le savez bien. Me dites pas que vous reconnaissez pas le tatouage de votre famille. » Malgré elle, elle le dévisagea. Le dernier tatouage sur sa figure était un poing serré. Voilà qui s'accordait avec Kyle. Althéa inspira et expliqua doucement : « Je ne possède pas d'esclaves. Et mon père n'en avait pas non plus. Il m'a élevée dans l'idée que l'esclavage était mal. Il n'y a pas de tatouage Vestrit, il n'y a pas d'esclaves Vestrit. C'est Kyle Havre le responsable de ce qu'on t'a fait, pas ma famille.

— Vous vous défilez, hein ? Comme votre petit prêtre. Il devait bien savoir ce qu'on nous faisait. Ce salaud de Torg. Il venait la nuit pour violer les femmes, sous nos yeux. Il en a tué une. Elle a commencé à crier et il lui a fourré un chiffon dans la bouche. Elle est morte pendant qu'il la baisait. Et ça l'a fait rire. Il s'est levé, il est parti en la laissant comme ça, enchaînée à deux hommes de moi. Y avait rien qu'on pouvait faire. Le lendemain, des matelots sont venus, ils l'ont enlevée en la traînant et l'ont donnée à bouffer aux serpents. » Les yeux de l'homme s'étrécirent. « Ç'aurait dû être vous, jambes écartées étouffée. Rien qu'une fois, ç'aurait dû être une de vous. »

Althéa ferma brièvement les yeux. L'image était trop nette. Près de la lisse, Ambre se retourna brusquement pour faire face à la mer.

« Ne lui parle pas comme ça, ordonna Brashen rudement. Ou je te jette moi-même par-dessus bord.

— Ça m'est égal, intervint Althéa. Je comprends pourquoi il dit ça. Laissez-le parler. » Elle se concentra sur le prisonnier. « Ce que Kyle Havre a fait avec notre navire était mal. Je le reconnais. » Elle se força à lui retourner son regard agressif. « Je veux reprendre Vivacia. Et quand je l'aurai reprise, il n'y aura jamais un seul esclave à bord. C'est tout. Dis-nous où on peut trouver Kennit. On paiera la rançon pour le navire. C'est tout ce que je veux. Seulement le navire. Et les membres d'équipage survivants.

— Y en a pas des tas. » Les paroles d'Althéa n'avaient pas modifié l'état d'esprit du pirate. Au contraire, il paraissait deviner sa vulnérabilité et avoir envie de la blesser. Il la regarda fixement. « La plupart étaient morts avant que Kennit mette le pied sur le pont. J'en ai refroidi deux moi-même. C'était un beau jour quand il est venu à bord. Ses hommes ont passé un bon bout de temps à tous les balancer aux serpents. Et, qu'est-ce qu'il pouvait hurler, le navire, pendant ce temps-là ! »

Les yeux rivés à Althéa, il tâchait de deviner s'il l'avait atteinte. Elle ne feignit pas l'indifférence. Elle s'assit lentement sur ses talons. Il faudrait regarder tout ça en face. Elle n'était pas une Havre mais le navire appartenait à sa famille. C'était l'argent de sa famille qui avait servi à acheter les esclaves, et l'équipage de son père qui les avait enchaînés dans le noir. Elle n'éprouvait pas de sentiment de culpabilité ; non, ce sentiment-là, elle le réservait pour ses propres méfaits. Mais elle se sentait une lourde responsabilité. Elle aurait dû rester, combattre Kyle jusqu'au bout. Elle n'aurait jamais dû laisser Vivacia entreprendre cette ignoble traversée.

« Où peut-on trouver Kennit ? »

L'homme se lécha les lèvres. « Vous voulez votre vivenef ? Eh bien, vous l'aurez pas. Kennit l'a prise parce qu'il la voulait. Et elle le lui rend bien. Elle lui lécherait les bottes si elle le pouvait. Il lui fait le boniment comme à une putain de rien et elle,

elle gobe tout. Je l'ai entendu lui parler, un soir, il l'entortillait pour qu'elle devienne pirate. Elle a marché. Elle vous reviendra jamais. Elle en a soupé, du transport d'esclaves. Elle fait de la piraterie avec Kennit, maintenant. Elle porte ses couleurs, comme moi. » Il mesura d'un regard l'impact de ses paroles. « Transporter des esclaves, ça la répugnait. Elle a été reconnaissante à Kennit de l'avoir libérée. Elle voudra jamais revenir avec vous. Et Kennit, il voudra jamais vous la rendre, même pour une rançon. Il l'aime. Il dit qu'il a toujours voulu une vivenef. Maintenant, il en a une.

— Menteur ! » Le rugissement éclata, il ne venait pas d'Althéa mais de Parangon. « Espèce de sale menteur ! Donnez-le-moi ! Je vais la lui sortir des tripes, moi, la vérité. »

Ce fut comme si Parangon à son tour l'avait souffletée. Décomposée, étourdie par le choc, Althéa se leva lentement. Les paroles du pirate avaient touché une peur profondément enfouie. Elle savait que le transport d'esclaves avait dû changer Vivacia. Mais à ce point ? Au point qu'elle se retourne contre sa famille et qu'elle décide de prendre une nouvelle direction, avec quelqu'un d'autre ?

Pourquoi pas ?

Althéa ne s'était-elle pas aussi détournée de sa famille, et avec beaucoup moins de raisons ?

Elle fut envahie par un horrible mélange d'émotions : la jalousie, la déception, le sentiment d'avoir été trahie. C'est ce que doit éprouver une femme qui découvre l'infidélité de son mari. C'est ce que doivent éprouver des parents en apprenant que leur fille est devenue une prostituée. Comment Vivacia avait-elle pu agir ainsi ? Et comment Althéa avait-elle pu l'abandonner ? Qu'allait devenir sa belle vivenef dévoyée, désormais ? Pourraient-elles jamais être comme avant, un seul cœur, un seul esprit, voguant sur la mer vent debout ?

Parangon continuait à vociférer des menaces au pirate, à supplier qu'on le lui livre, il lui arracherait la vérité, oui, il lui ferait dire la vérité sur ce salaud de Kennit. Althéa l'entendait à peine. Brashen lui prit le coude. « On dirait que vous allez vous évanouir, demanda-t-il tout bas. Vous sentez-vous capable de vous en aller ? De garder votre dignité devant l'équipage ? »

Ces paroles l'achevèrent. Elle se dégagea d'un mouvement brusque. « Ne me touchez pas », siffla-t-elle hargneusement. *Dignité*, s'exhorta-t-elle, *de la dignité*, mais elle eut bien du mal à s'empêcher de hurler sur lui comme une harengère. Il recula, horrifié, et elle vit une étincelle de colère s'allumer au fond de ses yeux. Elle se redressa, luttant pour se maîtriser.

Luttant, elle le comprit tout à coup, pour séparer ses émotions de celles de Parangon.

Elle se tourna vers le prisonnier et la figure de proue, une fraction de seconde trop tard. Lavoy avait tiré le pirate sur ses pieds et le maintenait contre la lisse. De deux choses l'une : soit Lavoy allait simplement le pousser par-dessus bord, ligoté tel qu'il était, soit il allait le frapper. La joue de l'homme était rouge ; il y avait eu au moins un coup. Ambre avait arrêté le bras de Lavoy. Elle paraissait étonnamment grande, soudain. Althéa fut surprise qu'une femme aussi svelte ait assez de force pour retenir le bras de Lavoy. Son expression semblait avoir pétrifié le second : sur son visage, ce n'était pas la peur qu'on lisait ; il était ébranlé par ce qu'il voyait dans les yeux d'Ambre. Althéa comprit trop tard la véritable menace.

Parangon s'était tordu jusqu'à l'extrême limite. Il tendait une main, en cherchant à l'aveuglette.

« Non ! » s'écria-t-elle, mais les énormes doigts de bois avaient trouvé le prisonnier, et l'arrachèrent facilement à l'étreinte de Lavoy. Le pirate s'égosillait, le cri d'Ambre : « Oh, Parangon, non, non, non ! » couvrit ses hurlements.

Parangon se tourna, serrant le pirate dans ses mains. Il voûta les épaules au-dessus de sa proie, comme un enfant qui dévore une friandise volée. Il marmonna férocement quelque chose à l'infortuné qu'il secouait dans tous les sens comme une poupée de chiffon mais Althéa n'entendit que les supplications d'Ambre : « Parangon. Je t'en prie, Parangon !

— Navire ! Remets-le immédiatement sur le pont ! » rugit Brashen. L'ordre était comminatoire mais Parangon ne tressaillit même pas. Althéa se retrouva cramponnée des deux mains à la lisse, penchée désespérément en avant. « Non ! » supplia-t-elle, mais si la figure de proue l'entendit, elle ne le manifesta pas. Lavoy observait, les yeux étrangement avides, avec une grimace qui découvrait ses dents blanches. Parangon projeta la tête tout près de l'homme qu'il serrait étroitement dans ses mains. Durant un instant horrifiant, Althéa crut qu'il allait le décapiter d'un coup de dents. Mais il se figea, comme s'il écoutait attentivement. Puis : « Non ! s'écria-t-il. Kennit n'a jamais dit ça ! Il n'a jamais dit qu'il rêvait d'avoir une vivenef à lui ! Tu mens ! Tu mens ! » Il secouait l'homme. Althéa entendit les os craquer. Le pirate hurla, Parangon le lança violemment au loin. Le corps fit la roue dans le soleil brillant, mordit brutalement sur la mer scintillante. Il y eut un bruit d'éclaboussement. Puis il disparut. Les chaînes à ses chevilles entraînèrent par le fond ce qu'il restait de lui.

Althéa contempla, hébétée, l'endroit où il s'était englouti. Voilà. Parangon avait tué, de nouveau.

« Oh, navire », gémit Brashen d'une voix grave à côté d'elle.

Parangon fit pivoter sa tête pour les fixer de son regard d'aveugle. Il serra les poings et les tint devant sa poitrine, comme s'il avait voulu dissimuler son acte. Il déclara d'une voix effrayée et provocante de petit garçon : « Je l'ai fait parler. Partage. On trouvera Kennit à Partage. Il a toujours bien aimé Partage. » Constatant le silence du groupe assemblé sur le gaillard d'avant, il prit un air mauvais. « Eh bien, c'est ce que vous vouliez, non ? Découvrir où était Kennit ? C'est tout ce que j'ai fait. Je l'ai fait parler.

— Ça, pour sûr, mon gars », fit remarquer Lavoy d'un ton bourru. Même lui semblait impressionné par l'acte de Parangon. Il secoua lentement la tête. D'une voix basse, destinée à n'être entendue que des hommes, il ajouta : « Je ne croyais pas qu'il le ferait.

— Si, vous le croyiez », contredit Ambre carrément. Elle toisa Lavoy d'un regard perçant. « C'est pour ça que vous avez mis cet homme à portée de Parangon. Pour qu'il puisse le prendre. Parce que vous vouliez qu'il meure, comme les autres prisonniers. » Ambre tourna brusquement la tête pour dévisager les Tatoués de l'équipage qui observaient la scène en silence. « Vous étiez de mèche. Vous saviez ce qu'il allait faire, mais vous n'avez pas bougé. Voilà ce qu'il a révélé en vous. Le pire des méfaits de l'esclavage. » Elle reporta son regard sur le second. « Vous êtes un monstre, Lavoy. Pas seulement pour ce que vous avez fait à cet homme, mais à cause de ce que vous avez réveillé dans ce navire. Vous essayez de le transformer en brute, comme vous. »

D'un mouvement vif, Parangon détourna sa tête défigurée. « Alors, tu ne m'aimes plus. Eh bien, je m'en fiche. Si pour que tu m'aimes il faut que je sois faible, alors je n'ai pas besoin que tu m'aimes. Voilà. » Qu'il reprenne son discours puéril après avoir tué brutalement, Althéa en resta paralysée d'horreur. Qu'était-ce donc que ce navire ?

Au lieu de répondre en paroles, Ambre se baissa lentement et posa le front sur ses mains qui agrippaient la lisse. Althéa ne savait si elle pleurait ou si elle priait. Elle se cramponna au bois-sorcier comme si elle avait pu s'y couler.

« Je n'ai rien fait ! » protesta Lavoy. Aux oreilles d'Althéa, c'étaient les paroles d'un lâche. Il regarda son équipe de Tatoués. « Tout le monde a vu ce qui s'est passé. Ce n'est pas ma faute. C'est le navire qui a pris les choses en main, dans tous les sens du mot.

— Taisez-vous ! leur ordonna Brashen. Taisez-vous donc ! » Il arpenta vivement le pont. Il parcourut du regard l'équipage silencieux rassemblé sur le gaillard d'avant. Ses yeux parurent s'attarder sur Clef. Le garçon tout pâle avait les mains plaquées sur la bouche. Ses yeux étaient brillants de larmes.

Brashen reprit la parole d'une voix dénuée d'émotion. « Nous allons tailler de la route vers Partage. L'équipage s'est comporté de façon exécrable au cours de cette attaque. Vous subirez un entraînement renforcé, les officiers comme les matelots. Je vous ferai connaître à chacun votre place et votre devoir, et vous agirez promptement en fonction. » Il laissa encore errer son regard sur les visages. Althéa ne l'avait jamais vu aussi âgé ni aussi las. Il se retourna vers la figure de proue.

« Parangon, ta punition pour avoir désobéi à mes ordres sera l'isolement. Personne ne doit parler au navire sans mon autorisation. Personne, répéta-t-il alors qu'Ambre allait protester. Personne ne doit mettre les pieds sur le gaillard d'avant à moins d'y être contraint par le service. Maintenant, dégagez, tout le monde, et retournez à vos tâches. Immédiatement. »

Brashen demeura silencieux tandis que l'équipage se dispersait sans un mot, vers le pont ou les couchettes selon les exigences de leur quart. Althéa s'éloigna comme les autres. Elle ne le reconnaissait plus. Comment avait-il pu laisser faire tout cela ? Ne voyait-il donc pas quelle sorte d'homme était ce Lavoy, ce qu'il faisait au navire ?

*
*   *

Brashen avait mal. Ce n'était pas tant la longue estafilade sur ses côtes qui le faisait souffrir, Sâ savait pourtant à quel point elle le brûlait et le piquait. Ses mâchoires, son dos, son ventre, tout était endolori, crispé. Même sa figure lui faisait mal mais il ne pouvait se rappeler comment détendre ces muscles-là. Althéa l'avait regardé avec une véritable aversion, il ne comprenait pas pourquoi. Sa vivenef, sa fierté, son Parangon avait tué avec une sauvagerie bestiale qui le rendait malade ; il ne l'aurait pas cru capable d'un tel acte. Il était presque certain, à présent, que Lavoy liguait contre lui non seulement les hommes mais le navire lui-même, en vue d'une mutinerie. Ambre avait raison, bien qu'il regrettât qu'elle se fût exprimée tout haut. Pour des raisons qu'il ne discernait pas clairement, Lavoy avait veillé à ce qu'on ne fît pas de quartier aux prisonniers. Il était accablé. Pourtant, il devait faire face à tout cela, sans jamais montrer son trouble, ne fût-ce que par une crispation du visage. Il était le capitaine. C'était le prix à payer. Alors qu'il désirait plus que tout confondre Lavoy, ou prendre Althéa dans ses bras, ou exiger de Parangon une explication, il devait carrer les épaules et se tenir droit. Garder sa dignité. Pour le bien de son équipage, et de son commandement, il se devait de ne rien ressentir.

Il demeura sur le gaillard d'avant et les regarda se disperser docilement. Lavoy s'en alla en jetant derrière lui un regard plein de rancœur. Althéa s'éloigna d'un pas mal assuré, découragée. Il espérait que les deux autres femmes auraient le tact de la laisser seule quelque temps. Ambre fut la dernière à quitter le gaillard d'avant. Elle s'arrêta près de lui, comme si elle voulait parler. Il croisa son regard et secoua silencieusement la tête. Il ne fallait pas que Parangon puisse croire que quiconque bravait ses ordres. Il devait sentir que la réprobation était générale. Dès qu'Ambre eut disparu,

Brashen lui emboîta le pas. Il ne dit pas un mot au navire. Il se demanda si Parangon l'avait même remarqué.

*
* *

Parangon s'essuya subrepticement les mains sur la proue. Le sang, c'était tellement collant. Collant, et riche de souvenirs. Il lutta, refusant d'assimiler l'homme qu'il avait tué mais le sang finit par avoir raison de lui. Il imprégnait ses mains de boissorcier, riche, rouge et chargé d'émotions. La terreur et la douleur étaient les plus fortes. Eh bien, comment s'était-il attendu à mourir, celui-là, en se faisant pirate ? Il l'avait bien cherché. Ce n'était pas la faute de Parangon. L'homme aurait dû parler quand Lavoy l'avait interrogé. Alors le second l'aurait tué en douceur.

D'ailleurs, le pirate avait menti. Il avait dit que Kennit aimait Vivacia, qu'il répétait qu'il voulait une vivenef à lui tout seul. Pire, que Vivacia s'était liée à lui. Impossible. Elle n'était pas de sa famille. Alors, l'homme avait menti, et il était mort.

Brashen était très fâché contre lui. C'était sa faute, à Brashen, s'il était fâché ; il n'arrivait pas à comprendre qu'on tue quelqu'un qui vous a menti. C'était pourtant simple à comprendre ! Il y avait beaucoup de choses, en fait, qu'il ne comprenait pas, Brashen. Pas comme Lavoy. Lavoy venait le voir, lui parler, il lui racontait des histoires de mer, il l'appelait « mon gars ». Et il comprenait. Il comprenait que Parangon ne pouvait être autrement, qu'il était obligé d'agir comme il le faisait. Lavoy lui disait qu'il n'avait pas à avoir honte, qu'il n'avait rien à regretter. Il convenait que c'étaient les autres qui l'avaient poussé à faire ce qu'il avait fait. Brashen, et Althéa, et Ambre, tous ils voulaient qu'il soit comme eux. Ils voulaient qu'il fasse comme s'il n'avait pas de passé. Pas de passé du tout. Qu'il soit ce qu'ils voulaient qu'il soit. Sinon, ils ne l'aimeraient pas. Mais il ne pouvait pas. Il avait en lui trop de sentiments qu'ils n'aimeraient pas, il le savait. Ce qui ne voulait pas dire qu'il pouvait s'empêcher de les éprouver, ces sentiments. Trop de voix, qui lui ressassaient sans fin ses mauvais souvenirs, de toutes petites voix qu'il entendait à peine. De toutes petites voix de sang, qui geignaient du fond de son passé. Qu'est-ce qu'il pouvait faire, alors ? Elles ne se taisaient jamais, jamais vraiment. Il avait appris à ne pas les écouter mais elles ne disparaissaient pas pour autant. Et puis il avait en lui des côtés encore pires que ces voix-là.

Il s'essuya à nouveau les mains sur la coque. Ainsi, personne ne devait lui parler, désormais. Il s'en fichait. Il n'avait pas besoin de parler. Il pouvait passer des années sans parler ni même bouger. C'était déjà arrivé. Il doutait que Lavoy obéisse, de toute façon. Il écouta le martèlement des pieds nus sur le pont, les hommes se hâtaient d'exécuter les ordres du second. Il laissa l'autre partie de lui-même prendre le dessus. On le punissait et, comme ça, on croyait qu'il allait naviguer tout guilleret jusqu'à Partage ? Eh bien, on allait voir. Il croisa les bras sur sa poitrine et poursuivit aveuglément sa route.

10

TRÊVES

La pluie d'automne crépitait sur les fenêtres de la chambre. Ronica resta un moment allongée, immobile, à l'écouter. Le feu avait baissé durant la nuit. Le froid dans la pièce contrastait presque agréablement avec la chaleur des couvertures. Elle n'avait pas envie de se lever, pas encore. Étendue dans un lit douillet, entre des draps propres, sous une chaude courtepointe, elle pouvait faire semblant. Elle pouvait revenir au temps passé, imaginer que la *Vivacia* allait accoster d'un jour à l'autre. Elle irait à la rencontre d'Ephron qui parcourrait le quai à grandes enjambées. Ses yeux sombres s'élargiraient en l'apercevant. La force de sa première étreinte l'avait toujours surprise. Son capitaine la soulèverait dans ses bras, la serrerait comme s'il ne voulait jamais plus la lâcher.

Jamais plus.

Le désespoir la submergea. Par un effort de volonté, elle laissa passer la vague. Elle avait surmonté ce chagrin ; de temps à autre, elle tombait encore dans sa douloureuse embuscade, mais elle se rappelait à l'ordre en se répétant qu'elle l'avait surmonté. Néanmoins, elle se trouva définitivement réveillée. Il était très tôt, une aube trouble effleurait à peine ses fenêtres.

Qu'est-ce qui l'avait réveillée ?

Elle avait le vague souvenir d'un claquement de sabots dans l'allée, le bruit d'une porte qu'on ouvre. Un messager était-il arrivé ? C'était la seule raison d'être de ces bruits si matinaux. Elle se leva, s'habilla en hâte sans déranger Rache, se coula dans les corridors obscurs de la maison silencieuse et descendit l'escalier à pas furtifs.

Elle se surprit à sourire lugubrement. Malta aurait été fière d'elle. Elle avait appris que le nez des marches risquait moins de craquer, elle savait maintenant comment rester parfaitement immobile dans l'obscurité, sans se faire remarquer. Parfois, elle s'asseyait dans le cabinet de travail en feignant de somnoler pour encourager les serviteurs à bavarder. Elle s'était trouvé un coin agréable sous la fenêtre où elle pouvait faire semblant d'être absorbée par son ouvrage d'aiguille, jusqu'à ce que le mauvais temps eût mis un terme à sa ruse.

Elle parvint au rez-de-chaussée et se faufila discrètement dans le vestibule, jusqu'au cabinet de travail de Davad. La porte était fermée mais le loquet n'était pas poussé. En s'approchant, elle colla l'oreille dans l'interstice. Elle distingua une voix masculine. Roed Caern ? Assurément, la Compagne et lui se fréquentaient beaucoup, ces derniers temps. Il ne se passait pratiquement pas de jour qu'il ne s'enferme avec elle. D'abord, Ronica avait expliqué cette proximité par l'implication de Caern dans la mort de Davad. Pourtant, tout le monde semblait considérer l'affaire réglée, désormais. Qu'est-ce qui l'amenait à la porte de Sérille à une heure pareille, et avec une telle précipitation ?

L'enquête sur la mort de Davad était terminée. Au nom du Gouverneur, Sérille avait conclu à un accident dont personne n'était responsable. Le Gouvernorat, selon elle, avait décidé que les preuves n'étaient pas suffisantes pour accuser Davad de trahison envers Jamaillia. En conséquence, sa nièce hériterait de la propriété, mais la Compagne Sérille continuerait à l'occuper. La nièce serait, bien sûr, dédommagée comme il convient de son hospitalité, au moment opportun, après que les troubles seraient apaisés. Sérille avait soigneusement mis en scène la prononciation de son arrêt. Elle avait convoqué les chefs du Conseil dans le cabinet de travail, les avait gorgés de mets délicats et du vin de la cave de Davad, puis elle leur avait lu ses conclusions écrites sur un parchemin. Ronica assistait à la séance, ainsi que la nièce de Restart, une jeune femme discrète, flegmatique, qui avait écouté sans faire de commentaire. À la fin, elle avait déclaré au Conseil qu'elle était satisfaite. Elle avait lancé un regard à Roed Caern en parlant. Elle n'avait guère de raisons de chérir son oncle mais Ronica en était toujours à se demander si son accord n'avait pas été acheté ou extorqué par Roed. Le Conseil avait alors conclu que, l'héritière étant satisfaite, on s'en tiendrait là.

Tout le monde, à l'exception de Ronica, paraissait oublier que la réputation entachée de la famille Vestrit n'était pas lavée. Personne n'avait sourcillé à l'énoncé du fait que la prétendue trahison de Davad était envers Jamaillia et non envers Terrilville. D'où il résultait que Ronica se sentait singulièrement isolée, comme si les règles avaient subtilement biaisé pour la dépasser. Après que le Conseil avait accepté les conclusions de la Compagne, elle s'était attendue que Sérille la mît à la porte. Mais celle-ci l'avait encouragée en termes pressants à rester. Elle s'était montrée gracieuse et condescendante à l'excès, prétextant que la Marchande pourrait l'aider à ramener la paix à Terrilville. Ronica doutait de sa sincérité. La véritable raison de l'hospitalité de Sérille, elle espérait bien la découvrir. Jusque-là, le mystère lui avait échappé.

Elle retint son souffle et s'appliqua à saisir le moindre mot. C'était la Compagne qui parlait à présent. « Enfui ? Le message dit bien "enfui" ? »

Roed répondit sur un ton rogue. « C'est superflu. Un message envoyé par oiseau est forcément limité. Il a disparu, la Compagne Keki a disparu et cette fille avec eux. Avec un peu de chance, ils se sont noyés dans le fleuve. Mais n'oubliez pas que la fille a été élevée à Terrilville, qu'elle vient d'une famille de marins. Il est probable qu'elle sait y faire avec un bateau. (Il marqua une pause.) Le fait qu'on les ait vus pour la dernière fois dans un canot, c'est la preuve criante qu'il s'agit d'une conspiration. Cela ne vous paraît pas un peu étrange, tout ça ? La fille qui pénètre dans la cité ensevelie, qui les fait sortir, au beau milieu du pire tremblement de terre que Trois-Noues ait connu depuis longtemps. Personne ne les voit partir jusqu'à ce qu'on les aperçoive du dragon dans un petit canot.

— Qu'est-ce que ça veut dire "du dragon" ? l'interrompit Sérille.

— Je n'en ai pas la moindre idée, répondit Roed avec impatience. Je ne suis jamais allé à Trois-

Noues. J'imagine qu'il s'agit d'une tour ou d'un pont. Qu'importe ? Le Gouverneur a échappé à notre surveillance. Tout peut arriver.

— J'aimerais lire cette partie du message. » La voix de la Compagne paraissait très hésitante. Ronica fronça les sourcils. Les messages parvenaient donc à Roed avant de l'atteindre, elle ?

« Impossible. Je l'ai détruit après l'avoir lu. Inutile de risquer que cette information arrive aux oreilles de Terrilville plus tôt qu'il n'est nécessaire. Soyez assurée qu'elle ne restera pas longtemps notre secret. De nombreux Marchands entretiennent des rapports étroits avec leurs parents du désert des Pluies. D'autres oiseaux vont apporter ces nouvelles. C'est pourquoi nous devons agir promptement et avec détermination avant que les autres réclament à cor et à cri de participer à nos décisions.

— Mais je ne comprends pas. Comment en est-on arrivés là ? » La Compagne semblait affolée. « Ils avaient promis de le garder en sécurité là-bas. Quand il est parti, je l'avais convaincu que c'était le meilleur moyen de le protéger. Qu'est-ce qui a pu le faire changer d'avis ? Pourquoi s'enfuir ? Qu'est-ce qu'il veut ? »

Ronica entendit l'éclat de rire de Roed. « Le Gouverneur est peut-être jeune mais il n'est pas idiot. On commet souvent la même erreur avec moi. Ce ne sont pas les années qui comptent, c'est le pouvoir dont il hérite qui fait l'homme d'autorité. Le Gouverneur est né pour commander, Compagne. Je sais que vous prétendez qu'il n'entend rien aux fluctuations de la politique mais il n'est sûrement pas aveugle au point de n'avoir pas décelé votre soif de domination. Peut-être craint-il justement ce que vous êtes en train de faire : lui reprendre le pouvoir, parler en son nom, décider à sa place, ici à Terrilville. D'après ce que j'ai vu, d'après ce que vous avez dit vous-même, vos paroles ne correspondent pas à celles que j'attendrais du Gouverneur. Cessons là les faux-semblants. Vous savez qu'il a abusé de son autorité sur nous. Je sais ce que vous espérez. Vous voudriez vous emparer du pouvoir, et nous gouverner mieux qu'il ne l'a fait. »

Ronica entendit le martèlement des bottes sur le sol, il devait arpenter la pièce. Elle se recula légèrement. La Compagne gardait le silence.

La voix de Roed avait perdu son charme quand il reprit : « Soyons francs. Nous avons, vous et moi, des intérêts communs. Nous cherchons tous deux à voir Terrilville se rétablir. Tout autour de nous, les gens jacassent à qui mieux mieux sur l'indépendance de Terrilville, sur le partage du pouvoir avec les Nouveaux Marchands. Mais ces idées sont irréalisables, l'une comme l'autre. Nous avons besoin de conserver des liens avec Jamaillia si nous voulons que notre commerce prospère. Pour la même raison, il faut expulser les Nouveaux Marchands de Terrilville. Pour moi, vous représentez l'idéal : si vous restez ici, que vous parlez avec la voix du Gouverneur, vous pouvez nous assurer le succès. Mais si le Gouverneur périt, avec lui disparaît le fondement de votre autorité. Pire, s'il revient de son propre chef, sa voix couvrira la vôtre. Mon plan est simple à formuler sinon à exécuter. Nous devons remettre la main sur le Gouverneur. Cela fait, nous le forcerons à vous céder le pouvoir sur Terrilville. Vous pourrez réduire nos taxes, chasser les Chalcédiens de notre port et confisquer les biens des Nouveaux Marchands. Nous avons l'argument essentiel pour négocier : nous échangeons sa vie contre ces concessions. Une fois qu'il les aura couchées par écrit, nous le garderons ici avec les honneurs qui lui sont dus. Et si la flotte jamaillienne annoncée arrive, nous aurons toujours notre atout. Nous leur sortirons le Gouverneur pour démontrer qu'il n'y a pas lieu de se venger. Enfin, nous le renverrons à Jamaillia, sain et sauf. Cela se tient, n'est-ce pas ?

— Excepté sur deux points, fit remarquer Sérille à mi-voix. Nous ne tenons pas le Gouverneur. Et (ici, le ton devint plus subtil) je ne vois pas bien l'avantage que vous tireriez de tout cela. Vous êtes peut-être un patriote, Roed Caern, mais je ne crois pas que vous soyez parfaitement désintéressé.

— C'est pourquoi nous devons aviser rapidement, pour retrouver le Gouverneur et le reprendre en main. Ça tombe sous le sens. Quant à moi, mes ambitions et ma situation sont à peu près les mêmes que les vôtres. Mon père est un homme robuste d'une lignée d'une grande longévité. Il se passera des années, des décennies peut-être, avant que je devienne le Marchand de la famille Caern. Je n'ai aucune envie d'attendre si longtemps pour exercer pouvoir et influence. Pire, si je m'y résignais, je crains fort que d'ici là Terrilville ne soit plus que l'ombre d'elle-même. Pour assurer mon avenir, je dois m'établir une position de force. Exactement comme vous aujourd'hui. Je ne vois pas pourquoi nous n'unirions pas nos efforts. »

Les talons de Caern claquèrent sèchement sur le sol. Ronica supposa qu'il était revenu près de la Compagne. « Vous êtes manifestement peu habituée à être seule. Vous avez besoin d'un protecteur ici. Nous nous marions. En échange de ma protection, de mon nom et de mon foyer, vous partagez le pouvoir avec moi. Quoi de plus simple ? »

La voix de la Compagne était basse et incrédule. « Vous êtes bien présomptueux, fils de Marchand ! »

Roed éclata de rire. « Vraiment ? Je doute que vous trouviez un parti plus avantageux. Selon les critères de Terrilville, vous êtes presque une vieille fille. Voyez plus loin, Sérille, projetez-vous dans l'avenir, plus d'une semaine ou d'un mois. Les troubles vont finir par s'apaiser. Alors, que deviendrez-vous ? Vous ne pouvez plus retourner à Jamaillia. Il faudrait être aveugle et sourd pour croire que vous chérissez votre rôle de Compagne du Gouverneur Cosgo. Alors, que ferez-vous ? Rester ici pour vivre isolée parmi des gens qui ne vous accepteront jamais tout à fait ? Vous finirez par vieillir, seule et sans enfants. La maison du Marchand Restart et son cellier ne seront pas éternellement à votre disposition. Où vivrez-vous, et comment ?

— Comme vous l'avez suggéré, je serai la voix du Gouverneur ici, à Terrilville. J'userai de mon autorité pour me créer mes propres moyens de subsistance. » Ronica faillit sourire en entendant la Compagne se dresser contre Caern.

« Je vois. » Il ne dissimulait pas son amusement. « Vous imaginez que vous vivrez indépendante à Terrilville.

— Et pourquoi pas ? Je vois d'autres femmes qui s'occupent de leurs propres affaires et agissent de leur propre chef. Prenez Ronica Vestrit, par exemple.

— Oui. Prenons Ronica Vestrit, justement, interrompit la voix impatiente de Roed. Nous ne devrions pas perdre de vue nos affaires présentes. Vous ne tarderez pas à vous apercevoir que je vous ai fait une généreuse proposition. Jusque-là, il faut nous concentrer sur le Gouverneur. Nous avons déjà eu quelque raison de soupçonner les Vestrit. Souvenez-vous, Restart a fait des pieds et des mains pour mettre Malta Vestrit sous le nez du Gouverneur durant le bal. Si elle a escamoté Cosgo, cela fait partie de la conspiration. Peut-être vont-ils le ramener à Terrilville pour qu'il se range aux côtés des Nouveaux Marchands. Peut-être s'est-il enfui pour gagner la mer et attirer sur nous ses alliés chalcédiens, avec leur feu et leurs machines de guerre. »

Le silence tomba. Ronica entrouvrit les lèvres et respira profondément. Malta ? Qu'est-ce que c'était que cette histoire avec le Gouverneur ? Incompréhensible. Impossible. Malta ne pouvait être mêlée à tout ça. Pourtant, elle eut l'oppressante certitude qu'il en était ainsi.

« Mais nous disposons encore d'une arme. » La voix de Roed interrompit les spéculations de Ronica. « Si c'est une conspiration, nous avons un otage. » Et les paroles qui suivirent confirmèrent les pires craintes de la Marchande. « Nous tenons la grand-mère. Elle pourrait le payer de sa vie si la fille ne coopère pas avec nous. Même si elle se moque de sa famille, il y a sa fortune. Nous pouvons confisquer sa maison, menacer de la détruire. Elle a des amis parmi les Marchands de Terrilville. Elle ne sera pas inaccessible à la "persuasion". »

Un silence tomba à nouveau. Quand la Compagne reprit la parole, sa voix était indignée. « Comment pouvez-vous envisager une chose pareille ? Que feriez-vous ? Vous emparer d'elle, ici, sous mon propre toit ?

— Les temps sont durs ! repartit Roed avec conviction. Ce n'est pas par la douceur qu'on reconstruira Terrilville. Nous devons être prêts à user de violence pour l'amour de notre patrie. Je ne suis pas le seul à penser ainsi. Les fils de Marchands ont souvent la vue moins courte que leurs pères. À la fin, quand le peuple légitime de Terrilville gouvernera à nouveau, tous reconnaîtront que nous avons bien agi. Nos aînés du Conseil commencent à comprendre qu'ils doivent compter avec notre force. Et ceux qui s'opposent à nous ne s'en portent pas très bien. Mais laissons cela.

— Le peuple légitime ? »

Ronica n'eut pas le loisir d'apprendre ce que Roed entendait par « peuple légitime ». Une porte qui grinça dans la maison l'avertit juste à temps. On venait. Leste comme une enfant, elle s'écarta de la porte d'un bond, fila dans le vestibule, disparut comme une flèche dans un petit salon. Elle resta là, dans la pièce obscure aux volets clos, le cœur battant à tout rompre, assourdie par les pulsations de son sang affolé. Puis son pouls s'apaisa, son souffle devint plus régulier, et d'autres bruits lui parvinrent, les légers bruits d'une maison qui s'éveille. L'oreille collée à la porte, elle entendit une servante apporter le petit déjeuner dans le cabinet de travail. Elle attendit, avec une impatience fébrile, que la domestique ait disposé. Elle lui laissa le temps de retourner à la cuisine puis elle se précipita hors de sa cachette pour regagner sa chambre.

Rache ouvrit des yeux brouillés de sommeil quand Ronica referma doucement la porte derrière elle. « Réveille-toi, dit-elle doucement. Nous devons faire nos paquets et nous enfuir immédiatement. »

*

* *

Lorsque la servante entra avec le café et les petits pains, Sérille accueillit l'interruption avec une pitoyable gratitude. Roed lança un regard furibond à l'importune mais il se tut. Seul le silence permettait à la Compagne de s'entendre vraiment penser. Quand Roed était dans la pièce, qu'il la dominait de toute sa taille, qu'il parlait avec tant de véhémence, elle se surprenait à opiner du bonnet. Ce n'était que plus tard qu'elle était capable de se rappeler ce qu'il avait dit et qu'elle avait honte d'avoir approuvé.

Il l'effrayait. Quand il avait exposé les espoirs qu'elle nourrissait en secret de s'emparer du pouvoir du Gouverneur, elle avait manqué s'évanouir. Et lorsqu'il avait calmement présumé qu'il pourrait l'épouser, qu'il avait esquivé avec amusement ses protestations, elle s'était sentie suffoquer. Encore maintenant, ses mains étaient moites, tremblantes sur ses genoux. Elle grelottait de peur depuis que sa servante l'avait réveillée pour lui dire que Roed était en bas et demandait à la voir immédiatement. Elle s'était habillée en toute hâte, en rabrouant la domestique qui voulait l'aider. Elle n'avait pas eu le temps de se coiffer convenablement. Elle s'était brossé les cheveux à la diable, les avait torsadés et épinglés sur sa tête. Elle s'était sentie aussi négligée qu'une fille de peine.

Pourtant, une petite étincelle de fierté brûlait en elle. Elle lui avait résisté. Si l'ombre qu'elle avait entrevue dans l'entrebâillement de la porte avait été Ronica, elle l'avait avertie. Elle avait soupçonné une présence derrière la porte juste au moment où il avait fait son outrageante demande en mariage. Elle ne savait pourquoi mais l'idée que Ronica, Marchande de Terrilville, puisse surprendre cette proposition impudente l'avait humiliée et lui avait donné le sang-froid d'éconduire Roed Caern. La honte s'était transformée en courage factice. En prévenant Ronica, elle avait défié Roed, et ce, à son insu.

Elle était assise, toute raide, au bureau de Davad tandis que la servante disposait le café et les petits pains. L'arôme du café et la bonne odeur de pain frais auraient dû la mettre en appétit mais avec Roed présent, bouillant d'impatience, elle en eut le cœur soulevé. Allait-il deviner ce qu'elle avait fait ? Pire, le regretterait-elle plus tard ? Depuis qu'elle avait fait sa connaissance, elle en était venue à respecter Ronica Vestrit. Même si la Marchande trahissait Jamaillia, Sérille ne voulait prendre aucune part à sa capture ni à sa torture. Elle était assaillie par le souvenir de ses propres expériences. Roed avait parlé de « persuader » Ronica avec la même désinvolture dont le Gouverneur avait usé quand il avait livré la Compagne au capitaine chalcédien.

Dès que la servante eut quitté la pièce, Roed s'approcha du bureau à grands pas et commença à se servir. « Il n'y a pas de temps à perdre, Compagne. Nous devons être prêts quand le Gouverneur arrivera avec les Chalcédiens tenus en laisse. »

Ce serait plutôt le contraire, songea-t-elle, mais elle fut incapable de formuler les mots. Pourquoi, oh, pourquoi son bref courage l'avait-il fuie ? Elle ne pouvait même pas penser rationnellement quand il était dans la pièce. Elle ne croyait pas ce qu'il disait ; elle se savait plus avertie que lui dans le domaine politique, plus à même d'analyser la situation, mais pour une certaine raison, elle ne pouvait agir d'après ses propres réflexions. Tant qu'il était là, elle se sentait prisonnière de son monde à lui, de ses pensées à lui. De sa réalité.

Il prit une mine renfrognée. Elle n'avait pas écouté. Il avait dit quelque chose et elle n'avait pas réagi. Qu'avait-il dit ? Elle chercha frénétiquement dans sa tête, mais ne trouva pas. Elle se borna à le considérer avec un effroi croissant.

« Eh bien, si vous ne voulez pas de café, dois-je appeler la servante pour qu'elle vous apporte du thé ? »

Elle retrouva l'usage de sa langue. « Non, je vous en prie, ne vous donnez pas cette peine. Le café, c'est parfait, vraiment. »

Avant qu'elle ait eu le temps de bouger, il la servait. Elle le regarda ajouter crème et miel, beaucoup trop à son goût, mais elle ne dit mot. Il posa une brioche sur une assiette et lui apporta le tout. « Compagne, vous vous sentez bien ? Vous êtes toute pâle », dit-il de but en blanc.

Les muscles saillaient sur ses avant-bras bronzés, ses phalanges pointaient en arêtes dures. Elle leva sa tasse précipitamment, but un peu de café. Quand elle l'eut reposée, elle s'efforça d'affirmer sa voix et répondit avec raideur : « Je vais bien, je vous en prie, continuez.

— Les propositions de paix de Mingslai sont pure comédie, manœuvre dilatoire, les Nouveaux

Marchands cherchent à nous occuper pendant qu'ils rassemblent leurs forces. Ils sont au courant de l'évasion du Gouverneur et probablement ils ont plus de précisions que nous. Et je suis certain que les Vestrit sont impliqués depuis le début. Songez à la façon dont cette vieille femme a essayé de nous discréditer à la réunion du Conseil ! C'était pour détourner l'attention qu'on porte à sa propre trahison.

— Mingslai…, commença Sérille.

— On ne peut pas se fier à lui. Mais on va l'utiliser. On va le laisser faire ses propositions de trêve. On va même avoir l'air d'être impatients de le rencontrer. Alors, quand on l'aura entraîné assez loin, on le supprimera. » Et il fit un grand geste de la main.

Sérille rassembla tout son courage. « Il y a là une contradiction. Ronica Vestrit m'a conseillé de me méfier de Mingslai. Assurément, si elle était de mèche avec lui…

— Elle ferait tout son possible pour ne pas avoir l'air », conclut Roed d'un ton péremptoire. Ses yeux sombres étincelaient de colère.

Sérille respira et raidit l'échine. « Ronica m'a exhortée à maintes reprises à établir une paix où toutes les factions de Terrilville auraient leur mot à dire. Pas seulement les Premiers et les Nouveaux Marchands, mais les esclaves, les gens de Trois-Navires et les autres immigrants. Elle insiste pour que nous fassions tous une trêve en vue de conclure une paix équitable.

— Alors elle se condamne elle-même, déclara-t-il, catégorique. Un tel discours est une trahison envers Terrilville, les Marchands et Jamaillia. Nous aurions tous dû savoir que les Vestrit étaient corrompus quand ils ont permis que leur fille épouse un étranger, et un Chalcédien, par-dessus le marché. C'est bien de là que remonte la conspiration. Des années et des années de complot et de profit aux dépens de Terrilville. Le vieux n'a jamais fait commerce sur le fleuve des Pluies. Vous le saviez ? Quel Marchand jouissant de son bon sens, propriétaire d'une vive-nef, laisserait passer une occasion pareille ? Pourtant, il gagnait quand même de l'argent, d'une façon ou d'une autre. Où ? Grâce à qui ? Ils ont accueilli au sein de leur famille un sang-mêlé chalcédien. Ça m'a tout l'air d'un indice, qui donne à penser que, depuis le début, les Vestrit ont renié tout loyalisme envers Terrilville, non ? »

Il accumulait ses arguments trop rapidement. Elle se sentit assommée par sa logique. Elle se surprit à opiner et se contint avec effort. Elle parvint à répondre : « Mais pour faire la paix à Terrilville, on doit bien aboutir à un accord entre tous les gens qui y vivent. Obligatoirement. »

Elle fut étonnée qu'il approuve d'un hochement de tête. « Exactement. Vous avez raison. Mais dites plutôt entre les gens qui *devraient* vivre ici. Les Premiers Marchands. Les immigrants de Trois-Navires qui ont conclu un pacte avec nous quand ils sont arrivés. Et ceux qui se sont installés depuis, un par un ou en famille, pour adopter nos coutumes et vivre conformément à nos lois, tout en reconnaissant qu'ils ne pourront jamais devenir Marchands. Ce mélange, nous pouvons l'accepter. Si nous expulsons les Nouveaux Marchands et leurs esclaves, notre activité sera réorganisée. Que les Marchands de Terrilville reprennent les terres qui ont été illégalement octroyées aux Nouveaux, à titre de dédommagement par le Gouverneur, qui nous a manqué de parole. Alors, tout ira bien, à nouveau, dans notre ville. »

C'était d'une logique enfantine, trop simpliste pour être réaliste. Revenons en arrière, comme c'était avant, voilà ce qu'il proposait. Il n'arrivait donc pas à comprendre que l'histoire n'est pas une tasse de thé, qu'on reverse dans la théière ? Elle fit encore une tentative, insufflant à sa voix une force qu'elle ne possédait pas. « Cela ne me paraît pas juste. Les esclaves n'ont pas eu leur mot à dire quand on les a emmenés là. Peut-être…

— C'est juste. Et ils n'auront pas non plus leur mot à dire quand on les renverra de Terrilville. Cela s'équilibre. Qu'ils s'en aillent, et que ceux qui les ont amenés ici s'en débrouillent. Sans quoi, ils vont continuer à courir les rues, à piller, à saccager, à voler les honnêtes gens. »

Une petite étincelle de son esprit d'autrefois s'alluma en Sérille. Elle demanda sans réfléchir : « Mais comment comptez-vous vous y prendre ? Leur dire tout simplement de s'en aller ? Je doute qu'ils obéissent. »

L'espace d'un instant, Caern parut interloqué. Une ombre de doute passa dans ses yeux. Puis il eut une moue de dédain. « Je ne suis pas idiot, cracha-t-il. Il y aura effusion de sang. Je le sais. Il y a des Marchands et fils de Marchands qui sont de mon côté. Nous en avons discuté. Nous acceptons tous d'en passer par là avant que ce soit fini. C'est le prix que nos ancêtres ont payé. Maintenant, c'est à notre tour, et nous paierons, s'il le faut. Mais nous n'avons pas l'intention de verser notre sang. Oh non ! » Il reprit haleine et fit rapidement le tour de la pièce.

« Voici ce que vous devez faire. Nous allons convoquer une réunion extraordinaire des Marchands, non, pas de tous, seulement des chefs du Conseil. Vous leur annoncerez les fâcheuses nouvelles : que le Gouverneur a disparu lors du tremblement de terre de Trois-Noues, et que nous craignons qu'il ne soit mort. Vous avez donc décidé d'agir de votre propre chef, de réprimer les troubles à Terrilville. Vous leur direz qu'il faut conclure un traité de paix avec les Nouveaux Marchands mais en spécifiant qu'il doit être ratifié par toutes les familles de Nouveaux Marchands. Nous préviendrons Mingslai que nous sommes prêts à discuter mais que chaque famille doit déléguer un représentant aux négociations. Ils doivent venir dans un esprit de trêve, sans armes, sans serviteurs ni gardes d'aucune sorte. À la salle du Conseil. Une fois qu'on les tient, on peut refermer le piège. On leur dira qu'ils doivent quitter pacifiquement nos rivages, que leurs biens sont confisqués, faute de quoi les otages paieront. Laissons-leur le soin d'arranger l'affaire mais on leur fera savoir que les otages seront libérés et embarqués seulement quand tous les autres seront à une journée de voile du port. Alors…

— Vous êtes vraiment prêt à exécuter tous les otages s'ils refusent ? demanda Sérille, d'une voix blanche.

— On n'en arrivera pas là, affirma-t-il aussitôt. Mais le cas échéant, ce sera la faute de leurs compatriotes, pas la nôtre. S'ils nous y forcent… mais vous savez qu'ils ne le feront pas. » Il parlait trop vite. Cherchait-il à la rassurer ou à se rassurer lui-même ?

Elle tâcha de puiser en elle le courage de lui dire à quel point il était insensé. C'était un gamin grandi trop vite qui, emporté par sa violence, déraisonnait. Elle avait été sotte de s'appuyer sur lui. Elle avait découvert trop tard que son instrument avait des bords tranchants. Elle devait se débarrasser de lui avant qu'il ne nuise davantage. Mais elle en était incapable. Il se tenait devant elle, les narines dilatées, les poings crispés le long du corps, et elle sentait la colère bouillir sous le masque de calme, la colère qui alimentait sa haine prétendument juste. Si elle le contredisait, il retournerait peut-être cette colère contre elle. Elle ne songeait qu'à une chose : fuir.

Elle se leva lentement, affectant le calme. « Merci de m'avoir apporté ces nouvelles, Roed. Maintenant, il faut que je prenne le temps de réfléchir seule. » Elle s'inclina avec gravité, espérant qu'il s'inclinerait à son tour et qu'il s'en irait.

Mais il secoua la tête. « Vous n'avez pas le temps de délibérer, Compagne. Les circonstances nous obligent à agir sans délai. Rédigez les convocations des chefs du Conseil. Ensuite vous les ferez porter par une servante. Je vais de ce pas arrêter la femme Vestrit et la mettrai sous bonne garde. Dites-moi où se trouve sa chambre. » Il fronça les sourcils. « Ou vous aurait-elle ralliée à sa cause ? Vous croyez que vous gagnerez plus à vous allier avec les conspirateurs ? »

Bien sûr. Si elle lui opposait la moindre résistance, il la rangerait au nombre de ses ennemis. Alors il se montrerait aussi brutal avec elle qu'il se préparait à l'être avec Ronica. La Marchande lui avait fait peur quand elle s'était dressée contre lui.

Tout à l'heure, Ronica était-elle dans le vestibule ? Avait-elle entendu l'avertissement, l'avait-elle compris ? Avait-elle eu le temps de s'enfuir ? Sérille avait-elle fait quoi que ce fût pour la sauver, ou était-elle en train de sacrifier cette femme à son propre salut ?

Roed crispait et décrispait les poings nerveusement. Elle n'imaginait que trop nettement avec quelle violence il refermerait sa main sur le poignet frêle de Ronica Vestrit. Pourtant, elle ne pouvait l'en empêcher. Il ne ferait que la blesser, elle, si elle essayait : il était trop grand, trop fort, trop redoutablement mâle. Elle était incapable de penser en sa présence ; et puis cette besogne l'éloignerait temporairement. Ce ne serait pas sa faute à elle, pas plus que la mort de Davad Restart n'était sa faute. Elle avait fait ce qu'elle avait pu, n'est-ce pas ? Mais si l'ombre à la porte n'avait été qu'une ombre ? Si la vieille dame dormait encore ? Ce fut une étrangère qui, la bouche sèche, prononça les mots terribles : « En haut de l'escalier. Quatrième porte à gauche. La chambre de Davad. »

Roed quitta la pièce à grandes enjambées en faisant délibérément claquer ses bottes.

Sérille le suivit des yeux. Quand il fut hors de vue, elle ploya le dos, la tête dans les mains. Ce n'est pas ma faute, répétait-elle pour tâcher de se rasséréner. Personne n'aurait pu sortir indemne de ce qu'elle avait vécu. Ce n'était pas sa faute. Comme un fantôme improbateur, Ronica se dressa devant ses yeux : « C'est cela le défi, Compagne. Accepter ses expériences, les mettre à profit au lieu d'en rester prisonnier. »

*
* *

Connaître le tracé de Terrilville et connaître sa géographie, ce sont deux choses différentes, songeait Ronica amèrement. Dans un sanglot sans larmes, elle retint son souffle en apercevant le profond ravin qui lui barrait la route. Elle avait décidé de conduire Rache par ce chemin, à travers bois, derrière la maison de Davad. Elle savait qu'en coupant directement par le bois jusqu'à la mer, elles atteindraient le quartier pauvre de Terrilville où s'étaient installées les familles de Trois-Navires. Elle l'avait souvent vu sur la carte, dans le cabinet de travail d'Ephron. Mais sur la carte ne figuraient pas ce ravin qui serpentait à travers les arbres ni le mince filet d'eau bourbeuse tout au fond. Elle s'arrêta, le considéra. « Peut-être aurions-nous dû passer par la route », déclara-t-elle piteusement à Rache. Elle resserra son châle trempé autour de ses épaules.

« Par la route, ils auraient eu vite fait de nous rattraper. Non. Vous avez eu raison de partir par là. » La servante prit la main de Ronica, la posa sur son bras et la tapota d'un geste rassurant. « Suivons le cours d'eau. Soit nous trouverons un gué emprunté par les animaux, soit il nous mènera à la plage. À partir de là, nous pouvons toujours longer le rivage jusqu'à l'endroit où les bateaux de pêche sont au plain. »

Rache ouvrit la marche suivie d'une Ronica reconnaissante. Des buissons dénudés accrochaient leurs jupes et leurs châles, mais la servante avançait vaillamment à travers les fougères et les salicaires ruisselantes. Des cèdres imposants se dressaient très hauts, retenant la pluie mais, de temps à autre, une branche basse se déchargeait sur elles de son poids d'eau. Elles n'avaient rien emporté. Elles n'avaient pas eu le temps de faire leurs paquets. Si les gens de Trois-Navires les chassaient, elles dormiraient dehors cette nuit, à découvert.

« Tu n'es pas tenue d'être mêlée à tout ça, Rache. » Ronica se sentait obligée de le lui faire remarquer. « Si tu me laisses, tu pourrais te réfugier parmi les Tatoués. Roed n'a aucune raison de te courir après. Tu y serais en sécurité.

— Allons donc ! D'ailleurs, vous ne savez pas comment aller chez Pelé Kelter. Je suis sûre qu'il faut passer d'abord chez lui. S'il nous chasse, on n'aura plus qu'à se réfugier toutes les deux chez les Tatoués. »

En milieu de matinée, la pluie diminua. Elles arrivèrent à un endroit où un sentier descendait la pente escarpée du ravin. Parmi des traces de sabots, Ronica releva l'empreinte d'un pied nu dans la vase molle. C'étaient les voies aussi de nombreux cerfs. Elle peina à suivre Rache, se retenant aux troncs d'arbres et aux buissons pour éviter de tomber. Quand elles eurent atteint le fond, ses jambes écorchées étaient crottées jusqu'aux genoux. Peu importait. Il n'y avait pas de pont pour franchir la large nappe d'eau verte au fond du ravin. Les deux femmes traversèrent en pataugeant, sans un mot. L'autre côté était moins élevé et moins abrupt. En se cramponnant l'une à l'autre, elles gravirent la pente en trébuchant et émergèrent dans des bois plus clairsemés.

Elles étaient sur un sentier, à présent, qui s'élargit bientôt en un chemin battu. Ronica entrevit des abris de fortune sous les arbres. Elle sentit à un moment une odeur de feu de bois, un fumet de bouillie qui cuisait et son estomac se mit à gronder. « Qui vit ici ? demanda-t-elle à la servante qui la pressait d'avancer.

— Des gens qui ne peuvent pas vivre autre part », répondit Rache évasivement. Elle ajouta bientôt, comme si elle regrettait sa défiance : « Des esclaves qui se sont enfuis de chez leurs maîtres, Nouveaux Marchands, pour la plupart. Ils ont été obligés de rester cachés. Il leur était impossible de chercher du travail ni de quitter la ville. Les Nouveaux Marchands ont posté des gardes sur les quais qui arrêtent les esclaves sans papiers. Ce n'est pas le seul campement clandestin dans les bois des environs. Il y en a d'autres, et ils se sont étendus depuis la Nuit du Feu. Il y a toute une ville cachée là, Ronica. Ils vivent en marge, des miettes de votre commerce, mais ce sont des êtres humains, malgré tout. Ils braconnent, cultivent des lopins de terre, ou cueillent des noix sauvages et des fruits dans la forêt. Ils font du troc surtout avec les gens de Trois-Navires pour du poisson, du tissu, des denrées de première nécessité. »

Elles passèrent devant deux cabanes blotties sous l'ombre d'un bouquet de cèdres. « J'ignorais qu'ils étaient si nombreux », dit Ronica d'une voix tremblante.

Rache eut un reniflement amusé. « Tout Nouveau Marchand arrivé dans votre ville a amené au moins dix esclaves avec lui. Nourrices, cuisinières, valets pour la maison et journaliers pour les champs et les vergers ; ils ne viennent pas en ville, ne se promènent pas parmi vous, mais ils sont là. » Un pâle sourire plissa son tatouage. « Nous sommes nombreux, ce qui fait de nous une force avec laquelle il va falloir compter. Pour le meilleur ou pour le pire, Ronica, nous sommes ici, et nous y resterons. Terrilville doit le reconnaître. Nous ne pouvons pas continuer à vivre en marge comme des réprouvés. Il faut que nous soyons reconnus et acceptés. »

Ronica garda le silence. Les paroles de l'esclave affranchie étaient presque menaçantes. Sur le chemin, elle entrevit un garçon et une fillette qui disparurent bientôt comme des lapins affolés. Ronica commençait à se demander si la servante ne l'avait pas conduite délibérément dans cette direction. Assurément, elle semblait à l'aise, les lieux paraissaient lui être familiers.

Elles gravirent une nouvelle colline, laissant derrière elles les huttes éparses. Une végétation de feuillage persistant se resserrait autour d'elles, qui assombrissait encore le ciel couvert. Le sentier se rétrécit, il semblait moins fréquenté, mais maintenant que Ronica les cherchait des yeux, elle en aperçut plusieurs autres qui bifurquaient. Avant que les deux femmes aient atteint les maisons de Trois-Navires, le long de la plage schisteuse, le chemin n'était guère plus qu'une voie d'animal. Un vent frais soufflant du large les poussait. Ronica grimaça en songeant à son apparence sale et dépenaillée.

Dans ce quartier de Terrilville, les maisons épousaient le contour de la plage, d'où les familles de Trois-Navires pouvaient guetter le retour de leurs barques de pêche. Sur les talons de Rache qui l'entraînait en hâte dans la rue, Ronica regardait autour d'elle avec une curiosité circonspecte. Elle n'était jamais venue par là. Exposée aux tempêtes de la baie, la rue venteuse était trouée de flaques.

Des enfants jouaient sur les porches des baraques en planches. Des odeurs de bois flotté et de poisson fumé flottaient dans le vent vif. Des filets tendus entre les maisons attendaient le ramendage. Les émeutes, et la désolation qui leur avait succédé, avaient peu affecté ce quartier de la ville. Une femme, bien protégée du gros temps par son capuchon, les dépassa d'un pas pressé en poussant un baril de poissons plats. Elle les salua d'un hochement de tête.

« Voilà, c'est la maison de Pelé », annonça Rache tout à coup. La construction branlante à un niveau ne différait guère de ses voisines. On l'avait récemment badigeonnée à la chaux, unique signe de prospérité que Ronica pût remarquer. Elles avancèrent sous le porche couvert qui courait le long de la maison et Rache frappa à la porte d'une main ferme.

Ronica repoussait en arrière ses cheveux trempés quand la porte s'ouvrit. Une grande femme se tenait dans l'encadrement, fortement charpentée et robuste, à l'instar de nombreux colons de Trois-Navires. Sa figure était criblée de taches de rousseur et ses cheveux blonds étaient roussis par les intempéries. Elle les dévisagea un instant d'un air soupçonneux puis un sourire adoucit sa physionomie. « Je vous remets, dit-elle à Rache. C'est vous qui avez demandé un bout de poisson à Pa. »

Rache hocha la tête, sans se vexer d'être ainsi caractérisée. « Je suis revenue le voir deux fois depuis. Les deux fois, vous étiez à la pêche au carrelet. Vous êtes Eke, c'est ça ? »

Eke n'hésita pas davantage. « Ah, entrez alors. Vous avez l'air trempées comme des soupes. Non, non, ne vous en faites pas pour les chaussures.

Quand on aura traîné assez de boue dans la maison, on finira bien par nettoyer. »

À en juger par l'état du sol près de la porte, cela ne manquerait pas d'arriver bientôt. C'était un plancher de bois nu et usé. À l'intérieur, les plafonds étaient bas et les petites fenêtres ne donnaient guère de lumière. Un chat dormait étendu près d'un chien à longs poils, qui ouvrit un œil pour les saluer quand elles l'entourèrent puis se rendormit. À côté du chien assoupi, il y avait une table et des chaises solides. « Asseyez-vous donc, dit la femme. Et ôtez vos habits mouillés. Pa n'est pas là mais il doit rentrer bientôt. Du thé ?

— Je vous en serais tellement reconnaissante », remercia Ronica.

Eke puisa de l'eau dans un baquet pour en remplir une bouilloire. En la posant sur le foyer, elle les regarda par-dessus son épaule. « Vous avez l'air rompues. Il reste de la bouillie de ce matin, un peu colle-pâte mais ça nourrit quand même. Je la réchauffe ?

— S'il vous plaît », répondit Rache car Ronica ne trouvait plus ses mots. Elle avait beau se rendre compte que c'était son aspect tout déguenillé qui lui valait une telle charité, elle était pourtant émue aux larmes devant l'hospitalité simple et franche de cette jeune fille à l'égard de deux étrangères. Qu'elle en soit arrivée à mendier à une porte de Trois-Navires, c'était là pour elle une leçon d'humilité. Qu'aurait pensé Ephron de sa femme ?

La bouillie était en effet épaisse et collante. Mais Ronica dévora sa portion avec une tasse de thé rougeâtre savoureusement épicé à la cardamome, selon l'usage de Trois-Navires. Eke paraissait sentir qu'elles étaient toutes deux affamées et épuisées. Elle les laissa manger et fit la conversation, parla du temps capricieux, des filets à ramender, de la quantité de sel qu'on devait acheter quelque part pour saler suffisamment de poisson « de garde » en prévision de la mauvaise saison. Ronica et Rache approuvaient de la tête tout en mangeant.

Quand elles eurent fini la bouillie, Eke débarrassa bruyamment leurs bols. Elle les resservit d'un thé brûlant et parfumé. Alors seulement, elle s'assit devant sa tasse. « Alors, c'est vous qui avez discuté avec Pa, c'est ça ? Vous êtes venues lui parler de la situation à Terrilville, hein ? »

Ronica apprécia sa manière directe d'aborder la question et lui répondit de même. « Pas exactement. J'ai parlé avec votre père à deux reprises, je lui ai fait part de la nécessité pour tous les habitants de Terrilville de s'unir et de faire la paix. Les choses ne peuvent pas continuer ainsi. Sans quoi les Chalcédiens n'auront plus qu'à s'installer à l'entrée du port et attendre qu'on s'écharpe. Dans l'état actuel des choses, quand nos navires de patrouille rentrent, ils ont du mal à trouver des denrées fraîches. Sans compter qu'il est bien dur pour les pères et les frères de quitter leur foyer pour chasser les Chalcédiens s'ils doivent s'inquiéter pour la sécurité de leur famille. »

Eke hochait la tête, et une ride se creusa sur son front. Rache intervint doucement : « Mais ce n'est pas pour cela que nous sommes ici. Ronica et moi cherchons asile, chez les gens de Trois-Navires, si possible. Nos vies sont menacées. »

Trop théâtral, songea tristement Ronica en voyant la jeune femme plisser les yeux. Un instant après, on entendit un frottement de bottes sur le porche et la porte s'ouvrit sur Pelé Kelter. Il était tel que Rache l'avait décrit : une vraie barrique, avec plus de poils roux à la barbe et sur les bras que sur le crâne. Il s'arrêta, consterné, puis referma la porte derrière lui et, perplexe, resta à se gratter la barbe. Il jeta un coup d'œil à sa fille puis aux deux femmes attablées avec elle.

Il prit une inspiration, comme subitement rappelé aux bonnes manières. Mais son salut fut aussi abrupt que celui de sa fille. « Qu'est-ce qui amène la Marchande Vestrit à ma porte et à ma table ? »

Ronica se leva précipitamment. « La dure nécessité, Pelé Kelter. Mes concitoyens se sont retournés contre moi. On m'accuse de trahir et de comploter, alors qu'en réalité je n'ai fait ni l'un ni l'autre.

— Et vous êtes venue chercher asile chez moi et les miens », rétorqua Kelter pesamment.

Ronica acquiesça en baissant la tête. Ils savaient tous deux qu'elle attirait les ennuis, et qu'ils pouvaient retomber très lourdement sur Pelé et sa fille. Elle n'avait pas besoin de le préciser. « Ce sont des problèmes de Marchands, et c'est injuste de souhaiter que vous les assumiez. Je ne vous demande pas asile : mais si vous pouviez seulement envoyer un mot à un Marchand, en qui j'ai confiance. Si j'écris un message et que vous pouviez trouver quelqu'un pour le porter à Grag Tenira, des Marchands de Terrilville, et que vous me permettiez d'attendre ici sa réponse… c'est tout ce que je demande. »

Elle ajouta, devant leur silence : « Et je sais que c'est un grand service que je sollicite de quelqu'un que je n'ai vu que deux fois.

— Mais chaque fois vous avez parlé honnête-ment. De choses qui me tiennent à cœur, de la paix à Terrilville, paix dans laquelle les gens de Trois-Navires pourraient avoir leur mot à dire. Et le nom de Tenira ne m'est pas inconnu. Je leur ai souvent vendu du poisson salé pour les vivres du navire. On élève des hommes droits dans cette maison, sûr. » Pelé plissa les lèvres et fit un bruit de succion en réfléchissant. « D'accord, dit-il d'un ton décidé.

— Je n'ai aucun moyen de vous rétribuer, prévint Ronica.

— Je ne me rappelle pas avoir demandé de rétri-bution. » La voix était bourrue mais sans dureté. Il ajouta, désinvolte : « Je ne vois aucune rétribution qui vaudrait de mettre ma fille en danger. Ma récompense sera la satisfaction du devoir accompli, quel que soit le risque encouru.

— Je veux bien, Pa, intervint Eke à mi-voix. Laisse la dame écrire son billet. Je le porterai moi-même à Tenira. »

Un étrange sourire crispa les traits épais de Pelé. « Et en plus, je pensais bien que tu voudrais y aller », déclara-t-il. Ronica remarqua qu'elle était devenue « la dame » pour Eke. Bizarrement, elle s'en sentit diminuée.

« Je n'ai même pas un bout de papier ni une goutte d'encre à moi, dit-elle à mi-voix.

— Nous avons ça. Ce n'est pas parce qu'on est de Trois-Navires qu'on est illettrés », commenta Eke d'un ton où perçait une note d'aigreur. Elle se leva vivement et apporta à Ronica une feuille de papier, une plume et de l'encre.

Ronica trempa la plume et suspendit son geste. Autant pour elle-même que pour Rache, elle déclara : « Il faut rédiger ceci avec soin. Je dois non seulement lui demander son aide mais aussi lui apprendre des nouvelles qui concernent Terrilville, nouvelles qui doivent se répandre au plus vite.

— Pourtant, je remarque que vous n'avez pas proposé de nous en faire part, releva Eke.

— Vous avez raison, approuva Ronica humblement. (Elle posa sa plume et leva les yeux sur Eke.) Je ne sais pas au juste ce que signifient ces nouvelles mais je crains qu'elles nous affectent tous. Le Gouverneur a disparu. Il a été enlevé et emmené en amont du fleuve du désert des Pluies, pour sa sécurité. Tout le monde sait que seule une vivenef peut remonter ce fleuve. Là-bas, on pensait qu'il serait à l'abri d'une trahison des Nouveaux Marchands ou des Chalcédiens.

— En effet. Il n'y a qu'un Marchand de Terrilville qui pourrait le descendre là-bas.

— Eke ! la rabroua son père, puis s'adressant à Ronica : Continuez.

— Il y a eu un tremblement de terre. Je sais seulement qu'il y a eu de gros dégâts et que le Gouverneur a disparu quelque temps. Maintenant, il paraît qu'il a été vu dans un canot, en aval du fleuve, avec ma petite-fille, Malta. (Elle eut du mal à prononcer les mots suivants.) Certains craignent qu'elle l'ait retourné contre les Premiers Marchands. Qu'elle ait trahi et qu'elle l'ait convaincu de s'évader de sa cachette pour se mettre en sûreté.

— Et quelle est la vérité ? » demanda Pelé.

Ronica secoua la tête. « Je n'en sais rien. Les mots que j'ai surpris ne m'étaient pas destinés ; je n'ai pas pu poser de questions. On a parlé d'une menace d'attaque de la flotte jamaillienne mais on en a dit trop peu pour que je sache si la menace est réelle ou supposée. Quant à ma petite-fille… » Sa gorge se serra. La peur qu'elle avait repoussée la submergea brusquement. Elle respira avec peine et reprit avec un calme qu'elle ne ressentait pas : « Il n'est pas sûr que le Gouverneur et ceux qui l'accompagnaient soient encore vivants. Il se peut que le fleuve ait détruit leur bateau, ou qu'ils aient été capturés. On ignore où ils se trouvent. Et quelles que soient les circonstances de cette disparition, j'ai bien peur qu'elle ne nous précipite dans la guerre. Avec Jamaillia et peut-être avec Chalcède. Ou simplement une guerre civile ici, Premiers Marchands contre Nouveaux.

— Et Trois-Navires pris entre les deux, comme d'habitude, commenta Eke amèrement. Eh bien, c'est comme ça. Écrivez votre lettre, dame Ronica, et je la porterai. Ce sont des nouvelles qu'il vaut mieux répandre que garder secrètes, il me semble.

— Vous avez vite fait de saisir l'essentiel », approuva Ronica. Elle prit sa plume et la trempa de nouveau dans l'encre. Mais en posant la plume sur le papier, elle ne songeait pas seulement aux mots qui attireraient Grag ici au plus vite, mais aussi aux difficultés d'instaurer une paix durable à Terrilville. La pointe de la plume courut vivement en grinçant sur le papier grossier.

11

CORPS ET ÂMES

La lumière de l'aube miroitait avec trop d'éclat sur l'eau. L'étoffe bourrue de ses culottes irritait sa peau à vif. Hiémain ne pouvait supporter le contact d'une chemise. Il était capable de se tenir debout et de marcher sans aide, à présent, mais il était étourdi au moindre effort. Le simple fait de rejoindre clopin-clopant le gaillard d'avant lui fit battre le cœur. Durant son lent trajet, les hommes d'équipage marquaient le pas pour le regarder puis, avec une fausse jovialité, le félicitaient de son rétablissement. Couturé de cicatrices à faire frémir même un pirate, se dit-il ironiquement. Les bons souhaits des matelots étaient sincères. Il faisait vraiment partie de l'équipage, désormais.

Il gravit la courte échelle qui menait au gaillard d'avant, deux pieds à chaque degré. Il redoutait de se retrouver face à la figure de proue grise et sans vie, mais quand il atteignit la lisse et aperçut ses couleurs toutes neuves, son cœur bondit. « Vivacia ! » s'écria-t-il joyeusement.

Elle se tourna lentement vers lui, sa crinière noire balaya ses épaules nues. Elle lui sourit. L'or tourbillonnant des yeux d'un dragon luit au-dessus des lèvres rouges.

Il la dévisagea, horrifié. C'était comme de voir les traits d'un visage chéri animés par un démon. « Que lui as-tu fait ? demanda-t-il. Où est-elle ? » Sa voix se brisa. Il se cramponna à la lisse comme s'il avait pu arracher la vérité au dragon.

« Où est qui ? » répondit froidement la figure de proue. Puis elle cligna lentement les yeux. Ils passèrent de l'or au vert puis à nouveau à l'or. Avait-il, l'espace d'un instant, entrevu Vivacia dans ces prunelles ? La couleur chavira insensiblement, de façon narquoise. Les lèvres écarlates s'incurvèrent dans un sourire sarcastique.

Il respira et se força au calme. « Vivacia, répéta-t-il avec obstination. Où est-elle ? Tu l'as emprisonnée à l'intérieur de toi ? Ou tu l'as détruite ?

— Ah, Hiémain, petit sot ! Pauvre petit sot ! » Elle soupira, l'air de le plaindre, puis détourna le regard vers la mer. « Elle n'a jamais été. Tu ne comprends pas ? Elle n'était qu'une coquille, une confusion de souvenirs que tes ancêtres ont cherché à m'imposer. Elle n'était pas réelle. Il en résulte qu'elle n'est nulle part, ni emprisonnée en moi ni détruite. Elle est un rêve que j'ai fait, une partie de moi-même, je suppose, au sens où les rêves font partie du rêveur. Vivacia a disparu. Tout ce qui était à elle est à moi, désormais. Y compris toi. » Sa voix se durcit sur les derniers mots. Puis elle sourit à nouveau et ajouta sur un ton plus chaleureux : « Mais laissons là ce bavardage futile. Dis-moi. Comment te sens-tu aujourd'hui ? Tu as l'air d'aller beaucoup mieux. Encore que, pour avoir plus mauvaise mine, il aurait fallu que tu sois mort. »

Hiémain n'en disconvint pas. Il s'était vu dans le miroir de barbier de Kennit. Il ne restait plus trace du novice au teint frais qui avait voulu se faire prêtre. L'œuvre que son père avait amorcée, avec l'amputation du doigt et le tatouage de la figure, il l'avait bien parachevée. Son visage, ses mains, ses bras étaient criblés de taches rouges, rosâtres et blanches. Il guérirait partiellement, le hâle lui donnerait une apparence presque normale. Mais sur la main, sur la joue et à la naissance des cheveux, la peau tendue et luisante garderait probablement son aspect livide. Il refusa de se laisser affecter par cette idée. Ce n'était pas le moment de s'inquiéter de soi.

Elle se détourna pour regarder droit devant elle vers les îles de la barrière de récifs. On n'allait pas tarder à atteindre les hauts-fonds rocheux et les écueils épars dans le chenal traître entre l'île du Mur Protecteur et l'île Dernière. « Ah, mais je pourrais te montrer comment faire disparaître ces cicatrices. Le savoir est là, enfoui au fond de ta tête, recouvert, caché. Pauvre petit, qui n'a que la mémoire de quinze brefs étés. Tends-toi vers moi. Je t'apprendrai à te guérir toi-même.

— Non. »

Elle rit. « Ah, je vois. C'est ta façon de déclarer ta fidélité à "Vivacia". En refusant d'entrer en contact avec moi. Piètre hommage, mais sans doute le meilleur que tu puisses lui rendre. Je pourrais te forcer, tu sais. Je te connais mieux que personne. » Un bref instant, il la sentit s'insinuer et s'enrouler autour de son esprit. Elle ne se tendait pas vers lui ; mais bien plutôt elle lui faisait sentir sa présence. Puis elle laissa la conscience qu'elle avait de lui se remettre en sommeil. « Mais si tu préfères rester défiguré… » Elle ne se donna pas la peine de terminer sa phrase.

Le désir le dévorait. Il se rappelait l'intense satisfaction qu'il avait éprouvée à guider consciemment la réparation de son corps pendant qu'il dormait dans le dragon. Éveillé, revenu à la vie, il n'avait pas les moyens de plonger assez profond pour atteindre à cette maîtrise de lui-même. Le dragon pouvait-il lui apprendre à s'en assurer à volonté ? Sa soif de connaissance allait bien au-delà du désir de se délivrer de la souffrance et d'effacer ses cicatrices. Le dragon pouvait-il lui montrer comment éliminer de son visage l'encre du tatouage ? Lui enseigner à régénérer son doigt perdu ? Une fois qu'il saurait, serait-il en mesure d'employer ce savoir-faire au bénéfice d'autrui ? Ce serait la révélation d'un grand mystère. Hiémain avait toute sa vie aimé la connaissance, la recherche de la connaissance. Le dragon n'aurait su choisir de meilleur appât pour le tenter.

« Quel guérisseur tu ferais ! Réfléchis. Je pourrais persuader Kennit de te laisser partir. Tu retournerais à ton monastère, au service simple et satisfaisant de Sâ. Tu retrouverais ta vie. Tu servirais ton dieu, la conscience pure. Vivacia partie, tu n'as plus vraiment de raisons de rester ici. »

Il l'avait presque ferré. À ces mots, Hiémain s'était senti transporté mais la dernière phrase le ramena brutalement à la réalité. *Vivacia partie.* Partie où ?

« Tu veux que je m'en aille. Pourquoi ? » demanda-t-il à mi-voix.

Un regard flamboyant, doré, tourbillonnant. « Pourquoi poses-tu la question ? rétorqua la figure de proue d'un ton acerbe. N'est-ce pas ton rêve, depuis qu'on t'a forcé à embarquer sur ce navire ? N'as-tu pas sans cesse jeté à la tête de Vivacia : "Sans toi, mon père ne m'aurait pas retiré du monastère" ? Pourquoi ne pas partir tout simplement en prenant ce que tu veux ? »

Il réfléchit un moment. « Peut-être que ce que je veux vraiment n'implique pas que je m'en aille. » Il la dévisagea avec attention. « Je crois que tu rends les choses trop séduisantes pour moi. Alors je me pose la question : que gagnerais-tu à mon départ ? Je ne vois qu'une seule réponse : mon absence affaiblirait d'une façon ou d'une autre Vivacia à l'intérieur de toi. Peut-être que si je n'étais plus là, elle capitulerait et se tiendrait tranquille en toi. Sâ m'en soit témoin, une voix en moi crie vers elle. Je lui manque peut-être beaucoup aussi. Moi vivant, tant que je suis ici, une partie de Vivacia vit aussi. Crains-tu que ma présence ne la rappelle ? Tu t'es bien démené pour prendre le dessus. Elle t'a presque traîné à la mort. Tu l'as remporté de justesse. »

La certitude grandit en lui. « Tu as dit toi-même une fois que nous étions entremêlés, tous les trois. La mort de l'un de nous menacerait les deux autres. Vivacia vit toujours en toi, et tout ce qui vit procède de Sâ. Mon devoir envers mon dieu est ici, comme mon devoir envers Vivacia. Je ne renoncerai pas à elle si facilement. Si être guéri par toi signifie abandonner Vivacia, alors je refuse d'être guéri. Je resterai avec mes cicatrices. Je te dis cela à toi et je sais qu'elle l'entend aussi. Je ne renoncerai pas à elle, pour rien au monde.

— Imbécile. » La figure de proue affecta la désinvolture en se grattant la nuque. « Te voilà bien théâtral ! C'est vraiment émouvant ! À supposer qu'il y ait quelque chose à émouvoir, c'est-à-dire. Garde tes cicatrices, alors, comme pitoyable hommage à un être qui n'a jamais existé. Qu'elles soient les ultimes traces de son existence. Est-ce que je désire que tu partes ? Oui, et la raison en est que je préfère Kennit. Il correspond mieux à mes aspirations. Je désire qu'il soit mon partenaire.

— Ah, vraiment ? » La voix d'Etta était froide et grave.

Hiémain sursauta mais la figure de proue parut seulement amusée.

« Comme toi, certainement », murmura la vivenef. Elle laissa son regard se promener sur Etta. Un sourire approbateur retroussa ses lèvres. Elle détourna son attention de Hiémain pour la fixer sur Etta. « Approche, ma chère. Cette soie vient-elle de Verania ? Il te gâte, dis-moi. Ou peut-être se gâte-t-il lui-même, en étalant ses trésors aux yeux de tous. Cette couleur te fait chatoyer comme une pierre précieuse sur une monture exotique. »

Etta leva la main, presque timidement, pour caresser la soie bleu intense de sa chemise. Une expression fugace d'incertitude passa sur son visage. « Je ne sais pas où le tissu a été fabriqué. Mais il me vient de Kennit.

— Je suis quasiment certaine qu'il s'agit d'une soie de Verania. La plus belle qui soit mais, évidemment, il ne t'offrirait rien de moins. Quand j'habitais mon propre corps, je n'avais pas besoin de tissu, bien sûr. Ma peau douce scintillait, brillait, plus somptueusement que ce qui sort de la main de l'homme. Pourtant, je m'y connais en soie. Il n'y a qu'à Verania qu'on peut obtenir cette teinte bleu dragon. » Elle pencha la tête vers Etta. « Elle te va bien. Les couleurs vives t'avantagent le teint. Kennit a raison de te couvrir d'argent plutôt que d'or. L'argent étincelle sur toi tandis que l'or ne prendrait qu'un ton chaud. »

Etta effleura les bracelets à son poignet. L'incarnat de ses joues devint plus vif. Elle hasarda un pas ou deux vers la lisse. Elle croisa les yeux de la figure de proue et, l'espace d'un instant, toutes deux parurent ravies, en extase. Hiémain se sentit exclu. À sa grande surprise, il sentit un frisson de jalousie le parcourir. Il ne savait pas si c'était Vivacia qu'il ne voulait pas partager avec Etta, ou si c'était Etta qu'il voulait préserver du dragon.

Elle secoua légèrement la tête comme pour briser le charme et le mouvement fit danser ses cheveux noirs et lustrés. Elle regarda Hiémain et plissa un peu le front. « Tu ne devrais pas t'exposer au soleil et au vent, ça te fait peler. Tu devrais rester dans ta cabine au moins encore une journée. »

Hiémain la dévisagea attentivement. Il y avait quelque chose qui clochait. Elle ne lui montrait pas d'ordinaire une telle sollicitude. Il se serait plutôt attendu qu'elle l'exhorte à s'endurcir. Il tâcha de déchiffrer son expression mais elle ne le regardait plus.

Le dragon fut plus brutal. « Elle voudrait me parler en particulier. Laisse-nous, Hiémain. »

Il ne releva pas et s'adressa à Etta. « Si j'étais vous, je ne me fierais pas trop à ce qu'il raconte. Nous n'avons pas encore appris la vérité à propos de Vivacia. Les légendes abondent en exemples sur les dangers qu'il y a à bavarder avec les dragons. Il va vous dire ce que vous voulez… »

Soudain, la présence, là, à nouveau, en lui. Cette fois, il la ressentit comme une gêne physique. Son cœur manqua un battement puis bondit. La sueur perla à son front. Il ne put respirer à fond.

« Pauvre petit, fit le dragon, compatissant. Regarde comme il vacille, Etta. Il n'est pas du tout lui-même, aujourd'hui. Va-t'en, Hiémain, répéta-t-il. Va te reposer. Va.

— Faites attention, parvint-il à dire à Etta. Ne le laissez pas… » Il fut pris de vertige. La nausée monta en lui ; il n'osa plus parler de crainte de vomir. Il avait peur de s'évanouir. La lumière du jour le blessa de son éclat. Il se protégea les yeux de son bras et gagna l'échelle en titubant. L'obscurité. Il lui fallait l'obscurité, et le silence, et l'immobilité. Ce besoin anéantit tout le reste.

Ce n'est qu'une fois allongé sur sa couchette que les symptômes disparurent, remplacés par l'effroi. Le dragon pouvait lui infliger cela à tout moment. Il pouvait le guérir, ou le tuer. Comment aider Vivacia alors que le dragon avait autant d'empire sur lui ? Il chercha du réconfort dans la prière mais une terrible lassitude le terrassa et il sombra dans un profond sommeil.

*
*   *

Etta secoua la tête en le suivant des yeux. « Regarde-le. Il peut à peine marcher droit. Je lui ai dit qu'il devait se reposer. Et hier soir, il a beaucoup trop bu. » Elle détourna le regard pour croiser celui de la figure de proue. Les yeux tourbillonnaient comme de l'or en fusion, magnifiques et envoûtants. « Qui es-tu ? » Elle parlait avec une hardiesse qu'elle ne ressentait pas. « Tu n'es pas Vivacia. Elle n'a jamais eu un mot poli pour moi. Elle ne désirait qu'une chose : m'écarter pour avoir Kennit à elle toute seule. »

Le sourire s'élargit sur les voluptueuses lèvres rouges de la vivenef. « Enfin. J'aurais dû savoir que la première personne raisonnable à qui je m'adresserais serait quelqu'un de mon sexe d'autrefois. Non. Je ne suis pas Vivacia. Et je ne désire pas t'écarter, ni te prendre Kennit. Pense à ce qu'il est, Kennit. La rivalité n'a pas lieu d'être entre nous. Il a besoin de nous deux. On ne sera pas trop de deux pour satisfaire ses ambitions. Toi et moi, nous allons devenir plus proches que des sœurs. Bon, laisse-moi réfléchir au nom que tu pourrais me donner. » Le dragon plissa ses yeux dorés. Puis son sourire s'élargit encore. « Foudre. Foudre, ça ira.

— Foudre ?

— L'un de mes noms, dans une langue ancienne, aurait pu être "Conçue pendant un Orage au moment du Coup de Foudre". Mais vous êtes des êtres éphémères, portés à abréger, dans l'espoir de les comprendre, tous les événements de la vie. Tu trébucherais sur tous ces mots. Alors tu peux m'appeler Foudre.

— Tu n'as pas un vrai nom ? » hasarda Etta.

Foudre rejeta la tête en arrière et rit de bon cœur. « Comme si j'allais te le dire ! Allez, femme, pour fasciner Kennit, tu dois sûrement avoir plus d'astuce que ça. Pour me tirer mes secrets, il faudra trouver mieux que me questionner en prenant l'air innocent. » Une expression amusée passa brièvement sur les traits sculptés. Alors, elle s'écria : « Timonier ! Deux quarts à tribord, le chenal est plus profond et le courant plus porteur. Vire par là. »

Jola était à la barre. Sans poser de questions, il vira de bord. Etta fronça les sourcils. Qu'en penserait Kennit ? Il n'y avait pas si longtemps, il avait commandé aux hommes de quart de tenir compte des ordres de la vivenef comme des siens. Mais c'était avant le changement. Alors que le navire modifiait son cap, Etta sentit qu'il filait plus vite et sans à-coups. Elle leva le visage dans le vent qui caressait ses joues et ses yeux embrassèrent l'horizon. Kennit avait dit qu'on faisait route vers Partage, ce qui ne l'empêcherait pas de faire une prise en chemin. Hiémain se rétablissait ; il n'était plus besoin de se presser pour trouver un guérisseur qui ne pourrait probablement plus grand-chose pour lui. Il garderait ses cicatrices jusqu'à la fin de sa vie.

« Tu as des yeux de chasseresse », fit remarquer Foudre sur un ton approbateur. Elle tourna sa grande tête pour parcourir l'horizon, d'un bout à l'autre. « On chasserait bien ensemble, nous deux. »

Un frisson singulier parcourut l'échine d'Etta. « Tu ne devrais pas plutôt dire ça à Kennit ?

— À un mâle ? demanda Foudre, dans un rire légèrement dédaigneux. On les connaît, les mâles. Un malard chasse pour se remplir le ventre. Quand une reine s'envole et cherche une proie, c'est pour préserver la race. Nous savons, nous, dans nos entrailles, que le but de tous nos mouvements, c'est la perpétuation de l'espèce. »

Etta porta les mains à son ventre plat. Elle pouvait sentir même à travers le tissu la petite bosse du charme en forme de crâne sur son nombril. Comme la figure de proue, il était sculpté en bois-sorcier. Il était fait pour l'empêcher de concevoir. Elle le portait depuis des années, depuis qu'elle était devenue putain, toute jeune fille encore. Avec le temps, il aurait dû faire partie d'elle. Pourtant, dernièrement, il s'était mis à la démanger, à l'irri-ter, physiquement et mentalement. Depuis qu'elle avait trouvé la petite figurine d'un bébé sur la plage aux Trésors, qu'elle avait emportée à son insu, elle avait commencé à écouter son corps, qui réclamait un enfant.

« Enlève-le », suggéra Foudre.

Etta s'immobilisa complètement. « Comment sais-tu cela ? » demanda-t-elle d'une voix dange-reusement basse.

Foudre ne lui accorda même pas un coup d'œil mais continua à contempler la mer. « Oh, je t'en prie ! J'ai un nez. Je le sens sur toi. Enlève-le. Il ne rend pas honneur à celui dont il faisait autrefois partie, et toi, tu ne lui rends pas honneur en l'employant à cet usage. »

À l'idée que le charme avait jadis fait partie d'un dragon, Etta en eut la chair de poule. Elle avait très envie de le retirer. « Je dois d'abord en parler à Kennit. Il me dira quand il sera prêt à avoir un enfant.

— Jamais, déclara tout net Foudre.

— Quoi ?

— N'attends jamais d'un mâle qu'il prenne ce genre de décision. C'est toi la reine. C'est toi qui décides. Les mâles ne sont pas aptes à prendre ce genre de décision. Je l'ai constaté maintes fois. Ils te font attendre le beau temps, la fortune, l'abondance.

Pour un mâle, il n'y a pas assez s'il n'y a trop, et trop n'est pas assez. Une reine sait que, quand les temps sont durs et que le gibier se fait rare, c'est précisément à ce moment-là qu'il faut se soucier le plus de la perpétuation de la race. Il y a des choses qu'il n'appartient pas à un mâle de décider. » Elle leva la main, se lissa les cheveux en arrière et adressa à Etta un grand sourire confiant qui était soudain très humain. « Je ne suis pas encore habituée à avoir des cheveux. Cela me fascine. »

Etta se surprit à sourire à son tour, malgré elle. Elle se pencha sur la lisse. Voilà longtemps qu'elle n'avait pas parlé avec une femme, et plus longtemps encore avec une femme qui s'exprimait aussi librement qu'une putain. « Kennit n'est pas comme les autres, risqua-t-elle.

— Nous le savons toutes les deux. Tu as choisi un bon compagnon. Mais à quoi bon si ça s'arrête là ? Enlève-le, Etta. N'attends pas qu'il te le demande. Regarde autour de toi. Est-ce qu'il dit à ses hommes quand il est temps qu'ils se mettent au travail ? Bien sûr que non. Sans quoi, il aurait aussi vite fait de s'y mettre lui-même. Ce qu'il attend des autres, c'est qu'ils pensent par eux-mêmes. Je risque un pari. Ne t'a-t-il pas déjà laissé entendre qu'il avait envie d'avoir un héritier ? »

Etta songea aux paroles qu'il avait prononcées quand elle lui avait montré le bébé sculpté. « En effet, admit-elle doucement.

— Alors, tu vois. Tu vas attendre qu'il t'en donne l'ordre ? Quelle honte ! La femelle ne devrait jamais attendre l'ordre d'un mâle pour ce qui concerne ses affaires. C'est toi qui devrais lui dire ce genre de choses. Enlève-le, reine. »

Reine. Etta savait que le dragon, par ce terme, voulait seulement dire « femelle ». Les dragons femelles étaient des reines, comme les chattes. Pourtant, quand Foudre prononça le mot, Etta sentit émerger une idée qu'elle osait à peine envisager. Si Kennit devait devenir le roi des Îles des Pirates, que serait-elle, elle ? Peut-être seulement sa compagne. Mais si elle avait son enfant, alors…

Tout en se reprochant de nourrir de telles ambitions, elle glissa la main sous la soie de sa chemise pour toucher la chair tiède de son ventre. Le petit charme de bois-sorcier, en forme de crâne, était attaché à un mince fil d'argent muni d'un crochet et d'une boucle. Elle appuya les doigts et la chaîne s'ouvrit. Elle dégagea délicatement le charme de son crochet et le tint dans sa main. Le crâne lui souriait. Elle frissonna.

« Donne-le-moi », dit Foudre à mi-voix.

Etta s'interdit de réfléchir. Elle tendit la main et quand Foudre tendit la sienne, elle lâcha l'amulette au creux de la large paume. Durant un instant, l'objet reposa là, la chaîne d'argent étincelait au soleil. Puis, comme un enfant qui avale un bonbon, la figure de proue porta sa main fermée à la bouche. En riant, elle montra à Etta sa paume vide. « Parti ! », dit-elle, et de ce moment, la décision était irrévocable.

« Qu'est-ce que je vais dire à Kennit ? se demanda-t-elle à voix haute.

— Rien du tout, répondit la vivenef sur un ton désinvolte. Rien du tout. »

*
* *

Le nœud avait grossi jusqu'à devenir le plus grand groupe de serpents que Shriver eût jamais vu, jurant fidélité et obéissance à un seul chef. Parfois, ils se séparaient pour se nourrir mais le soir les trouvait à nouveau réunis. De toutes couleurs, tailles et conditions, ils venaient à Maulkin, ne se rappelant pas tous l'usage de la parole. D'aucuns étaient même complètement sauvages. D'autres portaient les cicatrices de leurs mésaventures ou des blessures suppurantes récoltées lors d'affrontements avec des navires hostiles. Certains, parmi les sauvages, effrayaient Shriver, avec leur capacité à outrepasser les limites d'une conduite civilisée. Quelques-uns, comme le fantomatique serpent blanc, lui faisaient mal, à cause de l'angoisse latente qui fermentait en eux. Le blanc, en particulier, paraissait figé dans une colère muette. Néanmoins, tous sans exception suivaient Maulkin. Quand ils se regroupaient la nuit, ils s'ancraient dans un champ de serpents ondulants qui évoquait à Shriver un banc de varech.

Leur nombre paraissait affermir leur confiance dans l'autorité de Maulkin. Celui-ci était comme rayonnant maintenant, ses ocelles dorés luisaient sur tout son corps. Par leur nombre aussi, ils pourvoyaient aux besoins de chacun. Ils se réconfortaient mutuellement en partageant leurs souvenirs et souvent, un mot, un nom réveillait des réminiscences.

Pourtant, malgré leur pullulement, ils n'étaient toujours pas près de découvrir le vrai chemin de la migration. Les souvenirs partagés ne faisaient que rendre leur errance plus décevante encore. Ce soir, Shriver ne trouvait pas le repos. Elle se détacha de ses semblables endormis, se laissa flotter librement en considérant la forêt vivante de serpents. Cet endroit avait quelque chose de familier qui la mettait à la torture, quelque chose qui était à la frange de sa mémoire. Était-elle déjà venue ici ?

Sessuréa, qui, de par leur long compagnonnage, était sensible à ses humeurs, monta la rejoindre en ondulant. Silencieusement, il s'associa à sa contemplation des fonds marins. Ils ouvrirent grand leurs yeux à la pâle clarté de la lune qui filtrait à ces profondeurs. Elle étudiait la configuration du sol à la faible luminescence des serpents et de l'infime vie abyssale. Quelque chose.

« Tu as raison. » C'étaient les premiers mots que prononçait Sessuréa. Il s'écarta d'elle pour descendre doucement en sinuant vers un lit particulièrement inégal. Il tournait la tête dans tous les sens, avec lenteur. Puis, à la grande consternation de Shriver, il saisit soudain une grande fronde d'algues dans ses mâchoires et l'arracha. Il la rejeta, en prit une autre et fit de même. « Sessuréa ? » trompeta-t-elle sur un ton interrogateur. Mais il ne fit pas attention à elle. Il arrachait, touffe après touffe, les algues qu'il rejetait ensuite. Puis, alors qu'elle commençait à croire qu'il était devenu fou, il se fixa au fond, fouetta sauvagement de la queue, troublant la vase accumulée depuis des décennies.

L'appel de Shriver, l'étrange comportement de son compagnon avaient réveillé plusieurs serpents. Ils vinrent la rejoindre dans sa contemplation. Sessuréa déracina encore une touffe d'algues qu'il projeta au loin. « Que fait-il ? demanda un mince serpent bleu.

— Je n'en sais rien », répondit-elle tristement.

Sessuréa interrompit ses folles contorsions aussi abruptement qu'il avait commencé. Il monta en flèche retrouver les autres. Il se lustra en faisant une boucle sur lui-même avant d'envelopper Shriver, avec agitation. « Regarde. Tu avais raison. Bon, attends un peu que la vase se redépose. Là. Tu vois ? »

Pendant un moment, elle ne vit que des sédiments qui flottaient. Sessuréa était hors d'haleine, les ouïes palpitantes d'émoi. Enfin, le serpent bleu qui flanquait Shriver se mit à trompeter avec véhémence. « C'est un Gardien ! Mais cela ne se peut pas, ici, dans le Plein. Ce n'est pas normal. »

Perplexe, Shriver ouvrit de grands yeux. Les paroles du serpent bleu étaient hors de propos, elle ne comprenait pas leur signification.

Les Gardiens, c'étaient des dragons. Y avait-il des dragons morts au fond de la mer ? Alors, à force de regarder, elle distingua à travers l'eau troublée de vase de vagues formes dont les contours se précisèrent soudain. Elle vit. C'était un Gardien, une femelle manifestement. Elle était affalée sur le flanc, une aile soulevée, l'autre enfouie dans la vase. Trois griffes cassées à une patte dressée. Une portion de la queue pointait bizarrement à côté d'elle. La statue s'était brisée dans sa chute ; ça, au moins, c'était clair. Mais comment se faisait-il qu'elle soit là, sous la mer ? Elle surmontait autrefois les portes de la cité de Yruran. Alors, Shriver aperçut une colonne renversée. Et, là-bas, il s'agissait de l'atrium que Desmolo le Fervent avait construit, pour y loger toutes les plantes exotiques que ses amis dragons lui rapportaient des quatre coins de la terre. Et, plus loin, le dôme écroulé du Temple de l'Eau.

« La cité tout entière est là », trompeta-t-elle doucement.

Maulkin apparut soudain parmi eux. « Une province tout entière est là », corrigea-t-il. Tous les yeux le suivirent alors qu'il descendait vers les vestiges du monde qui se révélait à la lisière de leur mémoire. Il passait et repassait entre les ruines, frôlant l'un après l'autre les monuments. « Nous nageons là où jadis nous volions. » Alors il remonta lentement vers eux. Le nœud tout entier était réveillé, à présent, et observait ses douces ondulations. Ils formaient une sphère vivante dont Maulkin était le centre. Son corps et ses paroles s'entremêlaient.

« Nous cherchons à retourner chez nous, vers les terres où nous chassions et volions. Je crains que nous y soyons parvenus. Avant, quand nous avons découvert une statue ou une arche, j'ai prétendu que le hasard avait fait s'écrouler un ou deux bâtiments situés sur la côte. Mais Yruran était bien à l'intérieur des terres. Ici gisent ses ruines englouties. » Il fit une boucle lente qui niait leurs espoirs. « Le tremblement de terre a été d'une grande ampleur. Tout a changé considérablement. Nous cherchons un fleuve qui nous conduirait chez nous. Mais sans un guide venu du monde au-delà, je crains que nous ne le trouvions jamais. Aucun guide n'est venu à nous. Nous sommes allés au nord, nous sommes allés au sud, et cependant nous n'avons pas aperçu de chemin qui nous ait invités à le suivre. Tout est trop différent ; les souvenirs épars que nous avons réunis ne suffisent pas à la tâche. Nous sommes perdus. Notre seul espoir réside désormais dans Celle-Qui-Se-Souvient. Et il se peut même que cela ne soit pas suffisant. »

Conteur, un mince serpent vert, osa protester : « Nous l'avons cherchée, mais en vain. Nous nous fatiguons. Jusqu'à quand, Maulkin, devrons-nous errer et languir ? Tu as rassemblé un nœud puissant, pourtant nous avons beau être nombreux, ce n'est rien en comparaison de ce que nous étions autrefois. Ont-ils donc tous péri, ces autres nœuds qui devraient fourmiller aujourd'hui ? Sommes-nous les seuls survivants de notre peuple ? Devons-nous, nous aussi, mourir comme des égarés ? Se peut-il qu'il n'y ait ni fleuve, ni pays où retourner ? » Il chantait son chagrin et son désespoir.

Maulkin ne leur mentit pas. « Peut-être. Il se peut que nous périssions, et que notre race ne soit plus. Mais nous ne disparaîtrons pas sans lutter. Nous allons pour la dernière fois chercher Celle-Qui-Se-Souvient, mais cette fois-ci nous allons consacrer tous nos efforts à cette quête. Nous trouverons un guide ou nous mourrons en essayant.

— Alors, nous mourrons. » Sa voix était froide, blanche, comme de la glace épaisse qui se craquelle. Le serpent blanc se fraya un passage jusqu'au centre du nœud, pour se contorsionner de façon insultante devant Maulkin. La crinière de Shriver se hérissa d'horreur. Il poussait Maulkin à le tuer. Ses attitudes impudentes appelaient la mort. Tous attendirent que le jugement s'abatte sur lui.

Mais Maulkin se contint. Il décrivit de plus larges boucles, qui encerclaient les insultes du serpent blanc, interdisant aux autres de s'en prendre à lui.

Il ne dit pas un mot, bien que sa crinière dressée laissât échapper une pâle traînée de toxines dans l'eau. Le silence et les poisons enrobèrent le serpent blanc dans leur trame. Ses mouvements se ralentirent ; il flottait en suspension aussi immobile que peut l'être un serpent. Maulkin ne lui avait pas posé de questions, pourtant il répondit, furieux : « Parce que j'ai parlé avec Celle-Qui-Se-Souvient. J'étais sauvage, insensé, aussi bestial que les endormis qui vous suivent maintenant. Mais elle m'a saisi, m'a tenu serré, m'a insufflé ses souvenirs jusqu'à ce que j'étouffe. » Il virevolta en décrivant un cercle rapide et vicieux, comme s'il voulait s'attaquer lui-même. Il allait de plus en plus vite. « Ses souvenirs étaient du poison ! Du poison ! Plus toxique que ce qui s'est jamais écoulé d'une crinière. Quand je me souviens de ce que nous avons été, de ce que nous devrions être et que je le compare à ce que nous sommes devenus… j'en ai des haut-le-cœur. Je voudrais vomir cette vie infecte que nous étreignons encore ! »

Maulkin n'avait pas interrompu sa danse muette et flexueuse. Ses mouvements érigeaient un mur entre le serpent blanc et les autres qui l'écoutaient.

« Il est trop tard. » Le blanc trompeta clairement chaque mot. « Trop de saisons se sont écoulées. Le temps de la métamorphose est venu maintes fois, maintes fois il est passé. Les souvenirs qu'elle a sont d'une époque depuis longtemps révolue. Même si nous parvenions à trouver le fleuve et les lieux de nidification, il n'y a personne pour nous aider à fabriquer les cocons. Ils sont tous morts. » Il se mit à parler plus vite, les mots jaillissaient en torrent. « Nous n'avons pas de parents qui nous attendent pour cacher leurs souvenirs dans nos anneaux. À notre éclosion, nous serions aussi ignorants qu'avant. Elle m'a donné ses souvenirs, et je vous le dis : ils ne suffisent pas ! Je reconnais à peine cet endroit, et ce que je me rappelle ne correspond pas. Si nous sommes condamnés à périr, alors perdons nos voix et nos esprits avant de mourir. Ses souvenirs à elle ne valent pas la torture que je subis. » Sa crinière hérissée relâcha soudain un nuage de toxines paralysantes. Il y plongea la face.

Maulkin frappa, aussi prompt que s'il fondait sur une proie. Ses yeux dorés lancèrent des éclairs quand il enveloppa le serpent blanc et l'arracha à ses propres poisons. « Assez ! » rugit-il. Ses paroles étaient furieuses mais sa voix ne l'était pas. L'insensé serpent blanc se débattit mais Maulkin le pressait comme s'il était un dauphin. « Tu es tout seul. Tu ne peux décider pour le nœud tout entier ni pour la race tout entière. Tu as un devoir, et tu l'accompliras avant de mettre fin à ta vie stupide et dénuée de sens. » Maulkin lâcha un nuage de ses propres toxines. Les yeux écarlates et furibonds du serpent blanc tournèrent au ralenti et virèrent au marron terne. Ses mâchoires béèrent paresseusement alors que le poison faisait son effet. Maulkin déclara doucement : « Tu vas nous guider vers Celle-Qui-Se-Souvient. Nous avons déjà absorbé les souvenirs d'un pourvoyeur argenté. Si besoin est, nous pouvons en prendre davantage. Avec ce que nous obtiendrons auprès de Celle-Qui-Se-Souvient, ce sera peut-être suffisant. » Il ajouta, malgré lui : « Avons-nous le choix ? »

*
* *

Kennit se tenait en équilibre devant son miroir, et tournait le visage de tous côtés pour examiner son reflet. Il avait lustré ses cheveux et sa barbe taillée d'une touche d'huile de citron. Sa moustache se retroussait avec élégance mais sans affectation. Des flots de dentelle immaculée cascadaient sur sa poitrine et bouffaient aux manchettes de sa veste bleu foncé. Même le coussinet en cuir de son pilon avait été ciré et brillait. De lourds anneaux d'argent pendaient à ses lobes. Il avait l'air d'un homme qui va faire sa cour. En un sens, c'était exact.

Il n'avait pas bien dormi, cette nuit-là, après sa conversation avec la vivenef. Ce bougre de charme n'avait pas arrêté de susurrer et de ricaner bêtement en le pressant d'accepter les conditions du dragon. C'était justement cette insistance qui inquiétait fort Kennit. Oserait-il se fier à cette fichue amulette ? Oserait-il l'ignorer ? Il s'était tourné et retourné, et même le doux massage de sa nuque et de son dos par Etta, qui était venue le rejoindre dans son lit, n'avait pu l'aider à s'endormir. L'aube grisaillait quand il avait fini par s'assoupir. En se réveillant, il avait découvert en lui une nouvelle détermination. Il allait reconquérir la vivenef. Cette fois-ci, au moins, il n'aurait pas à vaincre son attirance envers Hiémain.

Il ne savait pas grand-chose des dragons, aussi s'était-il concentré sur le peu qu'il connaissait. C'était une femelle. Donc il lisserait son plumage, lui offrirait des cadeaux et verrait ce que cela lui rapporterait. Satisfait de son apparence, il retourna à son lit et examina le trésor qui y était posé. Une ceinture d'anneaux d'argent incrustée de lapis-lazuli en guise de bracelet. Si cela la tentait, il avait encore deux bracelets d'argent qu'on pouvait remonter en boucles d'oreilles. Etta ne s'apercevrait pas de leur disparition. Une lourde flasque contenant de l'huile de glycine, probablement destinée à l'origine à une parfumerie chalcédienne. Il ignorait quels autres objets encore pourraient ravir ses sens. Si ces trésors la laissaient indifférente, il envisagerait une autre tactique. Mais il la conquerrait. Il glissa ses présents dans un sac de velours qu'il attacha à sa ceinture. Il lui était plus facile de se déplacer s'il avait les mains libres. Il ne voulait pas apparaître maladroit à ses yeux.

Il rencontra Etta dans la coursive, les bras chargés de draps frais. Elle le considéra des pieds à la tête avec une franchise dont il faillit s'offenser, et cependant l'approbation qu'il lut dans son regard lui confirma qu'il ne s'était pas apprêté en vain. « Eh bien ! » fit-elle d'un ton presque coquin. Un sourire effleura ses lèvres.

« Je vais parler au navire, dit-il d'une voix bourrue. Que personne ne nous dérange.

— Je transmets tout de suite, assura-t-elle, puis elle osa ajouter en souriant plus largement. Tu as raison d'y aller ainsi. Elle sera contente.

— Qu'en sais-tu ? rétorqua-t-il, et il la dépassa en boitant.

— J'ai bavardé avec la vivenef, ce matin. Elle a été polie avec moi, et m'a parlé ouvertement de son admiration pour toi. Fais-lui voir que tu l'admires aussi, cela chatouillera sa vanité. Elle a beau être un dragon, elle est assez femelle pour qu'on se comprenne, toutes les deux. » Elle marqua une pause puis ajouta : « Elle dit qu'on doit l'appeler Foudre. Le nom lui va très bien. Elle irradie la lumière et la puissance. »

Kennit s'arrêta. Il se retourna pour lui faire face. « Qu'est-ce qui nous vaut cette nouvelle alliance ? » demanda-t-il, mal à l'aise.

Etta inclina la tête et prit un air pensif. « Elle est différente, maintenant. C'est tout ce que je peux dire. » Elle sourit tout à coup. « Je crois qu'elle m'aime bien. Elle a déclaré que nous pourrions être comme des sœurs. »

Il espéra qu'il cachait bien sa surprise. « Elle a dit ça ? »

La putain serrait sur son cœur les draps et continuait de sourire. « Elle a ajouté que tu n'aurais pas trop de nous deux pour réaliser tes ambitions.

— Ah ! » Il se tourna et s'éloigna en boitant. Le navire l'avait conquise. Comme ça, simplement, avec un ou deux mots gentils ? Cela lui parut invraisemblable. Etta n'était pas femme à se laisser facilement influencer. Que lui avait proposé le dragon ? Le pouvoir ? La fortune ? Mais plus important encore : *Pourquoi ?* Pourquoi le dragon cherchait-il à s'allier avec la putain ?

Il se surprit à allonger le pas et ralentit délibérément. Il ne fallait pas se presser. Du calme. Fais-lui la cour posément. Conquiers-la, et alors son amitié avec Etta ne constituera plus une menace.

Dès qu'il fut sorti sur le pont, il sentit une différence. Dans la mâture, les hommes changeaient les voiles, en se lançant des plaisanteries. Jola cria un ordre et les hommes bondirent pour l'exécuter. Un matelot glissa et se rattrapa d'un bras musclé. Il éclata de rire et se hissa pour remonter. La figure de proue poussa un cri ravi en voyant son adresse. Kennit comprit sur-le-champ que le matelot n'avait pas glissé. Il cherchait à éblouir le navire. L'équipage entier déployait ses compétences pour obtenir l'approbation de la vivenef. Ils rivalisaient comme des gamins pour attirer son attention.

« Qu'est-ce que tu as fait, pour les mettre de cette humeur ? » dit-il en guise de salut.

Elle gloussa de bon cœur et lui jeta un regard par-dessus son épaule nue. « Il en faut si peu pour les séduire. Un sourire, un mot, les défier de mettre une voile plus rapidement. Un peu d'attention, très peu d'attention, et c'est à qui se fera remarquer.

— Je suis étonné que tu daignes même les remarquer. Hier soir, tu paraissais n'avoir que faire des humains. »

Elle laissa glisser ces paroles. « Je leur ai promis une proie avant demain, au coucher du soleil. Mais à la condition qu'ils puissent rivaliser avec mes sens. Il y a un navire marchand, pas très loin devant. Il transporte des épices venant des îles Mangardor. Nous n'allons pas tarder à le rattraper, s'ils tendent bien ma toile. »

Ainsi, elle avait accepté son nouveau corps, à ce qu'il semblait. Il préféra s'abstenir de tout commentaire. « Tu peux voir le navire au-delà de l'horizon ?

— Je n'ai pas besoin de le voir. Le vent me porte son odeur. Clous de girofle et bois de santal. Poivre hasien et bâtons de kimoré. Les parfums mêmes des îles Mangardor. Seul un navire avec une cargaison aussi riche peut exhaler ces odeurs si loin au nord. On devrait bientôt en venir en vue.

— Tu as vraiment un odorat aussi subtil ? »

Un sourire carnassier retroussa ses lèvres. « La proie n'est pas si loin. Le navire se fraie avec prudence une route à travers ces îles. Si ta vue était aussi perçante que la mienne, tu le repérerais. » Le sourire disparut. « Comme navire je connais ces eaux. Mais pas comme dragon. Tout a beaucoup changé depuis que je me suis envolée pour la dernière fois. Je reconnais et pourtant je ne reconnais pas. » Elle fronça les sourcils. « Tu connais les îles Mangardor ? »

Kennit haussa les épaules. « Je connais les Écueils Mangardor. Ils sont dangereux par temps de brume et à certaines marées, ils sont juste assez découverts pour déchirer la coque d'un navire qui se risque à approcher. »

Un long silence troublé suivit ces paroles. « Donc, reprit-elle enfin à mi-voix, soit les océans ont monté, soit les terres que j'ai fréquentées se sont enfoncées. Je me demande ce qu'il reste de mon pays. » Elle se tut un instant. « Pourtant, l'île des Autres, comme tu l'appelles, n'a pas l'air d'avoir beaucoup changé. Et une partie du monde que j'ai connu est restée en l'état. C'est une énigme pour moi, je ne pourrai la résoudre qu'en retournant chez moi.

— Chez toi ? » Il affecta un ton détaché. « Et où est-ce ?

— Chez moi, c'est une éventualité. Tu n'as pas de raisons de te tracasser à ce sujet, pour le moment. » Elle souriait mais le ton était plus froid.

« Ce ne serait pas par hasard ce que tu voudrais, quand tu voudras quelque chose ? insista-t-il.

— Cela se pourrait. Je te le ferai savoir. » Elle marqua une pause. « Après tout, je ne t'ai pas encore entendu dire que tu acceptais mes conditions. »

Prudence. Prudence. « Je ne suis pas précipité dans mes décisions. J'aimerais en savoir plus sur ces conditions. »

Elle eut un rire sonore. « C'est stupide, cette discussion. Tu es d'accord. Parce que tu as encore moins le choix que moi dans la vie que nous devons partager. Qu'avons-nous d'autre à notre disposition, si ce n'est l'un et l'autre ? Tu m'apportes des cadeaux, n'est-ce pas ? C'est plus juste que tu ne le crois. Mais je n'attendrai même pas que tu me les offres pour te révéler que je suis un trésor plus magnifique que ce que tu as jamais convoité. Rêve plus large, Kennit, plus grand que tes rêves les plus fous. Rêve d'un navire qui peut appeler les serpents de l'abîme à la rescousse. Ils sont à mes ordres. Que voudrais-tu qu'ils fassent ? Qu'ils arrêtent un navire et qu'ils le pillent ? Qu'ils escortent un vaisseau jusqu'à sa destination ? Qu'ils te guident dans la brume ? Qu'ils protègent ton port d'attache de toute menace ? Rêve grand, rêve plus grand encore, Kennit. Et accepte les conditions que je te propose. »

Il se racla la gorge. Sa bouche était devenue toute sèche. « Tu pousses trop loin, dit-il froidement. Que peux-tu vouloir, que puis-je te donner qui vaille ce que tu m'offres ? »

Elle gloussa. « Je te le dirai, si tu ne le comprends pas par toi-même. Tu es le souffle de mon corps, Kennit. Je dépends de toi et de ton équipage pour bouger. Si je dois rester prisonnière à l'intérieur de cette coque, il me faut un vaillant capitaine qui me donne des ailes, même si elles ne sont que de toile. Il me faut un capitaine qui comprenne la joie de la chasse, et la quête du pouvoir. J'ai besoin de toi, Kennit. Accepte. » Elle baissa la voix, l'adoucit. « Accepte. »

Il prit une inspiration. « J'accepte. »

Elle rejeta la tête en arrière et éclata d'un rire qui résonna comme un tintement de cloches. Il sembla que le vent lui-même soufflait plus fort, agité par le son.

Kennit s'appuya à la lisse. La jubilation montait en lui. Il avait peine à croire que ses rêves étaient enfin à sa portée. Il chercha quelque chose à dire. « Hiémain sera très déçu. Pauvre garçon ! »

La vivenef hocha la tête avec un petit soupir. « Il mérite d'être un peu heureux. Allons-nous le renvoyer dans son monastère ?

— Je crois que c'est le parti le plus sage, renchérit Kennit, en dissimulant sa surprise. Pourtant, cela me fera de la peine qu'il s'en aille. Cela m'a brisé le cœur de le voir ainsi défiguré. C'était un si beau jeune homme.

— Il sera plus heureux dans son monastère, j'en suis sûre. Un moine n'a guère besoin d'avoir la peau lisse. Quand même... et si nous lui offrions la guérison, en cadeau de départ ? Un souvenir qu'il emportera avec lui, toujours, qui lui rappellera comment on l'a façonné ? » Foudre sourit en découvrant ses dents blanches.

Kennit était incrédule. « Tu en es capable aussi ? »

Le navire eut un sourire de conspirateur. « *Tu* en es capable aussi. Bien plus efficace, tu ne crois pas ? Va dans sa cabine, maintenant. Fais une imposition des mains et exprime tes meilleurs vœux. Je te guiderai pour le reste. »

*
* *

Une étrange léthargie s'était emparée de Hiémain. Après avoir tenté de méditer, il s'était enfoncé dans un abîme abstrait. Il y flottait en suspension, se demandant confusément ce qui lui arrivait. Avait-il enfin maîtrisé un état de conscience plus profond ? Il se rendit vaguement compte qu'on ouvrait la porte.

Il sentit les mains de Kennit sur sa poitrine. Il s'efforça en vain d'ouvrir les yeux. Impossible de se réveiller. Il était retenu comme par une main qui l'étouffait. Il entendait des voix, Kennit qui parlait, Etta qui répondait. Gankis dit quelque chose tout bas. Hiémain luttait pour se réveiller mais plus il se débattait, plus le monde reculait. À bout de forces, il plana. Des vrilles de conscience l'atteignirent. La chaleur irradiait de la main étendue de Kennit. Elle infusait sa peau puis s'infiltrait profondément dans son corps. Kennit parlait doucement, l'encourageait. La force vitale de Hiémain s'enflamma soudain. Pour lui, c'était comme si une chandelle s'allumait subitement, avec la chaleur et l'éclat d'un feu de joie. Il se mit à haleter comme s'il gravissait en courant une côte. Son cœur peinait à rattraper le rythme affolé de son souffle. *Arrêtez*, voulait-il supplier, *je vous en prie, arrêtez*, mais aucun mot ne s'échappa de ses lèvres. Il hurla sa prière dans sa propre obscurité.

Il entendait. Il entendait les hoquets de surprise et les cris d'émerveillement de ceux qui l'observaient. Il reconnut les voix des matelots. « Regarde, on le voit changer ! » « Même ses cheveux qui poussent ! » « C'est un miracle. Le cap'taine le guérit. »

Les réserves de son corps brûlaient inconsidérément ; il sentit que des années de sa vie se consumaient dans cet acte, mais il était incapable de s'y opposer. La peau régénérée le démangeait atrocement mais il ne pouvait bouger un muscle. Il n'avait plus la maîtrise de son propre corps. Il réussit à geindre, du fond de sa gorge. Peine perdue. La guérison le dévorait de fond en comble. Le tuait. Le monde s'éloignait. Il flottait, tout petit dans le noir.

Au bout d'un moment, il s'aperçut que Kennit avait retiré ses mains. Les violents battements de son cœur s'apaisèrent. Quelqu'un parla, très loin. La voix de Kennit vibrait d'orgueil et d'épuisement.

« Voilà. Laissons-le se reposer, maintenant. Dans les jours qui viennent, il ne va se réveiller, probablement, que pour manger, et puis il se rendormira, profondément. Que personne ne s'en inquiète. C'est une étape nécessaire de la guérison. » Il entendit le souffle haché du pirate. « Je dois me reposer, moi aussi. Il m'en a coûté, mais il ne méritait pas moins. »

*
* *

Kennit se réveilla en début de soirée. Il resta un moment immobile à savourer sa jubilation. Le sommeil l'avait complètement revigoré. Il avait guéri Hiémain, de ses propres mains. Jamais il ne s'était senti aussi puissant que lorsque ses mains étaient posées sur Hiémain et que sa volonté avait régénéré la peau du garçon. Les hommes qui avaient assisté à la séance le considéraient avec une crainte respectueuse. La côte tout entière des Rivages Maudits s'offrait à lui. La belle Etta rayonnait, d'amour et d'admiration pour lui. Il ouvrit les yeux et regarda le charme attaché à son poignet : jusqu'à cette minuscule figure qui lui souriait voracement. Durant un instant de complète harmonie, tout fut parfait dans son univers.

« Je suis heureux », dit-il à voix haute. Il eut un grand sourire en s'entendant prononcer ces mots inconnus.

Le vent se levait. Il l'écouta siffler dans la toile du navire, et s'étonna. Il n'avait perçu aucun signe annonciateur de tempête. Et le navire ne tanguait pas. Le dragon avait-il aussi du pouvoir sur les tempêtes ?

Il se redressa précipitamment, saisit sa béquille et sortit sur le pont. Le vent qui jouait dans ses cheveux était vif et régulier. Pas de nuages menaçants, la lame était courte et rythmée. Pourtant, alors qu'il regardait autour de lui, le bruit d'un vent qui se levait lui parvint aux oreilles. Il se rapprocha en hâte de sa source.

À son grand étonnement, l'équipage au complet était rassemblé autour du gaillard d'avant. Les hommes se séparèrent pour le laisser passer dans un silence plein de respect. Il traversa le groupe en boitant et se hissa sur l'échelle. Au moment où il reprenait pied, le bruit du vent s'éleva à nouveau. Cette fois, il en comprit la cause.

Foudre chantait. Il ne distinguait pas son visage. Elle avait la tête rejetée en arrière et ses longs cheveux se répandaient sur ses épaules. L'argent et le lapis du présent de Kennit brillaient sur les boucles noires et mousseuses. Elle chantait avec la voix d'un vent qui se lève, puis avec le fracas des vagues fouettées par le vent. Sa tessiture allait du jaillissement grave jusqu'au sifflement aigu, que nulle gorge, nulle bouche humaine n'auraient pu produire. C'était la voix du vent qui chantait, et ce chant bouleversa Kennit, comme jamais musique humaine ne l'avait ému. Elle parlait, au fin fond de lui-même, la langue de la mer elle-même, et il reconnut sa langue maternelle.

Alors une autre voix se joignit à celle de Foudre, égrenant des notes pures qui enrobaient et perçaient le chant de mer. Toutes les têtes se tournèrent. Les voix humaines s'étaient tues, un profond silence régnait sur le navire. L'éclair d'effroi qui avait frappé Kennit fit place à l'émerveillement : il était aussi magnifique que son navire. Il le voyait bien, maintenant. Émergeant des profondeurs, le serpent d'or vert se dressa en oscillant, les mâchoires largement étirées par son chant.

À paraître prochainement, chez le même éditeur, la suite du seigneur des Trois Règnes.

TABLE

Fin d'Été 9

Prologue. Celle-Qui-Se-Souvient 11

  1. Le désert des Pluies 21

  2. Marchands et traîtres 49

  3. Hiémain 89

  4. Le vol de Tintaglia 117

  5. Parangon et les pirates 135

  6. Une femme indépendante 165

  7. Le navire dragon 217

  8. Le seigneur des Trois Règnes 247

  9. Bataille 279

  10. Trêves 317

  11. Corps et âmes 347